Malocchio

Leverbare boeken van Geerten Meijsing
bij De Arbeiderspers:

Altijd de vrouw
De grachtengordel
Veranderlijk en wisselvallig
De ongeschreven leer
Tussen mes en keel
Dood meisje
Stucwerk
De Erwin-trilogie
Malocchio

Geerten Meijsing

Malocchio

Een Toscaanse jeugd

Uitgeverij De Arbeiderspers·Amsterdam·Antwerpen

Dit boek is tot stand gekomen met steun van de
Stichting Fonds voor de Letteren.

Omslagillustratie: *De kleine heks* (foto G. Meijsing)
Omslagontwerp: Nico Richter

isbn 90 295 3098 7 / nur 301
www.boekboek.nl

(de buitengeliefde vader)
voor mijn dochter

(de inniggeliefde dochter)
Daddy, you're a fool to cry

Inhoud

ⓘ *Spelopties* ⓘ

☒ emotionele druk wegen
☒ autocentreren
☒ vrije wil inschakelen
☒ achtergrondpersonages
☒ autofoto (veel foto's van de auto!)
☒ humeurmeter
☒ voedselschijf
☒ flora en fauna determineren
☐ huishoudbalans bijhouden
☐ carrièreladder uitschuiven
☐ netwerk strippen
☐ bouw- en toekomstplannen
☒ chaosgenerator inschakelen
☒ in de buurt gaan
☒ persoonlijkheidsmatrix kalibreren
☐ sociaal netwerk uitzetten

◉ ▶ *Et in Arcadia ego*

'Ik ga nu weg. Mij zie je niet meer terug.'

Daarop heb je zo gauw geen antwoord. Het was ook geen vraag, hoewel er talloze vragen door de mededeling werden opgeroepen en er nog meer verwijten onder schuilgingen. Ik sloeg geen acht op dreigementen en liet mij niet verleiden tot een tegenoffensief. Het was oké: behoud van de kleine en een huis, waarin we ons verschansen konden.

'De brigade sterft nooit, al geeft zij zich over.'

Mijn dochter werd een tweede maal geboren toen haar moeder ons verliet. Ik dacht niet dat er een drama werd voltrokken.

Op het terras voor de vleugeldeuren staat een gietijzeren tafel met marmerblad. Tussen de barsten van de rode plavuizen woekert gras en onkruid. Aan het roestige onderstel van de tafel kun je lelijk je schenen stoten. Over het tafelblad is ons mooiste rood-witgeblokte tafelkleed, betrokken van de ambulante Marokkaan, uitgespreid en daarop staat een taart om de gelegenheid een feestelijk tintje te geven.

Als ik die taart zelf had gemaakt (de vertrekkende moeder kookte, bakte noch braadde) moet het *Quetschenkuchen* zijn geweest, want dat is de enige taart die we lekker vinden. Vandaag haalde ik de koningin haar kind.

De oude, vermolmde kwetsenboom, waarvan de vermoeide takken onderstut moeten worden, is onze trots. Hij staat vlak achter een laag muurtje van ongemetselde steenklompen dat het terras omgeeft. Jam voor het hele jaar en een maand lang taart wanneer we maar willen. Het geheim van die taart is een beetje citroensap of azijn door het deeg en over de reepjes vruchten veel kaneel strooien. *Pasta frolla* of *Mürbeteig*, in drie minuten met de aaneengesloten vingers van een koele hand gekneed. De boter ijskoud in klontjes gesneden.

Toen ik, veel later, tegen wil en dank in de Amsterdamse Rivierenbuurt was aangespoeld, een stadsdeel nota bene waar van oudsher veel joden wonen – wat zeg ik, op het Merwedeplein schuin tegenover kijkt Anne Frank vanaf een foto uit het raam van een keurig bovenhuis – heb ik in de augustusmaand bij groenteboeren in de buurt vaak vergeefs om kwetsen gevraagd. Opal-pruimen, jawel, en andere gekweekte flauwekul, maar kwetsen, daar is geen vraag meer naar. Daar is de Betuwe te duur voor. Soms ongeregelde toevoer vanuit Bulgarije, dat is geen handel, aldus de doctorandi groenten/fruit boven hun leesbrilletje. Vroeger, ja, vroeger was vroeger! Eén uitbater van 'Groente- en fruitprimeurs' uit de Rijnstraat beet mij beschuldigend toe: 'Maar die mensen zijn allemaal dóód, meneer!' Een oud dametje dat de slachting kennelijk had overleefd, fluisterde schuchter: 'Ja, die moet je hebben, en dan met kaneel...' De groenteboer had mij het gevoel gegeven dat ik naar een onoorbare specialiteit pornofilms had gevraagd. Maar ik ben van meer dingen in Amsterdam geschrokken, waar je alle specialiteiten pornofilms kunt kopen. Kwetsen niet. Die groeien in het paradijs.

Sommige dingen kun je nooit vergeten, hoe graag je ook zou willen: de aanwezigheid van een *Panzernaßhorn* in mijn studeerkamer bijvoorbeeld, of de bij aanraking verschietende kleur van rijpe kwetsen met een druppel honing aan de onderkant.

Als er die bewuste dag kwetsentaart op tafel stond, dan kan ik de gebeurtenis plaatsen in de tijd: augustus. Ik heb altijd iets met kwetsen gehad, omdat mijn moeder voor mijn verjaardag, wanneer Opi op bezoek kwam, Quetschenkuchen bakte. De geur van het baksel aan de vooravond was de aankondiging van het geluk. Rinse smaak, kwetsbaar blauw van het verleden.

Die traditie wilde ik in ons huisje opnemen toen daar die verwaarloosde kwetsenboom aan de rand van het terras bleek te staan. De overrijpe vruchten in het hoge gras, vol wormen en wespen. De schors had van de kronkelige stam losgelaten en daartussen trekken colonnes mieren af en aan. Op weinig dingen ben ik trots, maar wat ik één keer heb gegeten kan ik blindelings namaken. Soms lukt het een tweede keer pas. Toen ik mijn bejaarde ouders voor de laatste keer naar Zuid-Duitsland begeleidde, kon je in elke *Konditorei* gewoon Quetschenkuchen krijgen. Het dal van de Neckar staat vol met deze antieke fruitbomen. Niks import uit de *Ostländer*. Ook niet zo smakeloos als de namaakvruchten die ze in het Westland of de Betuwe uit de grond trekken. Hollandse producten, die moet je volgens onze groentespecialisten hebben! Mijn moeder heeft ons altijd voorgehouden dat het vak Vaderlandse Geschiedenis uit niets dan propagandistische leugens bestaat.

De Nederlander wordt in het buitenland met lede ogen aangekeken. Lomp en lawaaiig, in korte broek en sandalen op een koopje uit. 't Is niet voor niks dat de wegen tijdens de zomervakantie verstopt zijn met Nederlandse caravans en kampeerders: hotels worden door de Bataven te duur bevonden. Die mensen eten vies, aldus de oude Droogkuis, binnenskamers, op straat en ook in het buitenland. Waar ze ook gaan, ze nemen hun luidruchtige beschonkenheid ingeblikt met zich mee. Sprak je het vroeger nog tegen wanneer ze je voor Duitser aanzagen, de buurlanders van nu hebben stijl en zelfbeheersing, en worden om hun eens zo verderfelijke efficiëntie weer gewaardeerd.

De enige producten waar je als *expat* soms naar snakt zijn

zoute drop, haring en speculaas. En Hollandse meisjes, dacht ik ooit toen ik ze nog importeerde. Die zijn in Amsterdam te koop, een heel katern van de Gouden Gids. In Brussel of Rome vind je ze niet zo gemakkelijk. Laat staan in de *elenco* van de sip (tegenwoordig Telecom Italia) van de voorname provincie Lucca, vol adellijke namen en beroemde buitenlanders. Ik stond er wel in maar hoorde er niet bij.

Agenda van de maanden hield ik niet bij in Toscane. De jaren telde ik eenvoudig aan het opgroeien van mijn jongedochter. Ik zag aan de mimosa dat het op februari aanliep (terwijl de andere loofbomen nog kaal zijn, helgele dotten in het landschap), rook aan het gras dat we al plotseling in mei waren (geen lente daar, maar regenmaanden in maart en april), de kamperfoelie bracht juni; dropen de linden van de oprijlaan: een maand verder. Daarna werden de kwetsen rijp en dertig dagen later de eerste druiven, de bladeren van de wijnplant blauw bespoten met kopernitraat. De eerste paddestoelen, felbegeerde verse *porcini*, brachten het jaar zijn onafwendbare melancholie: het einde van de *villeggiatura* kwam eraan. De zomer en de landgenoegens waren voorbij, herfst en winter voor de deur, aan het werk! Roosterden we de eerste kastanjes, verzameld in de Garfagnana, staken we voor het eerst de kachel aan en rook alles naar te jong gekliefd hout en binnen naar roet: november. De laatste vruchten die nog aan de bomen hangen als de bladeren reeds gevallen zijn, door de lage winterzon verlicht als oranje lampions, de *cachi*. De boeren geven ze aan het vee, maar ik nam er een voor mijn ontbijt en maakte er sauzen mee. In Amsterdam heten ze 'sharonvruchten'; ze worden uit Israël geïmporteerd, bitter en onrijp, je kunt er niets mee. Ze moeten, overrijp, nog net niet scheuren om hun vitaminerijke pudding prijs te geven.

We waren in elk geval buiten op dat moment, op het terras, maar dat waren we bijna alle dagen van het jaar, behalve in de regenmaanden. Het moet warm zijn geweest, want Chiara liep op blote voetjes en droeg haar jongensbroekje en Pinocchio-shirt. Een rood plastic zonnebril met witte salamanders op de poten verborg de boze blik waarvoor zelfs haar eigen moeder bang was.

Tijdens mijn slapeloze nachten test ik soms mijn geheugen wanneer ik iets niet vinden kan. Ik verbied mijzelf een woordenboek te raadplegen. Het heeft een blanke week gekost voor ik het Italiaanse woord voor salamander (eigenlijk hagedis, maar vanwege de emblematische verwijzingen en het potkacheltje van mijn grootvader blijf ik het verkeerde woord gebruiken voor het verkeerde beest) weer wist. We weten niet hoe het geheugen werkt, wat er in je kop gebeurt wanneer je het als een gek bevelen geeft om iets terug te halen. Misschien werkt het wel helemaal niet, of gaat het zijn eigen gang, zoals het autonome zenuwstelsel. Een slapend geheugen moet volgens Oliver Sachs een verschrikking zijn – ik zing het mijne wiegeliedjes toe.

Lucertola! Niet dat ik mezelf een dierenvriend zou noemen, maar ik was als kleine jongen dol op deze diertjes, die je in zuidelijke landen tussen de stenen van een zondoorstoofd muurtje ziet wegschieten. Ik spaarde ze. Ik had er zelfs eentje bijna getemd – die bleef op mijn hand zitten, tot ik hem mijn moeder liet zien. Chiara ging heel anders met dieren om. Op ons terras liepen nogal wat hagedissen rond zonder staart. Ik dacht eerst dat dat kwam doordat Chiara niet snel genoeg was om ze te pakken. Zoals bekend, laten hagedissen hun staart los als ze zo ontsnappen kunnen. Tot ik een blikken doosje op haar kamertje ontdekte, vol afgetrokken hagedissenstaarten. Zij spaarde ze.

Van het buurjongetje had ze de truc geleerd om een vuurvliegje te vangen in twee maagdenburgerbollenhanden en die dan los te laten in haar donkere slaapkamer. Een dwaallichtje als nachtlicht, het had iets feeërieks. Wanneer ze vervolgens wilde proberen in te slapen, sloeg ze, *pats boem*, het beestje dood, lichtje uit.

'Waarom doe je dat nou?'

'Jij zegt toch dat ik moet gaan slapen.'

'Maar vind je het niet zielig, dan?'

'Jij slaat toch ook de muggen rond je bed dood.'

Aan het begin van de oprijlaan stond het buitenmodel auto, *una grossa cilindrata*, waarin de hulpvaardige Italiaanse vriend haar moeder naar Nederland zou begeleiden. Zelf hing hij, enigszins besmuikt, tegen zijn diamantzwarte bolide aan. Een Alfa Romeo Montreal uit 1970, met acht cilinders. Ik had er nog nooit in gezeten, maar mijn vriendin vertelde vaak opgetogen hoe lekker die wagen reed. Verraad, want wij waren van meet af aan DS-rijders. Op en neer deinend over de Alpen, met het hele gezin, of alleen met Chiara, of helemaal alleen, op weg naar een hereniging met dat gezin.

Zelfs mijn auto bleek in Amsterdam achterhaald. Plotseling leken alle yuppen van die stad in opgelapte strijkijzers van Auto Renaissance of de DS-Keizer te rijden.

Bij nader inzien denk ik dat Eefje, geheel naar Italiaans gebruik, even langs een *pasticceria* (ook op zondag geopend) was gereden en daar een *torta della nonna* of een *torta del nonno* had gekocht en laten inpakken, met een feestelijk gouden lintje dichtgestrikt.

Het verschil tussen die twee soorten taart kan ik nooit onthouden: de ene is met *crema inglese* (vanille- of gele vla) en de andere met chocola. Beide soorten koekenbakkerswerk liggen even zwaar op de maag.

Ik kan mij niet herinneren dat iemand van die taart gegeten heeft, hoewel hij op de foto wel wordt aangesneden. Eefje, het mes gegeven als voor een bruiloftstaart, deed aan de lijn, ik hield niet van andere dan kwetsentaart en Chiara was een eetprobleem. Voor het gemak deden wij alle drie of de Italiaanse snor er niet bij hoorde. Dat hoorde hij ook niet. Waarschijnlijk vond hij het zelf ook gemakkelijker zijn snor te drukken.

De buurman was nergens te bekennen, maar zal vanuit een heimelijke positie onze verrichtingen hebben gadegeslagen. Ik zal me die dag ongetwijfeld de woorden herinnerd hebben die hij, in zijn obscene Amerikaans, had uitgesproken toen Eefje met stiefje bij mij was ingetrokken: *'These two women... They will bring you down!'* Catherine was voor de veiligheid al eerder afgevoerd. Ze was tien jaar ouder dan haar halfzusje en begon zich van de ene op de andere dag zwaar op te maken. Ook pikte ze de lingerie die ik voor Eefje had gekocht. De bromfietsjongens waren niet meer van het erf te slaan. Op de Italiaanse *scuola media* was het met haar niet gelukt.

Taart en spumante!

De ceremonie duurde kort (er moest nog ver gereden worden), Eefje smoesde een paar woorden met haar onverbiddelijke dochtertje en wenste mij nog sterkte toe. Ik ben haar eeuwig dank verschuldigd. Chiara en ik keken vanaf het terras op onze heuvel gefascineerd toe hoe de Italiaan achteruit door de bocht van de oprijlaan manoeuvreerde. Gode zij dank belandde hij niet in de greppel, zoals de buurman een keer was overkomen, waarna de zoon van de pachtboer met zijn tractor opgetrommeld moest worden.

Wel raakte Franco eerder dan ikzelf aan de drank en antidepressiva, omdat hij Eefje naar Amsterdam had mogen vervoeren maar niet beroeren, zodat hij de speelgoedwinkel die hij met zijn broer had geërfd en die hij verwaarloosde moest verkopen. Hij probeerde het nog in dezelfde Alfa met de vrouw van zijn broer, die mij in de hoofdstraat van de stad nog jarenlang beschuldigend is blijven begroeten met zijn trouwe hondenogen (tja, als je zelfs je broer niet kunt vertrouwen...), en is op Malta in een ondergescheten en onbetaalde hotelkamer gestorven aan speelschulden en liefdesverdriet,

17

oftewel aan de combinatie van drank met SSRI's, terwijl hij zich volgens de politie gewoon door het hoofd heeft geschoten.

Even later hoorden we de acht cilinders op de holle weg ronken. En daarna...

Daarna ging ons leven verder. De buurhond blafte voort. Of begon eerst goed. Ik maakte mijn *caffè Pitigrilli* zo sterk mogelijk door de versgemalen bonen stevig aan te stampen. Er moet een laagje lichtgeel *schiuma* op de espresso. Espresso drink je staande, in één slok. In mijn deuropening. Op deze heuvel, achter een haag die met de jaren hoger is geworden. Als in het beroemde gedicht van Leopardi. De buurman had van Leopardi wel gehoord, op school.

'Een ongezonde geest!' oordeelde hij nu.

'Een ongezond lichaam, zul je bedoelen. Met die geest zat het wel goed.'

'Mm. Hij stonk. Een vrijdenker, meen ik. Niet vitalistisch. Slecht voor de jeugd.'

Hij liet zich het laatste woord niet graag ontnemen, onze vriend en weldoener.

De taart zullen we wel een paar dagen buiten hebben laten staan. Die was, ik weet het bijna zeker nu, niet van ons. We zullen met belangstelling de volgende ochtend hebben gekeken hoe vogels, dieren en ongedierte zich daarvan meester hadden gemaakt, voor we de resten weggooiden. Chiara had eenzelfde belangstelling voor oprukkende jungle en ontbinding als ik. Van elkaar konden we ons niet losmaken.

Het huis, tussen snel opschietend onkruid (mijn god, wat een overvloed aan zoete bramen hadden wij), verdronk in groen en was overgeleverd aan het verval. Daar was evenmin iets tegen te beginnen als tegen de buurman. Romantisch was het wel, maar eerder als decor dan voor bewoning geschikt.

Chiara leerde op school een liedje waarvan mijn ogen mistig worden:

Era una casa molto carina
senzo soffitto, senza cucina;
non si poteva entrarci dentro
perché non c'era un pavimento.
Non si poteva andare a letto
in quella casa non c'era il tetto;
non si poteva far là pipì
perché non c'era vasino lì.
Ma era bella, bella davvero:
*Via dei Matti, numero zero.**

Er bestaat een televisiereclame – want als je over *la bella Tosca-na* schrijft, kun je evengoed alleen die supermooi gemaakte spotjes afdraaien – waarin een jong paartje, móóie mensen, in een perfect gerestaureerde Deux Chevaux langs de Toscaanse kust rijdt en in een vervallen kasteeltje aan zee gaat picknic-ken. Ongemerkt zijn ze tien jaar verder, hebben het kasteel gekocht en gerestaureerd – die mensen moesten intussen mil-jonair geworden zijn! – maar eten nog steeds dezelfde pasta: *dov' è Barilla, c'è casa.* En ik, gewillig slachtoffer van elke ver-leiding, besluit morgen meteen Barilla te kopen.

U moet begrijpen: dat boerenhuisje op de heuvel was mijn eerste eigen huis, na de omzwervingen die begonnen vanuit de ouderlijke woning, waarin ik altoos kon terugkeren. Ik huurde deze bouwval van Giacomo Giannini – *Gigi* voor vriendinnen, bewoner van de aftandse villa waarvan deze *casa colonica* een dependance was.

Aanvankelijk dacht ik dat 'Casa Colonica' een eigennaam was, zoals in Holland huizen Weltevreden of Nooitgedacht heten. 't Betekent niets anders dan boerenhuis, in het feodale systeem van de *mezzadria* waarin de boerenpachter het land van de eigenaar bewerkt en de helft of negen tiende van de

---

opbrengst moet afstaan. Vóór mij had een laatste pachter de grond bewerkt: wat wijn op de heuvel, gras voor de dieren op stal, een veldje maïs. Toen ik er kwam, was alles reeds verwaarloosd.

Pas veel later heb ik begrepen wat voor impact die scène met de taart, de Alfa op de achtergrond en de omhelzing met de moeder heeft gehad op Chiara, die toen drie jaar was. Valse voorlichters hebben haar in Amsterdam overreed een dure driedaagse cursus te volgen van een verdachte vereniging die *Landmark* heet. Die incasseert vooraf de cursusgelden en stelt geestelijke bevrijding in het vooruitzicht. Wie wil dat niet? Eenieder kan en wil, op elk moment, bevrijd worden van wat hem of haar dwarszit.

Aan het eind van die cursus, zo vertelde mijn inmiddels halfvolwassen dochter mij, moest iedereen, als een soort openbare schuldbelijdenis, voor het front van de andere genootschapsleden zijn (of haar) meest intieme 'blok' opbiechten. Dit is echt waar, ik vertel geen onzin, het gebeurt nog steeds en deze charlatans die op ondernemingsleest zijn geschoeid, winnen terrein.

Waar het om gaat – en ik viel van mijn stoel toen Chiara mij deze episode toevertrouwde: 'Maar papa, dit is echt geheiminissimo!' – is dat mijn dochters boze droom altijd geweest is wat haar moeder bij die gelegenheid (ik kan ondertussen geen taart meer zíen) haar tijdens een laatste omhelzing in de oren had gesmoesd: 'Ik ga nu weg. Mij zie je niet meer terug.'

Dat had het kleine meisje niet meer losgelaten. Het was te snel gezegd, is ook niet waar gebleken. Wij waren niet getrouwd, hoewel het kind wel was geëcht. In die tijd was de niet-getrouwde moeder altijd voogd. Het heeft haar nog heel wat overtuigingskracht gekost om een vrouwelijke rechter mij tot toeziend voogd te laten benoemen. Dat is een wassen neus. De toeziend voogd wordt pas aangesproken wanneer de echte voogd ontijdig komt te overlijden. Maar Eefje heeft, als een kattenstaart voor sadogebruik, negen levens.

Terug in Amsterdam raakte ze geïnteresseerd in design, net als de rougeflosjes op haar jukbeenderen symbool voor de smaak van de jaren tachtig, kocht en verkocht met geleend geld handig roerend en onroerend goed, zodat ze in recordtempo van een verdieping in Oud-West, via een scheef huisje in de populaire Jordaan, aan een herenhuis langs de Keizersgracht toe was, alles marmer en goud daarbinnen, wat niet kon verhullen dat de middelbare leeftijd bij een harde en hardwerkende vrouw genadeloos toeslaat, waartegen ze zich tracht te weren met steeds jongere minnaars, meer, sneller en liefdelozer dan de minnaressen die ze mij altijd verweten heeft. Zo'n vrouw heeft haast. Ik vrees dat ze aan ons verleden niet dezelfde idyllische herinneringen heeft als ik.

Vlak voor mijn dochter twaalf werd – de leeftijd waarop het kind voor het gerecht een voorkeur mag uiten bij welk van de ouders het wil wonen – is Chiara van mij weggeplukt, omdat de moeder spijt had gekregen, of misschien omdat ze mij niet vertrouwde met een meisje in de puberteit. Daarna blijft mijn geheugen leeg.

Ook ik heb een huis in Toscane gehad. Het is een literair genre geworden waarvan ik kotsen moet. Serieuzere schrijvers dan ik worden infantiel en tuttig als de lifestylerubriek in een damesblad wanneer ze 'de avonturen' met hun tweede huis in dromenland publiceren.

Et in Arcadia ego. In de correcte filologische betekenis: zelfs in dat lieflijke landschap waart de dood. Dat Arcadië niet lieflijk is, in de dichtkunst noch voor Eefje, maar het woeste rijk der ongetemde hartstochten, hoeven de mensen die Barilla eten niet te weten.

Nog steeds denk ik vaak – ik schijn die woorden in mijn dromen hardop uit te spreken: 'Ik ga maar naar huis.'

▶ De buurman

We stonden daar versteend op ons terras, Chiara en ik, het ronken van de acht cilinders nog in onze oren, toen Giannini met zijn gebruikelijke grijns het erf op kwam wandelen. Hij wandelde niet, hij flaneerde, zelfs heuvelop. Zijn ogen twinkelden in afwachting van nieuws. Elke verandering in de situatie was weliswaar bedreigend maar kon ook in zijn voordeel uitpakken. Een heel gezin op straat zetten was nog iets anders dan een vriend vertellen dat hij een betere schaakpartner had gevonden. Koffie Pitigrilli zette een hoge rug en begon te blazen.

Gekleed in tweedjasje (John Magee, Ireland 1861), lichtblauw overhemd (Ralph Lauren), nog ongekreukte linnen broek met messcherpe vouw, blote voeten in loafers of mocassins. Zo ging hij altijd gekleed, correct, al droeg hij 's winters een lichtgele *pull* onder zijn jasje en sokken met sokophouders tot aan de knie. Italianen sporten niet voor de gezelligheid, ze jagen en zoeken paddestoelen. *Sportswear.* Toepasselijk omdat hij zijn hele leven nog geen dag gewerkt had. Daar was hij trots op. Zijn beroep was mensen kennen. Mensen die ertoe doen, vanzelfsprekend, liefst van adel.

De buurman was onze huisbaas en beste vriend. Hij schaakte niet prettig. Het was onmogelijk ruzie met Gigi te krijgen, hoewel mijn vingers menigmaal tintelden om tot een handgemeen te komen. 'De Balanda-variant' zou aan de schaakellende in één keer een eind hebben gemaakt. Waarschijnlijk ook aan ons woongenot. Misschien was ik te bleu en te beleefd. In mijn naïveteit dacht ik dat verliezen goed voor de karaktervorming zou zijn. Twee van de drie partijen werden door hem gewonnen. Tien jaar lang. En hij was te nobel om het op een andere confrontatie dan via het bord te laten aankomen.

Als ik één gunstig ding over de adel kan zeggen, is het dat zij mensen van alle rangen en standen op hun gemak weet te stellen. Nooit iemand in verlegenheid brengen of gezichtsverlies laten lijden. Dat is ook een algemeen Italiaanse eigenschap: altijd de ander zijn *bella figura* laten behouden. Daarom lopen discussies nooit uit de hand. Niemand gaat op zijn ponteneur staan. Iedereen is van de wijsheid doordrongen dat het gelijk een betrekkelijke en vooral praktische zaak is.

Om goed te functioneren en niet aan vereenzaming ten onder te gaan, hebben Sims (Electronic Arts™ Incorporated) eigenlijk meer buren nodig. Regelmatig contact met vrienden uit de buurt is een levensvoorwaarde, ook voor de carrièreladder. Van alle Sim-behoeften moet men deze het scherpst in de gaten houden, anders daalt de stemmingmeter onrustbarend in het rood. Veel rood is dood. Sims zijn dan ook geen filosofen die denken aan zichzelf genoeg te hebben.

'*Altro che!*' zou Chiara in haar rappe tongval zeggen. Zij antwoordde nog bijna voor de vraag gesteld was. Soms had ik het onheilspellende gevoel dat ze mijn gedachten kon lezen. En anders wel mijn hart, met behulp van de pincetten en ontleedmesjes uit de chemiedoos die ik op de kermis voor haar had gewonnen. Naar loterijnummers hoefde ze niet te raden; die wist ze gewoon, zoals *idiots savants* priemgetallen kunnen zien tot vijf, zeven, elf cijfers aan toe. Ik had een vriend gehad, op den duur verdwaald in zijn autisme, die zulks kon. Kanger en Chiara konden het *goed* met elkaar vinden, de enkele keren dat ze hem heeft meegemaakt.

Al bezat ik een blauwfluwelen Goethe-outfit (eindexamen)

en een wit tropenpak (begrafenis van Opi, van wie ik dit kostuum geërfd had), ik was als jongen naar Toscane gekomen, nog steeds met te lang haar en een leren vliegeniersjack. Terwijl ik allang had moeten weten (uit *Beau Brumell* van Barbey d'Aurevilly, bijvoorbeeld) dat de ware dandy *onopvallend* is in zijn perfectie. De wijsheden van de literatuur heb ik in het echte leven nooit kunnen volgen.

De mooiste herenmodezaak van de stad, Tenucci, is midden in de nauwe hoofdstraat van de stad gelegen, de Via Fillungo. Giannini had mij daar geïntroduceerd. In de etalage stond, op een ondergrond van groen vilt, een schaakbord (eenvoudige Staunton-wedstrijdstukken in Siciliaanse opening) met daarnaast een paar zorgvuldig verkreukelde geitenleren handschoenen en twee felgekleurde jachtpatronen. De enige verandering die ik ooit in die etalage heb gezien, was dat de patronen vervangen waren door drie biljartballen.

Evenmin was het interieur in honderd jaar veranderd, wel goed bijgehouden: tot aan het gewelfde plafond rozenhouten kasten en laden tussen goudomlijste spiegels. Een museumwinkel. Helaas is heel Lucca in een museumstad aan het veranderen, zoals San Gimignano dat allang is. Binnenkort wordt heel Toscane tot een door de UNESCO beschermd openluchtmuseum verklaard.

Voor alles heb je in Italië een introductie nodig. Wie bij Tenucci binnenkomt, zeker op aanbeveling van Giannini, wordt als een vorst ontvangen door mannelijk personeel dat in de Bond Street van koning Edward opgeleid moet zijn. Kleding heeft Tenucci niet uitgestald, die wordt stuk voor stuk uit geheimzinnige nissen en dozen gehaald. Niet dat je kiezen kunt: de verkopers weten op voorhand precies welk kledingstuk gewenst en geschikt is voor die specifieke klant. Ik heb me daar eens bijna failliet gekocht aan een colbertje (om in de juiste toonsoort te blijven), waarin ik gerust dood en zonder papieren gevonden kan worden: het ingestikte label van Tenucci zal de speurders direct naar mijn stad leiden, Lucca. De Italiaanse *gentiluomo* draagt en trouwt liefst Brits. Een van de subtielere methoden waarmee de buurman mij *pleite* probeerde te krijgen.

De Engelse standaard voor gedrag en kleding is in de Elizabethaanse tijd regelrecht overgenomen van de Italiaanse voorschriften voor de hoveling, zoals die bijvoorbeeld in het handboek van Baldassare Castiglione geformuleerd zijn. Daarna is dit model van ondoorgrondelijk gedrag en onopvallende maar perfecte kleding weer teruggeïmporteerd in het postrenaissancistische Italië. Zo zit de zaak kunsthistorisch en sociologisch in elkaar. *And that's what we call research!*, zoals Victor Borge zou zeggen.

In Holland dachten wij vroeger dat Italië het schoenenland was, land van de modeontwerpers. De Toscaanse upperclass denkt daar anders over: Versace en Armani zijn voor voetballers en schoolkinderen, Prada en Botticelli tegenwoordig voor hoeren en illegale immigraten. Het weinige wat de buurman wist, was hoe het hoorde. Veel heb ik van hem geleerd. Ook hem ben ik eeuwig dank verschuldigd.

We liepen zo bij elkaar binnen, de valse hoveling en de nog ongevormde bedelknaap, van de villa naar het boerenhuis en andersom, binnendoor langs een laan met kastanjebomen, en oude autowrakken in de braamstruiken: restant van het 'automuseum' dat Giannini in zijn jonge jaren had willen opzetten. Hij kende alle autodealers en -slopers tussen Viareggio en Florence. Ik ook, inmiddels, tegen wil en dank.

Giannini heeft mij veel geleerd: nóóit *piacere* (ons 'aangenaam') zeggen als je aan iemand wordt voorgesteld; vooral elke naam onthouden van de mensen aan wie je voorgesteld wordt (ik heb daar nog steeds moeite mee); nooit als eerste een hand uitsteken, maar wachten tot de ander jou de zijne reikt (heel anders dan in Frankrijk, waar iedereen elkaar meteen een hand geeft); nooit bloemen meebrengen (sowieso alleen bij het kerkhof te bekomen) als je bij iemand op bezoek gaat, maar wel een ingepakte taart. Bloemen zijn voor sterfgevallen. Een flesje wijn meebrengen is evenzeer *not done*. Nooit meteen een cadeautje uitpakken in aanwezigheid van de gever – dat duidt op gretigheid. Nooit *buon appetito* zeggen voor het eten, en niet wachten tot iedereen is opgeschept maar meteen op de pasta aanvallen. Nooit de gastvrouw bedanken na het eten om te zeggen dat het lekker was. Absoluut geen parmezaan over een pasta of risotto met visingrediënten strooien. Altijd de gastvrouw een dag later bedanken, telefonisch of per kaartje, dat het voedsel *ben digerito* is, oftewel dat je goed hebt gekakt. Het eten dat nog komen moet en de spijsvertering achteraf zijn eeuwige gespreksonderwerpen. Van hoog tot laag in de sociale klassen. De twintig jaar dat ik heb meegeholpen met de *vendemmia* ging het gesprek tussen de andere wijnplukkers uitsluitend over eten en afgaan.

Toen Giannini mij de eerste keer een glas whisky aanbood, zei ik meteen gretig ja. Daar had ik wel trek in. Zonder water, geen ijs dank je wel, *liscio* dus. Hij kon net niet verhullen dat hij verbaasd, zelfs geschokt was. Het was midden op de ochtend. Duidelijk was in ieder geval dat hij op dat moment geen zin had in sterke drank. Nu moest hij twee glazen inschenken, ook een voor zichzelf. Ik weet inmiddels hoe het hoort, in Toscane-land, Land van Kokanje, Pinocchio-land, waar de domme jongetjes zich altijd op de kermis wanen voor ze in ezeltjes veranderen. Als iemand je iets aanbiedt, zeg je eerst twee of drie keer: nee, dank u, voordat de ander je toch een glas inschenkt. Andersom werkt het ook zo. Bied je iemand iets aan, en hij zegt nee, dan is hij beledigd als je niet nog twee keer aandringt. Eeuwig *combat de génerosité*.

De *fegato*, de lever, schuld aan elke vorm van onwelzijn, is het enige excuus om een dergelijk aanbod af te slaan. Van eten en drinken is er altijd te veel. Elke maaltijd een *cornucopia*. Symbool voor de rijkdom van het land. Water, in verschillende merken als Panna, Vera, Ferrarelle, Levissima of Pozzillo, met meer of minder natrium, is minstens zo belangrijk als de wijn. Ieder gehucht heeft zijn eigen bronnetje, waaraan miraculeuze eigenschappen worden toegedicht. *Per digerire*. De mensen staan met flessen en containers in de rij om het kostbaarste vocht op te vangen en mee naar huis te nemen. Van kraanwater zou je onmiddellijk doodziek worden. Baby's worden in mineraalwater gewassen, de koffie met mineraalwater gezet, de pasta gekookt met een mengsel van mineraalwater en witte wijn. De meeste *pubblicità* op de televisie wordt gewijd aan water. Chiara en ik hielden blindproefwedstrijden met mineraalwaters.

Met de gewijde kwast kwam de *parroco* elk jaar voor Pasen de kamers van het huis ontsmetten. Tegen vrijwillige betaling. Je kon ook je auto laten doen. Een echte wasbeurt was het niet. Ik geloofde er niet in maar het hielp wel. Priesters en automonteurs zijn de beste vakmensen in Italië.

Giannini was uitzinnig bevreesd voor zijn fegato. Hij was ook bang voor chocola, melk, peper en pinda's. Aan al die zaken kon je doodgaan. Bij de minste *contretemps* dacht hij te zullen sterven. Hij speelde het in ieder geval perfect. Achter de grote poort stond altijd een tas klaar met spullen die hij in het ziekenhuis nodig zou hebben. Inclusief een extra schaakbord met plastic stukken, zodat ze achteraf ontsmet konden worden.

Als je ziek was, zo leerde ik van Giannini, moest je *mangiare in bianco*: witte risotto, wit brood, witte kistkalfslapjes en wat er nog meer aan wits op tafel kon, witte wijn waarschijnlijk inbegrepen. Melk weer niet: daar zijn alle Italianen doodsbang voor, ook al beweren de fabrikanten die *merendine* (merk *Kinder*) aan de ouders van kinderen proberen te slijten dat ze zo gezond zijn omdat er tussen *Ersatzmehl*, abrikozenaroma, suiker, kleurstoffen en conserveringsmiddelen een half procent melkpoeder is gebruikt.

Nader onderzoek wijst uit dat dit geen onzin is. In een van de seculiere gedichten van de Heilige Bisschop Venantius Fortunatus, gewijd zoals het meeste van zijn leven aan de Merovingische koningin, abdes en heilige Radegonda uit Poitiers – we gaan terug naar de zesde eeuw – bedankt hij haar voor het recept van een *blanc-manger*, zo volmaakt dat het hem regelrecht door Daedalus lijkt uitgevonden. Verder kunnen we niet terug. Bij Radegonda's gerecht moeten we denken aan een soort pudding op basis van melk en gemalen amandelen, bloem, honing en eventueel vanille (waar ze dát vandaan haalden?): in een terracottaoven verhitten en weer laten afkoelen, en serveren op versgeplukte citroenbladeren. Enigszins als *panna cotta*. Aan amandelen worden geneeskrachtige eigenschappen toegeschreven omdat ze volgens de temperamentenleer in samenstelling het meest op mensen lijken. Later werd het recept omgezet in rijstmeel met kippenborst in kalfsbouillon, al of niet met amandelen. Aan de ene kant werd het blanc-manger aangeprezen als fijne kost voor verwende luiden, aan de andere kant als dieet voor zwakke magen, omdat het licht verteerbaar is. Een zorgvuldig bereide *risotto bianco*, met alleen wat parmezaan erover en eventueel een *sospetto di limone*, een vermoeden van citroen, is nog steeds een meesterstuk waar weinig ingewikkelder gerechten tegenop kunnen.

Was je onrustig, of vreesde je op voorhand niet te kunnen slapen, dan nam je een *Tavor*, aldus de buurman. Ik ben nog nooit een volwassen Italiaan tegengekomen die geen Tavor slikt. In Holland kennen ze het wondermiddel niet. Het is de merknaam van een vorm van lorazepam, maar is daarnaast het meest bekend als de naam van een hoogmodern, lichtgewicht *assault rifle*, door Russen ontwikkeld en door de Israëliërs veel gebruikt. Gigi liet mij grootmoedig delen in zijn voorraad deels verlopen medicijnen. Zelf had hij aan één Tavor beslist niet genoeg. In die tijd begon ik me te interesseren voor wapens en medicijnen.

Een speelgoedwinkeltje in de Via Beccheria, door ons 'de schatmaker van Chiara' genoemd, waar wij vlindernetten betrokken, zwemvliezen en duikbrilletjes, katapulten (voor de verjaardag van het buurjongetje), wedstrijdbogen en pijlen met dodelijke koperpunten, kompassen, vergrootglazen, Zwitserse zakmessen, werpsterren en boksbeugels, had in een achterkamer een uitgebreid assortiment van historische vuistvuurwapens: Beretta's, Tanfoglio's, Mausers, halfautomatische FN's en Amerikaanse colts van Smith & Wesson. Oost-Europese en Russische modellen waren, voor de laatste Balkanoorlog, nog niet doorgedrongen tot de onfortuinlijke speelgoedbroers. De buurman had zijn eigen vuurwapens, waarvan een onder zijn hoofdkussen, wist ik. Levensgevaarlijk omdat het legerpistool sinds de laatste oorlog niet meer was afgevuurd of schoongemaakt.

Van de buurman leerde ik – hij werd er zelf opgewonden van – dat in bed joodse vrouwen het beste zijn, omdat ze 'vibreren', maar dat je er niet mee kunt trouwen. Dat joden verantwoordelijk zijn voor de dood van Christus en de nederlaag van de fascisten, en dat communisten (meestal ook joden) aan de andere zijde van het ijzeren gordijn (waarvan ik mij altijd een heel plastische voorstelling maakte) graag christenkinderen opvreten.

Ik leerde van de buurman om te midden van dertig onbekende en onbeduidende (op hun namen en bezittingen na) lieden vier uur aan tafel te blijven zitten en gesprekken te voeren over onderwerpen waar ik niets van wist of die me niet interesseerden. Ik leerde namen onthouden en anekdotes vertellen, vrouwen het hof maken die je nooit zou willen versieren en belangstelling tonen voor de autobanden van adellijke *rampolli*. Dat laatste is een onderwerp dat me eigenlijk wel interesseert, maar waarover ik gauw ben uitgepraat: de duurste Michelins, en elk jaar vernieuwen. Banden zijn net als schoenen: ze verraden heel wat over het karakter van hun eigenaar, maar anders dan goede schoenen hoeven banden niet eerst vijf jaar te worden ingelopen en gaan ze ook geen mensenleven mee. Ze slijten snel. Amerikaanse banden zijn gemaakt voor wegen van beton, en gaan op het Europese asfalt langer mee. Maar netjes staat het niet. En nooit Engelse of Italiaanse merken: de Fransen houden op dit gebied het primaat.

Maar het belangrijkste wat ik van Giannini heb geleerd is het 'broodje Gigi', het eenvoudigste en misschien wel meest exquise hapje van de Italiaanse keuken: vóór het eten op het maagdelijke bord ruim olie van de beste soort gieten, snufje zout, en dan met vers korstbrood *fare la scarpetta*, dat wil zeggen indopen, rondvegen en druipend opeten. Niemand heeft mij ooit kunnen uitleggen waarom dat zo genoemd wordt: 'schoentje maken'. Chiara vraagt nog steeds in elk restaurant eerst om olie en brood, en gaat zich te buiten. Dan hoeft ze van de rest niet meer te eten. Eindelijk heeft de televisiereclame dit alom bekende gebruik ook ontdekt. De actrice schuift met haar vork zorgvuldig de sla opzij om de olie (Monini, in dit geval) vrij te krijgen en daar heel wellustig een stukje brood in te dopen. Dit zou het begin en het einde van mijn Italiaanse kookboek kunnen zijn.

Giannini kende de hiërarchie: vaak zat bij zo'n diner in de keuken, of buiten voor de trappen van het bordes de broodnodige Questore met snor (hoofd van de politie altijd te vriend houden) aan, een enkele onvermijdelijke politicus (altijd gladgeschoren en een verkeerde knoop in zijn das), een aftandse industrieel met een filmsterretje, een Duitse bankier in ruste met onverholen nazigezinde vrouw, een Engelse kunstenaar met jonge dochters, de primarius van het plaatselijke ziekenhuis (ook een ouwe nazi met de onvergetelijke naam Kettelbach) met pornoverpleegster, een Amerikaanse golfspeler met zijn bescheten wijf, enkele verouderde cocaïnegebruikers uit de jaren vijftig die nog steeds meisjes van de kust in hun sportauto wisten te vangen van wie ze de naam niet konden onthouden, maar vooral: adel. Oude adel, pauselijke adel, napoleontische adel en fascistische adel. Over de laatste drie wordt meestal gezwegen. Dat Gabriele d'Annunzio van Mussolini, om hem koest te houden, de titel Principe di Montenevoso heeft gekregen, is van geen enkele betekenis meer. *Anzi.*

Giannini behoorde tot geen enkele van deze categorieën, al was zijn hoogbejaarde moeder – nog steeds een Boldini-voorbeeld van schoonheid, aan wie de villa toebehoorde – adellijk geparenteerd. Zij bewoonde een palazzo in de stad, compleet met *cortile* en bediening in gestreepte livrei.

De vervallen rijkdom van een groots leven in de beste Toscaanse tradities van de Renaissance. Nietsdoen, contacten met de grote families (Spilinbergo, Colonna, Malaspina – en wat het buitenland betreft met Siemens, Bourbon de Parma, Vanderbilt en Du Pont, Albert van België, de Grimaldi's en huize Savoia), het jetsetleven uit de jaren vijftig langs de Versiliaanse kust... Ik had aan al die zaken al geroken voor ik ervan proeven kon. En ik smulde.

Op slag was ik verliefd geworden op Lucca en het oude hertogdom. De beste olijfolie komt uit de heuvels boven Lucca. In Lucca worden de voortreffelijke Toscani-sigaren gemaakt. Verliefd op de billen van de genius van de stad, zoals die op een standbeeld voor de prefectuur tegen Elisa Bacciocchi aan leunt. Ik was gegrepen door deze levensstijl, had daar zo mijn bedenkingen over, maar kon niet beslissen tussen onverholen bewondering en kleinzielige, jaloerse haat tegenover deze vanzelfsprekend lijkende rijkdom.

Ik werd getolereerd, misschien omdat ik zogenaamd een kunstenaar was. Een prestige dat snel sleet, omdat de eerste vraag van iedereen aan wie ik voorgesteld werd, was of mijn boeken ook in het Italiaans waren vertaald. Publiceren in het Nederlands (voor Italianen een Vlaams dialect) is net zoiets als uitgeven in eigen beheer. In mijn voordeel pleitte dat ik de uitgeversfamilies van Camaiore kende: de Mondadori's, de Fischers en de Landshoffs. Die kende ik helemaal niet goed, ik wist dat ze daar woonden en met *dem alten Fritz* had ik een keer geschaakt.

Een beetje familie heeft een palazzo in de stad, een villa op het land (voor de *villeggiatura* in de wijntijd) en een huis langs de kust van Versilia. Beroemd is het gedicht van Gabriele d'Annunzio over de regen in het pijnbomenbos. Het is een milde kust, voor liefde, uitgaan en vertier geschapen, een plotselinge breuk met de romantische rotspartijen van Ligurië, waar Byron en Shelley het sublieme zochten.

Het huis dat Shelley met zijn entourage had gehuurd is terug te vinden aan het strand van Lerici. De baai van La Spezia, waarin hij met zijn zeilboot omgekomen is, wordt nu *il golfo dei poeti* genoemd. Bij Porto Venere, de zuidelijkste van de moeilijk toegankelijke *cinque terre*, schuimt de branding hoog tegen de rotsen op. Daar is een *grotto Byron*, vanwaar je het water en de glibberige *scoglie* kunt bereiken. Met Chiara en mijn beste vriendinnen heb ik in alle vijf de havenplaatsjes ooit gezwommen, soms bij nacht. Er bestaat een tekening van het strand bij Viareggio waarop lord Gordon met de gedeelde vrouwelijke entourage, zozeer gedeeld dat men soms in onduidelijkheid verkeerde van wie de kinderen daaruit geboren waren – gebroed waarmee onzorgvuldig werd omgesprongen, dat stierf of ver weg in kloosters verborgen werd gehouden –, een brandstapel aansteekt om Shelleys aangespoelde lijk te verassen. De duivelse Polidori, lijfarts en huismagiër van Byron, speelde een onverkwikkelijke rol in de gotische experimenten met drugs, seks en kicks. D'Annunzio was even onzorgvuldig met kinderen en minnaressen, maar heeft een prachtig gedicht geschreven over de regen in het pijnbomenbos.

33

Van de buurman heb ik de gewoonte overgenomen om minstens twee keer per dag een vers gestreken overhemd aan te trekken. In Toscane heb ik overhemden leren strijken. Ze kunnen in Italië geen overhemden maken. De beste hemden komen nog steeds uit New York, van Ashley & Blake. Giannini klaagde er vaak over dat zijn Franse vrouw géén overhemden kon strijken.

Een van mijn succesverhalen tijdens die eindeloos saaie diners ging over de prins van Lampedusa, grootvader van de schrijver van *Il gattopardo*. Die liet zijn overhemden maken in New York. Tot zover niets bijzonders. Maar om ze te laten strijken, werden ze per schip naar Londen verzonden. Dat konden ze in Palermo niet. Giannini was blij met de voorzet.

In de regentijd droeg hij een mal vissershoedje op de kop, met neergeslagen rand. En natuurlijk een *loden*, liefst camelkleurig. Ik ben de dracht van dat soort mannen gaan haten. Die mannen zelf ook. Elke zich respecterende man in Toscane draagt deze kleren.

Giannini's vader, die in de corporatieve tijd goed geboerd had, dreef een fabriek waar zuurstof koud werd gemaakt, vloeibaar in hogedrukcilinders gegoten en werd geleverd aan ziekenhuizen en garagebedrijven. Zijn jongere broer bezat de *steel works*.

Gigi, die zichzelf graag in internationaal verband bezag, bleef Engels met mij spreken. Op Harvard zou hij een *masters* in *business administration* hebben gehaald. Zijn Frans was beter, maar op de Fransen keek hij neer: die hadden in de laatste oorlog hun mannetje niet gestaan en geweigerd zich aan te sluiten bij het grootmediterraan gedachtegoed. Wij konden het goed vinden in onze gedeelde belangstelling voor schrijvers als Pitigrilli en D'Annunzio: wist ik wel dat de *vate* een prachtig gedicht over de regen in het pijnbomenbos langs de kust van Versilia had geschreven?

Zoals iedereen was ook ik onder de indruk van deze aristocratische karikatuur. Al was het mij meteen opgevallen dat de villa, om maar te zwijgen van het boerenhuis, groot achterstallig onderhoud vertoonde. Ik vond het eigenlijk wel sympathiek dat de huisheer zelf na elke regenbui het dak op klom om pannen te herschikken. Die mensen woonden in de keuken van het souterrain, op rieten stoelen rond een wijde open haard. Dat schijnt de Engelse adel ook te doen. Een van de redenen dat de buurman zo graag bij mij kwam schaken, was omdat ik míjn open haard na de eerste strenge winters voor gezien hield en een terracotta *certosino*-kachel van de aftandse fabriek Lerici uit Prato had geïnstalleerd in mijn werkkamer. Voor hij ging slapen, kwam Gigi bij mij opwarmen.

Giacomo Giannini zag er helemaal uit als de Italiaanse graaf. Vooral zijn neus was scherp gesneden. Wij zagen die neus groeien als bij Pinocchio: het effect van zijn steeds meer invallende gezicht. Daar komt hij aangeslenterd. Het was geen tijd voor een potje schaak. Hij hoefde zijn bezoek niet aan te kondigen, hij liep immers op eigen land. Wanneer ik daar al eens bezwaar tegen dorst te maken, was zijn antwoord: '*Good heavens, man, I'm on my own grounds!*' We hadden geen telefoon of televisie, laat staan een huisbel. Die kun je merkwaardig genoeg gemakkelijker negeren dan een klop op de deur of gescharrel rond je huis.

Het duurde jaren voor ik door de pretenties van Giannini heen kon prikken, verblind als ik was door de allure die hij zichzelf had aangemeten. Hij kende dat gedicht helemaal niet. Maar toen was het ook met groot kaliber, door meer dan zijn pretenties.

Chiara en ik hadden wel wat anders te doen, vandaag. Misschien had hij gedacht dat het kleine meisje ook vertrokken zou zijn, met de moeder mee. Ik was als was in zijn handen en durfde hem nauwelijks iets te weigeren. Misschien was mijn angst dat hij zou kúnnen komen nog wel groter dan de verlammende paniek wanneer hij werkelijk voor mijn neus opdook. Ik kon die vrees niet goed beredeneren. Natuurlijk: weg was de rest van de werkdag, opperste verveling mijn deel – dát was de reden dat we schaakten, dan hoefden we tenminste niet met elkaar te spreken.

Gedeeltelijk kon mijn buurmanvrees verklaard worden uit het feit dat hij nooit zonder een of andere aanvullende rekening kwam, een voorstel tot huuropslag of grootse plannen om de hele villa van de hand te doen, alles te verbouwen en zelf in de casa colonica te komen wonen. Zolang ik daar woonde, leefde ik onder die dreiging. Maar zolang hij ons nog niet kwijt was, klampte hij zich aan mij vast. De casa colonica was hard aan verbouwing toe; daarvoor had ik hem nodig – een vreselijke *double bind*. De buurman wist dat hij mijn zwakke karakter kon bespelen, zoals hij alle mensen om zich heen bespeelde, of ze nu van hem afhankelijk waren of alleen deden alsof. Ik zag dat hij dat wist en hij ging ervan uit dat ík wist dat hij in die positie verkeerde. Twee van elke drie partijen gewonnen!

Het enige wapen dat ik vooralsnog in handen had, was Chiara, onverveerd. Hij was doodsbang voor haar. Ze hoefde hem maar aan te kijken, en hij was alweer vergeten wat hij kwam doen of wat hij te zeggen had. Ze blééf hem aankijken: je zag hem smelten tot hij afdroop met een slap excuus. Op het pad naar beneden beroerde hij waarschijnlijk zijn testikels en we zagen hoe hij achter zijn rug de vingers van zijn linkerhand gekruist hield.

'Dan kunnen we net zo goed thuisblijven,' fluisterde Chiara in mijn oor.

▶ *Pane & olio*

We stonden daar nog als versteend, vader en dochter, het ronken van de uitlaat in onze oren, de buurman voorlopig afgepoeierd. Zijn gebruikelijke grijns bleef als die van de Cheshire Cat in de pruimenboom hangen. Onze eigen poes Pitigrilli streek vragend langs onze benen.

Nu Eefje daadwerkelijk vertrokken was, deed zich het begin van een groeiende paniek aan mij voor. Het was aan mij een plan te trekken: verzin een list lief heertje of lief vrouwtje, we móesten in beweging komen. Thuisblijven is moeilijker dan vertrekken. Chiara's handje kneep moed in mijn hand.

Niet omdat ik er nu alleen voor stond: opvoeden, huishouden en geld verdienen, dat was altijd mijn rol geweest. Bovendien had ik in het verleden, toen Chiara nog een Hollandse baby was, haar wel vaker voor lange wintermaanden met mij meegenomen naar mijn gekkenhuisje, nummer nul. Wanneer ik opperde dat het liedje op ons eigen huis van toepassing was, antwoordde Chiara beslist: 'Wij hebben *numero civico* 66.'

Het wit emaillen tegeltje met blauwe lijst en cijfers bleef in de muur naast de deur gemetseld toen de nummering vanwege de vele nieuwbouw allang veranderd was. Met meer dan duizend opgetrokken. Door de jaren zagen wij hoe onze *campagna* door de stadsuitbreiding werd opgeslokt, zonder dat de oude infrastructuur werd bijgewerkt. In het verlaten dal langs het ongebedde riviertje de Freddana waar ik ooit was aangekomen, verrezen overal *villette* en luxe karikaturen van *case coloniche* voor de voorspoedige middenstanders uit de stad, die ook graag 'buiten' wilden wonen.

Het landgoed van de buurman was een enclave van verwaarlozing, een anachronisme dat de omringende vooruitgang ontkende. In hetzelfde tempo als land en leven duurder werden, tot de krankzinnige prijzen die ik onmogelijk meer kon betalen, werden wij armer. Ik bleef graag op een niet-bestaand adres wonen in een voorbije tijd. Dat had ik met de buurman gemeen, net als onze belangstelling voor schaak. Alles moest liefst bij het oude blijven. Maakt de schaaksport een ontwikkeling door? Onze partijen in elk geval niet. Die begonnen altijd hetzelfde. Koningspion twee plaatsen vooruit. Slechts een enkele keer brachten we als eerste de paarden naar buiten. *Pferd am Rande zur Schande.*

De winters in Toscane waren Eefje te koud geweest. Onverwarmde slaapkamers met stenen vloeren. Chiara ging in een teiltje voor de open haard in bad. Het leek een straf haar naar boven te sturen, ook al had ik met een beddenpan de lakens voorverwarmd. Voor mij gold dat ik zonder vrouw evenmin graag naar bed ging. Zonder vrouw had ik het altijd koud. Je dochter mocht je daar niet voor gebruiken, al pakte het vaak uiteindelijk zo uit.

Maakt u zich geen illusies over het klimaat in het paradijs: allemaal toegevoegde waarde aan dat ongrijpbare Toscane, een idee. Subtropisch is het niet; een landklimaat, ziekelijke dwepers die uw verlangens op deze *regione* hebt gericht; verschroeide aarde in de zomer met zinderende dorst, en winters waar niet tegenop te stoken valt. In de *pianura* van Lucca valt jaarlijks evenveel regen als in Holland. Evenmin over het eten: een boerenkeuken met harde wijn – mij een raadsel waarom de rauwe chianti beroemd is geworden. De specialiteiten van Lucca zijn witte bonen, en bruinebonensoep met grutjes – de veelgeroemde *farro*. Winterkost. De *bistecca fiorentina* is even ordinair als een Argentijnse steak. Paddestoelen en truffels zijn het beste wat de bodem prijsgeeft, maar die zijn niet te betalen. Eeuwenlang hebben de mensen van de Garfagnana kastanjes gegeten, net als de wilde zwijnen. Bij de buurman was het meestal *pasta con aglio e olio*, eenvoudiger en zuiniger kun je niet bedenken.

Ik weet nog hoe verbaasd ik was toen ik in een reisboek van mijn ouders uit de jaren vijftig, met slecht afgedrukte zwart-witfoto's van de auteur, las hoe Van Eegeraath (nu met zijn zachte 'g' in de zachte berm 'vas') beweerde dat het eigenlijke Italië, de kern van dat land zogezegd, het voormalig hertog-dom Toscane was. En Rome dan? Venetië, Napels, Palermo? Geen gondels, geen vulkanen, rotsstranden noch zoetwater-meren hier. Het fijne Italiaanse volkskarakter, openhartig, zonnig, altijd vrolijk en behulpzaam – daar kwam je vergeefs om. 't Is dat wij de buurman hadden.

Maledetti Toscani wonen er, zoals de titel van een boek van Malaparte luidt. Eenkennig, arrogant, zelfingenomen en vol vreemdelingenhaat, terecht of niet, je moet er als harkerige noorderling maar tegen opgewassen zijn. Geaccepteerd door die gesloten bevolking word je nooit, als je niet beroemd, heel rijk of Brits bent. Je kunt je natuurlijk introuwen in zo'n fami-lie, met alle narigheid van dien – daar had ik de goede papie-ren niet voor.

Alleen het brood en de olie! In Lucca maken ze de enige focaccia die de naam verdient. De beste olie ter wereld komt uit de olijfgaarden in de heuvels boven Lucca, ik zeg het voor de tweede keer. Op deze plekken boven de wereld raakt de aarde aan het paradijs. Focaccia wordt gemaakt van granodu-ro, olie en zout. Ze druipt van de olie. Er liggen grove korrels zeezout op de korst.

Er lag een lange dag voor me, waarbij ik de buurman (toon-beeld van Toscaanse kwaliteiten) niet gebruiken kon. Mijn paniek gold de vraag: of Chiara aan het eind van deze dag niet zou zeggen of denken – maar alles wat ze dacht werd door haar meteen in vroegwijze woorden omgezet: 'Ik was toch liever met mama mee teruggegaan!'

Voor mij was er geen sprake van teruggaan. Er was geen terug. De schaduw van een Hollandse novemberdag lag al over mijn taal, waaruit ik slechts weerzin en woede genereren kon. Ik had me in mijn nieuwe bestaan en eerste huisje vastgebeten. Dat was voor Chiara misschien minder vanzelfsprekend.

De waarheid is dat ik van Lucca, waar ik bij toeval terecht was gekomen, hield als van een vrouw. Méér was gaan houden dan van mijn eigen vrouw. Meer heb gehouden dan van alle vrouwen met wie ik daar gelukkig ben geweest. Al die vrouwen zijn vertrokken, onherstelbaar veranderd, hebben kinderen van anderen gekregen en blijven alleen in mijn herinnering hun glans behouden. Maar Lucca ligt er nog onveranderd bij, met zijn torens en wallen en zeven poorten.

Alleen al het horen of lezen van de naam doet mijn hart opspringen, zoals bij het zien van een oude geliefde op een passerende fiets. Lucca wordt zacht uitgesproken, elke letter afzonderlijk: L-u-c-c-a, en die twee c's klinken als een aangeblazen 'g'. In het Frans heet de stad *Les Lucques* – kan het nog mooier? Het Italiaanse woordbeeld kan ik liefkozen als een liggende vrouw en het liefst zou ik opspringen wanneer zij aldus wordt opgeroepen, vanuit het hoge noorden de lengte van de Borgo Giannotti in zweven, onder de Maria-poort door duiken, de trechter van de nauwe Via Fillungo in langs de San Frediano rennen, de Via Roma kruisen en door de smalle Via Cenami, linksaf, rechtsaf, over de Piazza San Giovanni en langs de kerk van die naam naar het westwerk van de San Martino struinen, de domkerk in, langs de kapel met het *Volto Santo*, naar het dwarsschip, waar aan de kille noordkant de onwaarschijnlijk mooie en gave *gisant* van Ilaria del Caretto ligt opgebaard, met het hondje van Jacopo della Quercia aan haar voeten, en mij in het halfdonker op het koelmarmeren lijk storten om mij met het zinnebeeld van de stad te verenigen en haar wakker te kussen, in die volgorde.

Toen Berlioz in Florence 's nachts de lijkstoet van een hem onbekend meisje zag voorbijkomen, verlicht door toortsen, stortte hij zich op de baar, om zich met haar ten grave te laten dragen.

In het verslag van de voetreis die Belcampo als jongeling door Italië gemaakt heeft, staan prachtige bladzijden over dit grafbeeld. Het échte *Volto Santo*, een gigantisch polychroom kruisbeeld van hout (2,71 x 2,90 meter), dat in het jaar 1000 over zee van de Levant naar Versilia gedobberd zou zijn, en op een ossenkar geladen die vanzelf stilhield in Lucca, op de plaats waar nu de Dom staat, blijkt eeuwen ouder te zijn, beweert de *sopraintendente* van Arezzo, Anna Maria Maetzke, en staat in Arezzo; een Lucchees document uit 1179 zou haar stelling bevestigen. Al langer is bekend dat het geen gekruisigde Christus betreft maar een Byzantijnse Pancreator, met kroon op en tuniek aan, die met beide armen de wereld omvat.

Het kan niet meer, dat dode prinsesje van marmer kussen. Met het oog op gekken zoals ik heeft de *sopraintendenza dei beni culturali* van Lucca een glazen kist over het jonge bruidje laten plaatsen. Halogeenverlichting maakt haar nu sneeuwwit. Maar ik herinner mij de levende vleeskleur van het geaderde, zachtroze marmer onder mijn handen.

Het verlies van die stad en mijn huis op de heuvel trekt een zwaardere wissel op mijn gemoed dan de onverschilligheid van alle vriendinnen die een graantje van ons geluk hebben meegepikt.

Begon ons leven, het geluk van een alleenstaande vader met zijn dochtertje in een huisje op een heuvel vlak buiten Lucca, niet zodra we er alleen voor stonden? Tot dan toe had ons gezin in het Toscane van de reclame, glossy magazines en lekkere recepten gewoond, een vleugje kunstgeschiedenis en landleven toegevoegd. We waren slechts op bezoek, een verlengde vakantie van wat nu *agriturismo* heet, vermaledijd. Alleen achtergebleven bevond ik mij in de omgekeerde situatie. Toscane leefde in mij. Ik zag de bezienswaardigheden niet meer om mij heen. Een plek als alle andere, waar je moet zien te overleven, zonder familie of steun van vrienden, zonder sociaal vangnet, met hoogst onzekere inkomsten.

Ik projecteerde mijn eerdere enthousiasme op de toekomst van mijn dochter: met zoveel prachtigs om je heen, een veilig ommuurde stad en open landschap om in rond te struinen (verhevener variant van het Ruigoord-gevoel), moest je wel gelukkiger opgroeien dan in polder en randstad. De 'esthetische' indrukken die ik niet meer zag, zouden voor Chiara weldadig zijn, haar humeurmeter doen oplopen. Sims hebben veel licht, ruimte en mooie voorwerpen nodig, anders gaan ze van wanhoop stampvoeten of werpen ze zich vertwijfeld ter aarde.

Die eerste dag zou van vitaal belang zijn. Ik had geen duidelijke weg te bewandelen, in tegenstelling tot Eefje, die bewust een ander doel nastreefde. Ofschoon de keuze van het moordwapen openstond (schaakmat met verwoestende uitwerking? Giftige paddestoelen? De boze blik of een jachtgeweer?), was het slachtoffer reeds voorbestemd.

Ik wist niet wat ik moest doen, was letterlijk *apeiros*, dat wil zeggen: zonder weg. Op de meest dringende vragen van Chiara moest ik het antwoord schuldig blijven, net zoals de eindeloze discussies tussen haar moeder en mij zonder uitkomst of overeenstemming waren gebleven.

Ongetwijfeld had ik, met de spanningen van die ochtend, al gedronken; mezelf, net als de consul uit *Under the Vulcano*, voortdurend afvragend waarom ik daar was, wat ik daar nog deed, waarom alle mensen een doel schenen na te streven, wat überhaupt het doel van onze bewegingen was: de pruimen vielen vanzelf in het gras, niet in de hemel.

De dingen stonden te gebeuren, onverwijld, en wij moesten ze doen of over ons heen laten komen. Een stap voorwaarts, en het leek in ieder geval of je de zaken in de hand hield, al was het alleen om Chiara dat idee te geven. Haar handje genereerde weliswaar veel kracht en moed, maar tegelijk voelde ik dat in alle verbetenheid haar grimmige stemming dalende was omdat haar onuitgesproken vraag onbeantwoord bleef: 'Wat doen we nu? Papa zeg wat iets!'

Wanneer je de toekomst niet kunt overzien, en ook voor de middellange termijn geen bedrijfsvoering hebt uitgewerkt, blijft het onmiddellijke hier en nu. Pas voor pas, voetje voor voetje, voorzichtig om niet te vallen.

'Brood kopen.'

Dat gold voor elke gewone dag: je moest erdoorheen. Ook de moeilijkste dagen waren gewoon. Huis, tuin en keuken: brood op de plank. In Lucca zijn, afgezien van de *pasticcerie* waar ze taarten (van grootmoeder en van grootvader) en ander eersteklas banketbakkerswerk verkopen en voor je inpakken als juwelierswaar, talloze bakkers. Meestal *forno* of *fornaio* geheten.

De *bottega* van Nino in het gehucht aan het weggetje waar de tijd was blijven stilstaan, was een winkel van Sinkel, en zijn brood was altijd van gisteren. Wij kwamen er alleen om raad te vragen aan de oude baas op het bankje voor zijn halfdonkere, raamloze winkel, waarvan de deuropening door een plastic kralengordijn was afgesloten. Naast de deur was een wit emaillen bord aangebracht, roestig langs de randen, waar in een ouderwets lettertype *oli e semi* op stond. Het zwarte bord met de grote T betekende dat hij ook postzegels, zout, MS-sigaretten en *carta bollata* verkocht, de gelijnde A5-vellen die elke officiële aanvraag of transactie in Italië moeten begeleiden. Zijn slagersschort hield hij altijd aan, maar je kon zien dat Nino een heer was, ook met de kleine meisjes die tegen vergoeding van snoep zijn bestellingen rondbrachten. Wanneer Nino ziek was, of even naar het kerkhof moest, stond een van die kinderen op een stoel achter de toonbank.

Nino was dol op Chiara, al taalde zij niet naar zijn snoep. Zijn kinderloze echtgenote was de enige Italiaanse vrouw die ik ben tegengekomen die zich niet liet vertederen door baby's of peuters. In het begin had ze nog weleens achter de kassa of snijmachine gestaan; nu was ze alvast gecoiffeerd en gekleed als een *grande dame*. Wanneer Nino zijn bebloede schort uitdeed, zou het definitief zijn en was hij helemaal het heertje. Een Engelse bolhoed hing al klaar aan de kapstok. Je kon met hem over het weer praten, mocht zijn telefoon (met teller) gebruiken en ook *toscanelli* kopen als je geen zin had naar de stad te gaan of geen geld had. Iedereen kocht bij Nino op de pof. In de winter haalde ik daar *maltagliato*, een vormeloze, niet-doorregen bloedworst die op het Luccheser brood goed smaakte. Zaden verkocht Nino allang niet meer – die schonk hij hoogstens aan zijn prepuberale hulpjes – en zijn olie was niet aan te bevelen. Ook al staat er op het etiket van de fles dat de fabriek in Lucca is gesitueerd, de olijven en vaak zelfs de olie komen gewoon uit Spanje en Noord-Afrika. Je moet zelf kennissen hebben bij een *frantoio* om aan echte Luccheser olie te komen, en die kost algauw twintigduizend lire per kilo. De bomen hebben veel verzorging nodig, de oogst is arbeidsintensief, met hand en stok boven een oranje of groen gekleurd net, er doen zich bedrijfsongelukken voor (oude mannetjes die uit de boom vallen), het land is te duur en de vorst kan de honderd jaar oude bomen licht kapotmaken, zoals in 1986 is gebeurd.

Wij hadden alle bakkers uitgeprobeerd en uiteindelijk het beste brood getroffen bij een forno op de Piazza Santa Maria, toch al het pleintje waarover we de stad binnenliepen nadat we de auto buiten de muren hadden laten staan, voor het postkantoor op de hoek van de Borgo Giannotti.

Dat postkantoor speelde een belangrijke rol in ons leven: brieven afgeven, pakjes ophalen, geld opnemen. Mensen in den vreemde zijn van post afhankelijk. Het kantoortje werd door oude, zeer trage en zwaar opgemaakte vrouwen gedreven, die onze transacties argwanend en met tegenzin uitvoerden. Vaak was het daar onmenselijk druk, vooral op dagen dat de pensioenen werden uitbetaald. Bank- en postzaken worden in Italië onnodig omslachtig afgehandeld. De mensen vormen geen rij maar staan in een drom voor de loketten, die soms worden gesloten vlak voor je aan de beurt bent. De *statali* hebben er recht op elk moment van de ochtend aan de andere kant van de stad een espresso met een brioche te gaan nuttigen, in de bar van hun voorkeur, dus van familie. Ondenkbaar dat in het kantoor zelf een machine voor doorloopkoffie zou worden geplaatst.

Koffie wordt in Italië door de *barista* met precisie gemaakt. Degene die de koffie bestelt geeft even precieze aanwijzingen hoe hij zijn koffie wil hebben: extra sterk, *doppio stretto, caffè lungo, macchiato* (met twee drupjes melk) of gewoon: *mi fa un bel caffè*. Je vráágt niet om je bestelling, je beveelt. Zonder imperatief in je stem kun je lang wachten. De koffie wordt *al banco* gedronken, niemand gaat er ooit bij zitten. *Cappuccino* wordt alleen door zieken of toeristen gedronken.

Op het postkantoor werkte 'de mooie postjuffrouw'. Getrouwd, beringd en met gouden kettingen omhangen, maar nog fris en met goedverzorgde en gelakte nagels. Haar kapsel zag er altijd uit of ze net van de friseur kwam. Werd ik door haar geholpen en had ze mij een van haar wonderbaarlijke glimlachjes geschonken, dan was mijn dag goed. Het was altijd te proberen. Soms raakten onze vingers elkaar onder het glas van het loket, heel kort, alsof we bang waren voor de elektriciteit. Dan bloosde ze en sloeg haar ogen neer.

Chiara ging in de tussentijd bij de dierenwinkel ernaast kijken, waar grote bakken met waterschildpadden buiten stonden en aan de gevel rieten kooitjes met vogeltjes waren opgehangen. Een sprekende vogel met gele oorlellen werd er niet moe van ons elke dag gedag te zeggen. Daarnaast was de koffiebranderij van Bei & Nannini: het rook lekker in de Borgo Giannotti, de mooiste straat van de wereld. In de stad kon het naar de tabak van de sigarenfabriek ruiken.

Meestal lukte het Chiara vlak voor het postkantoor een parkeerplaatsje te toveren. Kennelijk was ze er vandaag met haar gedachten niet bij, en we moesten doorrijden naar de parkeerplaats om de hoek. Geld kon ik later ophalen met een betaalkaart. Dit was nog de tijd van vóór de bancomats.

We staken de Piazzale Martiri della Libertà over, waaraan een grote politiekazerne in fascistische stijl, geflankeerd door pijnbomen, gelegen is. De lanen, die stersgewijs van de stad naar buiten wijzen, zijn omzoomd door platanen, waarachter *liberty*-villa's in grote tuinen vol hortensia's en oleanders liggen. Hekken, balkons, applicatiewerk en consoles van natuursteen, terracotta en keramiek in de grilligste vormen zijn hier te bewonderen: griffioenen en centauren, Medusa- en vissenkoppen, slangen, sirenen, bloemmotieven, pijnappels en artisjokken. In het midden van de verkeersrotonde wordt een plantsoentje met drie palmen dag en nacht besproeid. Vanaf dit plein heb je een postkáartzicht op de kazematten, de nu met gras begroeide slotgrachten, de muren met hun kroon van platanen. De torens steken boven de stad uit – de San Frediano, de San Martino, en de San Michele en de Torre Guinigi met de boompjes op het dak. Vlak voor de poort staat een aftandse kiosk waar Piero zijn hele leven *cannelli* frituurt, die gevuld worden met *crema* of slagroom. Zijn zoontje, Pierino, kwam later bij Chiara in de klas. Hij groette ons en wij

46

liepen onder de linker van de drie poorten door. Boven de middelste hangt een wit-blauw medaillon van de Heilige Maagd in de stijl van Luca della Robbia.

Nu waren we binnen de muren, *fra le muri*. Daar voelde je je echt binnen, hoe heet of koud of nat het buiten ook was. De stad nam je onmiddellijk in zich op. We stonden op een driehoekig plein, de Piazza Santa Maria del Borgo; onder de platanen geparkeerde auto's, een grote kiosk waarin een breiende moeder of haar breiende dochter zetelde, een fietsenmaker, een groenteboer, wat onduidelijke bars en restaurants waar we nooit binnengingen, een kaasboer en een winkel in *elettrodomestici*. Als een trechter loopt het plein uit in de nauwe hoofdstraat van de stad, de Via Fillungo. Bij de kiosk kocht ik mijn krant; Chiara zocht een *Dylan Dog* uit en, nadat er met regelmaat vriendinnen op bezoek waren geweest, een damestijdschrift, zoals de *Anna* of de *Amica*, het lag er maar aan wat voor cadeau je erbij kreeg, *in omaggio*.

Eefje had nooit zulke tijdschriften gelezen, daar had ze minachting voor. Aanvankelijk ik ook – nu lees ik ze liever dan de opiniebladen. Van de paginagrote advertenties leer je beter wat er zoal in de wereld te koop is dan uit de essays van intellectuelen. Sjaaltjes, toilettasjes, zonnebrillen. Veel wordt in Italië verkocht door middel van een gratis cadeau: de kranten gaven één keer in de week video's weg; bij de wasmiddelen zaten vaak goedkope horloges of fototoestellen.

De kioskdochter was het type van een 'martelmeisje'. Dit keer kocht ik voor mijn kleine – Pico was haar roepnaam, naar Pico della Mirandola – die nog niet lezen kon, een *Topolino*, equivalent van onze *Donald Duck* in een ander formaat. Het bleek een getrouwe bewerking te zijn van Dantes hel. Daarmee deed ik haar plezier, want Chiara hield van duivels, monsters en martelingen. Ze had erg veel sympathie voor de kreupele vos en de blinde kat uit *Pinocchio*, dat ik eindeloos moest voorlezen. De figuur waarmee ze zich identificeerde was het dode meisje met de blauwe haren, maar voor haar arme vader leek ze meer op de hoofdpersoon zelf, een wonderbaarlijke maar ongezeglijke marionet, die hij wou leren dansen, schermen en *salti mortali* maken, om zo met zijn eigen creatie door het leven en de wereld te gaan.

Onze bakker had zijn forno aan het begin van de trechter. We kregen hem zelden te zien. Achter de toonbank stonden een stokoude moeder en haar schoondochter. De laatste een flapuit en lelijk als de nacht, de eerste nog steeds mooi, met weinig woorden maar grote waardigheid. Ze kwamen achter de toonbank vandaan om Chiara toe te spreken, in haar wang te knijpen en over de bol te aaien. Zij weerde de schoondochter af, maar het oude vrouwtje liet ze begaan. Dan gaf de schoondochter het op en sneed een reep verse focaccia voor Chiara af. Net als bij de bar geeft de klant aanwijzingen hoe hij zijn brood wil hebben. Voor mij was dat *ben cotto*, met knapperige korst. De binnenkant van het brood werd door Chiara uitgepulkt, tot balletjes gedraaid en weggemoffeld. Wanneer ik een keer per week haar lakens verschoonde, vond ik hele uilenballen van fluorpilletjes, broodkruimels en half opgegeten snoepjes. Focaccia at ze wel, mits vers en van kwaliteit.

De broden hier waren ellipsvormig, tamelijk plat, gezouten. Het meeste Italiaanse brood wordt ongezouten geleverd omdat zout een staatsmonopolie is. Zout koop je bij de tabaksboer, die een vergunning heeft – tabak is immers ook een staatsmonopolie, net als lucifers en aanstekers. In het begin vroeg ik naar *svedesi*, onze zwaluw-lucifers, *säkerhets tändstickor*, maar de *cerini*, van was gemaakt, hebben nu mijn voorkeur, een geweldige Italiaanse uitvinding. Overal aan te ontbranden: huismuur, schoenzool, etc. Horoscoop op de achterzijde; elastiekje om het pakje automatisch dicht te schuiven. Hoe onwaarschijnlijk het ook mag klinken: zelfs de elektrische sigarettenaanstekers in auto's moeten van een banderol voorzien zijn. Was die er in de loop der jaren afgevallen en kwijt-geraakt, dan riskeerde je een boete. In mijn blauwe DS 23 Pallas, met wit dak en airco – dat was de door de buurman in Florence voor mij gevonden auto waarin ik reed toen Eefje vertrok – zat het strookje met *monopolio statale* nog aan het dashboard.

Deze bakker had een schild buiten de deur hangen dat hij zout mocht verkopen en gebruiken. Vandaar dat zijn brood beter smaakte dan dat van andere bakkers. Ook de broodcellen waren stevig. *Casareccio*, op hout gebakken; de rokerige smaak (ze gebruikten daarvoor vruchtbomenhout of liefst oude wijnplanten) proefde je in de korst. Tientallen mij identiek lijkende broden liet de bakkersvrouw elke dag door haar handen gaan voor ze zeker wist: deze is voor u geschikt.

Vandaag was er een gedrukt formulier op de gesloten deur geplakt: 'wegens familieomstandigheden gesloten'. Een sterfgeval. Wie zou het zijn? De ongezonde schoondochter, de krachtige moeder (grootmoeder als de schoondochter kinderen had kunnen krijgen), de bakker zelf (zoon van de moeder), of had er nog een *bisnonna* achter de winkel wacht gehouden?

De plank waarop ons brood thuis gesneden werd, was afkomstig van een van de twee eerbiedwaardige cipressen die aan het begin van de oprijlaan hadden gestaan. Omdat hun krachtige wortels de wankele poort, gemetseld van Romeins baksteen met natuurstenen ornamenten (een bol met een obelisk), *pericolante* hadden gemaakt, zodat de gemeente er een rood-wit hekje omheen had geplaatst en de buurman boete moest betalen, had die idioot de schitterende bomen door de zoon van de boer met de trekker laten omhalen en het hout verkocht, altijd belust op kleine voordeeltjes. Twee keukenplanken van bijna tien centimeter dik had hij er voor zichzelf uit laten zagen. Een daarvan hadden wij gekregen. Ik herinner me nog het gekreun en gezucht van de bomen, en hoe de grond bleef natrillen als bij een aardbeving toen ze eenmaal waren geveld met een gekraak als van onweer. Heel de natuur protesteerde. Een verstandig mens had de poort gerestaureerd, desnoods afgebroken en de bomen laten staan. Het dubbele smeedijzeren hek, dat door de scheefzakking onmogelijk meer kon sluiten, was uit de pilasters verwijderd en met een hangslot aan een van de lindebomen bevestigd, een tamelijk rommelig gezicht. Gestolen zijn die hekken later toch, want alles wat antiek Toscaans is, schijnt goud waard te zijn. Wij sneden ons brood op een schijf cipres. Een teerspijze voor de onderwereld.

De focaccia was bij deze bakker niet van superkwaliteit. Dat luistert heel nauw. De beste werd gebakken door een forno in de Via Santa Lucia achter de absis van de San Michele. Daar was het een gevecht om aan de beurt te komen, want andere mensen hadden dat ook begrepen. In enorme vierkante plakken werden ze door witgeschort personeel van achter de winkel in gedragen en nog warm in repen gesneden voor de klanten. Je handen werden er vettig van. Grootste genot zo'n reep focaccia meteen soldaat te maken.

Na het verlies van Toscane is deze focaccia een obsessie voor mij geworden. Bezuiden Rome verdient deze lekkernij de naam niet meer. Ook bij de superluxe dure Italiaanse delicatessenzaken in Amsterdam-Zuid maken ze er niets van. Het baksel herinnert aan focaccia en draagt die naam, maar lijkt er niet op.

Al jarenlang probeer ik althans dat deel van het verleden terug te halen (zoals gezegd lukt het met de *cachi* en de kwetsen die in Nederland te koop zijn ook al niet) door zelf mijn focaccia te maken. Kookboeken en internet geraadpleegd: geen recept dat deugt. Bij Italianen rondgevraagd, vergeefs. Ik heb als voorwaarde tot verder leven gesteld dat ik ten minste dit brood kan namaken. Soms lukt het bijna, meestal wordt het niets. Misschien dat mijn oven er schuld aan is. Toch zijn de voorschriften eenvoudig: twee eenheden *farina* oo en één *granoduro.* Halve theelepel zout, drie à vier eetlepels van de beste olie. Grof zeezout voor bovenop en eventueel wat verse takjes rosmarijn. Gist (liefst *lievito di birra* – biergist) is het grootste probleem. Wanneer ik om een half ons gist vraag bij mijn warme bakker in Zuid, betrekt het gezicht van de bakkersvrouw, die mij overigens gunstig gezind is. Ze kijkt of ik een onwelvoeglijk voorstel doe. Alsof ik iets van hun nering wil afsnoepen. Na enig steggelen en overdreven lang zoeken in de ovenruimte achter de winkel, geeft ze mij dan toch een brokje mee. En ik begin.

Ingrediënten op kamertemperatuur. Gist laten opkomen in een beker lauw water, met een schep suiker toegevoegd. Ik heb een semi-professionele deegmachine aangeschaft. Ik meng de ingrediënten, voeg eerst het gist en pas later het zout toe. Laat alles machtig kneden, nog wat koud water erbij, tot de bol ongeveer de substantie van pizzadeeg heeft, maar iets vochtiger blijft. Dan met de blote handen, eerst in het meel gestoken, op de cipresplank verder kneden en laten rijzen. Hier verschillen de recepten het meest. Een halfuur, een uur, twee uur. Je moet er de tijd voor nemen. Laatst een deugdelijk advies van een Italiaanse kok meegekregen: 'En niet vergeten *tanto amore* toe te voegen.' Dat heb ik mij ter harte genomen. Alle liefde voor mijn gestolen verleden stop ik erin. Wanneer het winter is, laat ik het deeg eerst rijzen in een tot 50 graden voorverwarmde oven.

Beginnen de problemen. Want na het eerste rijzen, als dat al lukt, moet je de lucht uit de gegroeide deegbal slaan. Alles weer zo plat als eerst. Een tweede keer komt het mengsel zelden omhoog. En focaccia moet nu juist heel uitgerekte broodcellen hebben, plús knapperige korsten. Hoe dan? Na tweede rijzing – een goed deel van de ochtend is al voorbij – moet het deeg in een heel hete voorverwarmde oven worden gestoken. Hoe doe je dat wanneer je diezelfde oven hebt gebruikt op 50 graden voor het rijzen? Het deeg moet er weer uit, en áls het al gerezen is, zakt het weer in, hoe omzichtig ook afgedekt met een vochtige theedoek en uit de tocht geplaatst. Niks. Bezoekers zeggen dan beleefd: 'Wat een lekker brood, lijkt wel Turks.' Chiara blijft het afkeuren en terecht. Ze wil het evenmin proberen als mijn boeken.

Bakker dicht, geen brood, wat nu?

'Weet je wat, Pico?' zeg ik tegen Chiara. 'Nu we toch hier zijn, kan ik wel even naar de kapper.' Nieuw leven, oude lokken afgeknipt. Zelf dacht ik aan een grote beurt, je laten scheren als in *Wozzeck* is een groot genot. Die ochtend had ik mij expres níet geschoren, wellicht om duidelijk te maken dat de verloedering meteen was ingetreden. Het was een heel oud zaakje, net zoiets als Tenucci's, maar dan verslonsd. Grote spiegels, waarvan het zilver zwart was uitgeslagen, met vergulde sierlijsten aan de muren, marmeren wastafels die gebarsten waren, een uitstalkast met antieke scharen, borstels en wat summiere en verouderde haarverzorgingsproducten, berkenwater en Proraso. Drie stoelen voor de wachtenden in gescheurd zwart skai met daarop de kranten van gisteren, met name de roze *Gazzetta dello Sport*, een traag wiekende ventilator aan het plafond. Die was nodig, want de kapper rookte als een schoorsteen, Toscaanse sigaren. Ook als hij knipte, want die sigaren kun je tussen je tanden klemmen als je praat. Mijn eerste sigaar heb ik van hem gekregen, toen hij een keer geen wisselgeld had. Ik was er meteen aan verslaafd. De winkel stond altijd vol oude mannen, maar die hoefden niet geknipt of geschoren te worden, of dat was al gebeurd. Oude stamgasten, winkeliers uit de buurt, die het (voetbal)nieuws kwamen bespreken, het weer of wat er nog meer aan de orde van de dag was. De kapper was ongeveer van mijn leeftijd, maar jeugdige clientèle werd door het rokerige zaakje niet aangetrokken. Er zat weinig toekomst in de zaak, al stond er nog een hoge kinderstoel met paardenkop van antiek gietijzer, waar de oude mannetjes als kinderen op gezeten hadden.

Natuurlijk waren er veel modernere (en duurdere) kappers met föhns en flikkers in de stad, maar ik had allang gemerkt dat het niet uitmaakt naar welke kapper je gaat: je haar moet het zelf doen. Deze kapper was getrouwd en had een dochter, blijkens een ingelijste foto waarop een ongelukkig kind met bril scheef op een stilhangende schommel zat. Kinderen met bril zijn al zielig, bij het zien van zo'n kind op een stilhangende schommel schiet mijn gemoed vol. Misschien was het wel dood, inmiddels, of zat die onduidelijke vrouw op de achtergrond (van wie de bril geërfd was) al jaren in een gesticht. De foto's aan de muur van de plaatselijke voetbalclub een halve eeuw geleden, moderne heiligen zoals Padre Pio en verjaarde Pirelli-kalenders met blote meiden konden de boel nauwelijks opvrolijken. Maar hij had zijn sigaren.

Een keer had ik geprobeerd om Chiara door hem te laten knippen. Zij wilde toch al elke keer het ijzeren paard beklimmen. De kapper had haar een schort omgebonden en haar met zijn schaar in de aanslag van alle zijden behoedzaam proberen te benaderen. Zijn sigaar werd zichtbaar korter van het bijten. Chiara's hoofd draaide in elke richting mee – ze had een acrobatische vogelnek – en zij bleef hem aankijken, terwijl haar blik steeds duisterder werd. Na vijf minuten had hij het opgegeven: 'Haar knip ik niet.'

Voortaan deed ik het zelf. De pony moest uit haar ogen blijven en haar moeder had het altijd over dode punten gehad. Daartoe zette ik een van haar houten kabouterstoeltjes op het marmerblad van de eettafel op het terras, bond haar met een knijper een badhanddoek om, almaar verzekerend dat ze nu een prinses was en dat prinsessen altijd geknipt moesten worden, en wilde, vrij willekeurig, toesteken.

'Papa, wacht! Eerst nog een sigaar.'

Het kapperswinkeltje was gelegen aan het andere einde van de trechter die het plein vormde. De deur was dicht, de luxaflex neergelaten. Aan de binnenkant van de deur was een handgeschreven, uitgescheurd schriftvelletje geplakt met in sierlijke schoolletters de tekst: 'Wegens aanhoudend voortschrijden van mijn ziekte, ben ik alleen nog elke andere dag open.'

Toen ik mij een week of wat later alsnog meldde 'op een andere dag' voor een *taglio*, schrok ik eerst goed. Was ik al zo lang niet naar de kapper geweest? Had ik niet goed opgelet? De kapper had geen sigaar meer tussen zijn zwart uitgeslagen tanden. Op zijn hoofd droeg hij een petje, wat hij nooit had gedaan. De kapper van Lucca was kaal! Dat kon helemaal niet, trots op zijn jarenzestiglokken als hij was geweest. Het detail dat mij het meest trof was de uitstalkast: de haarproducten waren verwijderd en de planken achter het glas lagen volgestapeld met doosjes en pakjes van elke soort Toscaanse sigaar: *tramezzati, Garibaldi, toscanelli, toscani antichi, toscani extra vecchi, antica riserva* en de speciale *selezionati de luxe*.

Chiara en ik lieten onze ontreddering niet blijken. Voor de zekerheid had ze een handjevol van mijn afgeknipte krullen meegenomen. Ik wist dat ze ook mijn afgeknipte nagels spaarde. Het was typisch geen dag om echt de stad in te gaan, we waren alleen op brood uit gegaan. In ander dan ons eigen brood hadden we geen trek. Ik opperde: 'We hebben thuis nog taart staan.' Ze keek me donker aan.

Een van onze grootste genoegens was een bezoek aan de Esselunga. Tegen deze supermarktketen kan geen enkele super of delicatessenwinkel ter wereld op, zo ruim, zo schoon, zo'n aanbod aan lekkernijen, zo voortreffelijk georganiseerd. Om mijn dochter te pesten liet ik nooit na het kantoortje van de bedrijfsleider te bezoeken om hem te complimenteren, of te wijzen op het ontbreken van een product. Zoals ik, na jaren zeuren, verantwoordelijk ben voor de import in Nederland van Toscaanse sigaren, zo is het mij gelukt om in de Italiaanse supermarkt Lola-afwaskwasten en een pindakaassoort te introduceren. Zesduizend lire voor een potje Amerikaanse *peanut butter*, terwijl de beste pindakaas het eigen merk van Dirk van den Broek is, 0,59 cents welteverstaan. Beter dan niets.

Deze Esselunga-winkels zijn enigszins te vergelijken met de Franse Cora's, Continents of Carrefours, die je buiten elk stadje op het industrieterrein vindt. De Franse winkels zijn misschien groter, verkopen ook kleding en bouwmaterialen, juwelen en computers, maar zijn vooral veel viezer, rommeliger, met ontevreden personeel en een beslist ondermaatse groenteafdeling. Bovendien ligt de Esselunga ín de stad.

Toen ik pas in Lucca woonde lag de supermarkt binnen de muren, en was nauwelijks groter dan uw buurtsuper. Je kon er niet met de auto komen. Later lag hij, inclusief een parkeerterrein, onder de pijnbomen vlak buiten de muren. Toen ook die ruimte te klein werd verplaatste de zaak zich, geheel vernieuwd en tien keer zo groot, naar een andere plaats aan de grillige rondweg buiten de muren, de Viale Carlo del Prete. Sinds kort was in het dal van de Serchio, een tiental kilometers in de richting van Bagni di Lucca, bij Marlìa een geheel nieuwe super-Esselunga geopend. Die had het voordeel dat je meteen een ritje kon maken om de auto op de staart te trappen, en dat je daar, terwijl je boodschappen deed, de wagen kon laten wassen. Dat doen ze in Italië, waar de mensen van auto's houden, zorgvuldig met de hand, van binnen en van buiten. De ruiten worden na het wassen met krantenproppen helemaal vetvrij geboend. Alle auto's in Toscane zijn schoon, ze worden minstens een keer per week gewassen, en niet met een emmertje voor de deur.

Afgezien van de rijen schappen – eindeloos veel soorten pasta, eindeloos veel soorten koekjes, een eindeloze afdeling superwijnen en alle sterke dranken van de beste merken, die hier weinig kosten omdat Italianen geen drinkers zijn – waren er drie afdelingen: een met alle soorten kaas ter wereld, een met alle soorten vlees en gevogelte, een met reeds toebereide gerechten. Elke klant was hier koning, elke man achter de toonbank een volleerde kok. Het fruit kon tegen dat van Californië en Florida tezamen op; de groenten smaakten niet naar het Westland. Te dwalen door deze *cornucopia* van de beste voedselproducten ter wereld, gaf je een gevoel van grote rijkdom. Hier lag alles uitgestald en je kon het kopen. Je kon er koffie drinken, brioches eten, muziek beluisteren, je horoscoop laten trekken; er waren smetteloze toiletten waar je ook kon douchen en baby's verschonen. De Esselunga gaf je het idee dat je het beste in die winkel kon wonen. De mooie caissières waren *nubile*. (Huwbaar, zoals ook op mijn *carta d'identità* stond, omdat ik nooit officieel met Eefje getrouwd was.) Ongetwijfeld deed ook de vrouw van Nino daar haar boodschappen.

Dus liepen we terug naar de auto, reden weer de brug van de Serchio over en sloegen na het benzinestation van Monte San Quirico rechts af, een landweggetje in, langs het aftandse zuurstoffabriekje van de buurman, door San Quirico di Moriano, en dan de nieuwe brug bij de verlaten papierfabriek over tot we in Marlìa waren. Zif-zaf deden de platanen langs de weg buiten de open portierramen. De wind trok aan onze haren. Het parkeerterrein lag er tamelijk verlaten bij, de *car wash* was gesloten. Toen we op de glazen schuifdeuren toe liepen, waarachter het zo koel en prettig was, merkten we dat ze niet automatisch opengingen. We botsten tegen het glas en stonden met onze neus tegen een papier gedrukt waarop te lezen stond: *sciopero del personale*. Staking.

Het was Chiara moeilijk aan het verstand te brengen wat dat begrip betekende. Met bedienden had ze weinig geduld – die moesten klaarstaan. Ik had geen uitleg meer. Mijn repertoire voor de dag was uitgeput.

'Zullen we maar naar huis gaan?' stelde ze voor.

▶ *Nido & elementare*

De paniek zat niet alleen in míjn buik. Vanaf het terras, waar we voortaan alleen op stonden, moesten we alle volgende dagen op pad om de dag te beginnen. Dat deden we liefst zoveel mogelijk zonder hulp, inmenging of dwarsbomen van de buurman, zoals op de dag dat de cipressen naast het hek waren geveld en we niet eens de deur uit konden om brood te kopen.

Omdat ik thuis mijn bezigheden had – wat zíjn eigenlijk de bezigheden van een schrijver die aan schrijven nauwelijks toekomt? – had ik geen werkkring en dus geen sociale omgeving. Wat voor mensen kenden we nou helemaal? Het kale winkelbaasje (*'Nino pino, brutto mandarino!'* zong Chiara vrolijk in zijn gezicht), de vervaarlijk uitziende houtboer die leek op het vermeende 'monster van Florence' uit Mercatale en van wie ik nog twintigduizend lire te goed heb, de broodvrouwtjes in de stad (moeder en dochter), de baas van Café Pult (die een keer in een Amsterdamse boekhandel was gaan informeren of ik werkelijk schrijver was; dat beweerden buitenlanders algauw om hun verblijf in Toscane te verklaren), de meisjes van de supermarkt (we kozen altijd zorgvuldig bij welke rij we aansloten), de lakeien van Tenucci, het kappertje van wie ik toscani heb leren roken, de mooie postjuffrouw, de kioskhouder op de hoek van de Borgo Giannotti, de pachtboer, de vrouw van de pachtboer, de zoon van de pachtboer, de lievelingseend van de dochter van de pachtboer...

Vader en dochter vormden een besloten familie, en waren daardoor enigszins vreemd voor de omringende families, in een land waar de grote familie de basis is voor het bestaan en de contacten met de samenleving. Nauwelijks een familie, wij twee, maar wel een gesloten front. Sinds de moeder was vertrokken, werden we gemeden. Wat deed die man alleen daar, met een klein dochtertje – was dat geen foute boel? Plots waren we, voor anderen, ongemakkelijke gasten geworden. Een man alleen is altijd een gevaar, zowel voor de getrouwde vrouwen als voor de huwbare dochters; zo'n wild en ongetemd dochtertje moest wel opgroeien voor galg en rad. Wat hadden die mensen eigenlijk te zoeken in het beschermde Toscane, in het kleinhertogdom Lucca dat nooit had opengestaan voor veranderingen of nieuwlichters? Hadden ze geen eigen land, die zwervers, geen grootouders, die hier meestal voor de opvoeding van de kleinkinderen zorg droegen? Waarom gingen ze niet terug, in die oude auto, nu het gezin uiteengevallen was?

We wilden blijven en we bleven. Dat was onze zaak. Het was in de eerste plaats ons huisje op de heuvel, ons erf, ons terras. Mensen zonder belangrijke bloedbanden of bezit hebben weinig wat ze 'ons' kunnen noemen.

Chiara begon elke dag met buikpijn. Ze kon 's ochtends geen hap door haar keel krijgen. Soms kwam die ook in de nacht opzetten, één keer zo hevig dat ik vreesde voor een acute blindedarmontsteking. Halsoverkop naar de *pronto soccorso* van het ziekenhuis. De ziekenzorg is in Italië gratis voor iedereen behalve de rijken, die zich liever in privé-klinieken laten kwakzalven. Je wordt geholpen zonder formaliteiten – een welkome uitzondering in een land waarin alles om documenten en attesten in drievoud draait. Zodra Chiara op een stretcher in de onderzoekskamer lag, en de welwillende doktoren zich over haar heen bogen met geruststellende askegels aan de peuken in hun mondhoek, was de pijn verdwenen, *meno male*.

Ze dronk een kop thee, die ik haar op bed bracht (zoals mijn vader mij mijn hele schooltijd wakker had gemaakt met een kop thee op bed, soms met suiker, maar nooit met een lepeltje om te roeren zodat ik dat met een balpen of potlood moest doen), knibbelde in de keuken van een paar koekjes uit een grote zak van Mulino Bianco, zo een waarmee rijen schappen van de supermarkt Esselunga waren gevuld, en kotste alles weer uit voor we het einde van de oprijlaan hadden bereikt, ondanks (er zijn altijd idioten die zeggen: dankzij) de hydraulische vering.

Ze maken de lekkerste koekjes bij die fabriek (logo: een Toscaans landschap): met chocolade, met zilveren sterretjes, in de vorm van een brioche, met of zonder abrikozenjam of *crema*, knapperig of week, volgens de reclame allemaal even gezond. Italiaanse kinderen mogen uit zo'n zak onbeperkt graaien voor het ontbijt. Ze worden ook wel in de cappuccino gedoopt, net als de Franse *madeleines*, die trouwens ook door Mulino Bianco worden gefabriceerd. 'Een koekje bij de thee' zou voor de Italiaan een belediging zijn, en voor hun kinderen een marteling. (Ze drinken trouwens nooit thee; daar zijn ze doodsbang voor.) De koekjes die ik lekker vond waren van een ander merk: de *pratolesi* (omdat ze van origine uit het nabijgelegen Prato kwamen), ook wel *cantuccini* genoemd: keihard en vol amandelen, dubbelgebakken. Geheim van deze koekjes is dat als rijsmiddel ammonia gebruikt wordt. *I'll tell you all my secrets, but I lie about my past.*

Mulino Bianco was het embleem voor de gelukkige Italiaanse familie, of die koekjes nu aan het ontbijt, tijdens de lunch of na het avondmaal werden genuttigd. Tussendoor kan ook, zoals ze tegenwoordig op de verpakking durven schrijven. Gebruiksaanwijzing: opeten. Je werd er zelf een beetje gelukkig van naar die reclames te kijken. *Tutta acqua e sapone*, zoals je ook van nette meisjes zei: rein, zindelijk, bereid om in de keuken te staan en hun man of verloofde te gerieven. En wat een heerlijke keukens, met uitzicht over zee of over het Toscaanse landschap. Volgens de ingrediënten van Mulino Bianco bestond het leven puur uit huiselijk geluk en gezondheid tot in lengte der dagen. Al die énige kleinkinderen!

Deze witte molen bestaat echt, ergens in het zuidwesten van Toscane, tweedimensionaal als een decorstuk; wegwijzers geven de richting aan. De schrijver Sandro Veronesi vertelt in een artikel uit 1993 hoe hij op *Pasquetta* (zo wordt tweede paasdag in het Italiaans genoemd, wanneer iedereen een doel moet hebben om zich op weg te begeven voor een lange dag van files en afzien) in een soort bedevaart van liefhebbers en bewonderaars terechtkwam toen hij op zoek ging naar de witte molen die voor de televisiereclames gebouwd is en waarvan het waterrad draait op een elektromotor. Je moet dan ook niet te dichtbij komen. Het ruikt daar lang niet zo lekker als wanneer je langs een fabriek van Barilla of Saiwa rijdt, want gebakken wordt er niets.

In strikte zin zijn al deze verschillende koekjesvormen iets anders dan de merendine en dan bedoel ik met name de *Kinder sorpresa*. Die zijn afzonderlijk verpakt om mee naar school te nemen, week, met een dun laagje chocola omgeven. In zijn oorspronkelijke vorm is Kinder een chocolade-ei (van binnen wit voor de gezonde melk), met een plastic rommeltje erin. De televisiereclame druipt van deze Kinder. Kinderen willen niet groot worden als hun niet verzekerd wordt dat ook volwassenen niets liever dan Kinder eten. Zonder Kinder voor hun *colazione* (hapje) op school, zou er helemaal geen pauze zijn om dat hapje op te eten, had het geen zin om naar school te gaan. Net als voor Pinocchio was deze smerige lekkernij in het vooruitzicht de enige manier voor de kinderen om zich naar school te laten lokken. Samen met de *Panettone* (waarover later) is Kinder het symbool bij uitstek voor het uniforme consumptieve gedrag van de Italianen.

De auto stond om de hoek van het erf, onder een krakkemikkig afdak naast de houtschuur. Hij was altijd bemodderd, omdat het onverharde erf meestal een modderpoel was. De laatste pachtboer had de overtollige mest gewoon voor de deur verspreid. In die tijd had het huis nog geen *water*. De bewoners kakten sinds de Middeleeuwen voor de deur. Als je je vanaf het smalle weggetje van de Vallebuia, waaraan de *bottega* van Nino was gelegen, tussen de huizen waagde, abusieve aanbouwen en gammele schuurtjes, halve boerderijen en ambachtelijke werkplaatsen, waande je je meteen in de Middeleeuwen. Je werd overmand door een geurenboeket dat de moderne tijd, of moet ik zeggen de moderne stad, vergeten is. Nog warm varkens- en konijnenbloed van geslachte dieren, de stank van leerlooi, het frisse parfum van pas gezaagd en gespleten hout, honden-, ezels- en kippenstront, de leefgeuren van eten dat te lang op het vuur heeft gestaan en beddengoed dat lang niet is uitgehangen, de weeë en zurige reuk van gestremde melk voor de *ricotta*, het zoet van honing en het overzoet van dooie dieren, pasgeboren baby's en op sterven na dode oudjes, tabaksbladeren, hammen en worsten die te drogen hangen, vers hooi, landbouwzweet, overkokende seks, openlijke incest en incontinentie, bleekwater aan de waslijn en assintels op het onverharde pad, zeep die in grote olievaten staat te zieden, de vonken van de slijpsteen, autobanden, plastic en roest.

Van dat mooie Toscaanse landschap was niets meer te zien, als je er eenmaal in verdwenen was. De erven gingen zonder merkbare afbakening in elkaar over, net als de families, de een nog rommeliger dan de ander, vol snotterige baby's die bespeend en vastgebonden in hun karretje in de schaduw waren geparkeerd tussen kapotte auto-onderdelen, wezenloze bejaarden, vogelkooitjes en kinderspeelgoed. Kennelijk vond men het niet de moeite afval naar het weggetje te brengen waarvan ik was afgedwaald, waar het drie keer per week door een gemeentedienst werd opgehaald, want de dichtgeknoopte plastic zakjes lagen gewoon in de droogstaande greppel, tussen on-duidelijke oliedrums, oude wasmachines en ijskasten, afge-dankte meubelstukken.

Op vier houten blokken stond een oude Saviem. Wat een Franse vrachtwagen in Italië deed, waar iedereen zich in het klein behielp met de driewielige Ape-karretjes, allemaal licht-blauw gespoten, waarvoor geen rijbewijs en geen verzekering nodig was, bleef een vraag. Maar de vrachtwagen stond daar en zou daar waarschijnlijk tot het eind der tijden blijven staan. Wie weet stond hij daar al zo lang omdat er in Italië geen on-derdelen voor te krijgen waren. De stilte werd alleen verbro-ken door het zoemen van dikke blauwzwarte vliegen en 's zo-mers het aanhoudende sjirpen van de cicaden in de enkele pijnboom naast een kapelletje met verwelkte korenbloemen in een conservenblikje die nog aan landschap deed denken.

Op een riool was ons huisje evenmin aangesloten. Afwaswa-ter en stront liepen met het spoelwater uit een pijp in een la-ger gelegen brandnetel- en bramenveldje aan de achterkant van het huis. Volgens de buurman scheelde dat aanzienlijk in de onroerendgoedbelasting. Later legden we in die strook, na het onkruid te hebben weggekapt en de bodem omgewoeld met een oude hak, een vruchtbare hortus aan. Laura nooit maar Minta heeft daar enthousiast in gewerkt. Wie een keer kleine aardappeltjes uit eigen grond met verse basilicum of pieterselie heeft gegeten, is Holland en Van Gogh meteen vergeten. *Zucchini* moeten klein en jong geplukt. De oranje bloemen kun je frituren of door de pasta doen. Het was een wonder om te zien hoe de pompoenen en meloenen, te zwaar om door hun groen gedragen te worden, bleven groeien.

Deze noordwesthoek kent de grootste regenval van Tosca-ne. Daardoor is er veel groen, en groeit alles tegen de klippen op. Onkruid in de eerste plaats. Het maakte het bijna onmo-gelijk tegen de heuvel op te rijden. Je moest als het ware een aanloop nemen en goed tegenstuur geven in de moddervette bocht. Intussen gingen mijn lagers wel naar de kloten. Het voordeel was weer dat de buurman het niet meer probeerde. In Lucca lopen ze niet graag als het met de auto kan. Mooie vrouwen zie je alleen in winkels of achter het stuur. In de straatjes slenteren groepen schoolmeisjes in te korte spijkerbroeken en schoenen met te dikke zolen. Op landwegen is de wandelaar een verdachte figuur.

'*Marocchino* of zigeuner?' Ik waagde me alleen gewapend met een stok buiten de poort, indachtig het advies van Norman Douglas meteen toe te slaan, hard tussen de ogen, of het beest blaft of niet. Het wemelde van troepen zwerfhonden. De waakhonden vormden zo mogelijk een nog grotere bedreiging. Ze worden net ondervoed gehouden. Je hield je hart vast of de ketting of het hek waaraan of waarachter ze tekeergingen het wel zou houden. Binnen de muren van de stad schoten de carabinieri op loslopende honden, onder voorwendsel dat ze mogelijk rabiës hadden. Daarover stonden ingezonden brieven in de plaatselijke kroniek van de *Tirreno*. Aangezien ik dat krantje niet las, zou ik nooit weten wat er in mijn stad leefde als Giannini niet af en toe met een oud knipsel aan kwam, wat zeg ik, met een hele stapel oude kranten: verouderd nieuws maar misschien kon ik er nog wat mee doen. Jawel, van die hond had ik anders nooit geweten – ik was er graag bij geweest, want het dienstpistool van de *maresciallo* was niet afgegaan en een bereidwillige burger had fluks zijn dubbelloops jachtgeweer gehaald, dat schietklaar en geladen naast de voordeur werd bewaard ook al was het jachtseizoen nog niet ingetreden. Misschien was het wel de ontsnapte waakhond van Giannini geweest, de gevaarlijkste van allemaal.

Langs de provinciale weg kón je nauwelijks lopen of fietsen zonder gevaar voor eigen leven.

'Dat oude vrouwtje is vast levensmoe,' grinnikte Giannini als hij toeterend een met plastic tassen beladen weduwe in de berm sneed. Achteromkijkend zag ik dat ze het teken van de hoorn naar de auto maakte. Dat ik *cornuto* was, bedrogen door mijn vrouw, wist ik nu wel, maar voor de landheer had het gebaar een duisterder betekenis.

Chiara banjerde in de achtergelaten regenlaarzen van haar moeder naar de auto, haar halfhoge blauwe rijglaarsjes in de hand. Ze zou haar hele leven een voorkeur houden voor de allermooiste en duurste schoenen. Meer kun je kinderen toch niet meegeven dan deze ene levensles: nóóit op schoeisel besparen.

Ze moest naar school. Op school trokken alle kinderen hun schoentjes uit en deden pantoffels aan. Chiara kon haar laarsjes niet alleen uit- of aankrijgen; dat was haar grootste zorg: 'Mama draagt toch ook geen veters in haar schoenen!' Ze sprak nooit over haar moeder in de verleden tijd. Voor de toekomstige tijd hadden we geen emplooi.

Niet alleen omdat ik niet kon werken als ze thuis was; het gezag hield ons in de gaten en herinnerde mij maar al te vaak aan mijn verplichtingen. We wilden niet als zigeuners het land uit gezet worden. Geheel afhankelijk van de borg waarvoor de buurman wilde tekenen in een bijlage bij de verblijfsvergunning, als hij in ruil daarvoor geen huurcontract hoefde op te stellen.

Om onze *stronghold* te houden, moesten we minimaal inburgeren. Chiara was niet enthousiast. Doorgaans week ze geen duimbreed van mijn zijde. Ons huisje en het erf waren haar genoeg, een wereld waar nog duizenden dingen te ontdekken vielen. Zelf had ik mij met hand en tand verzet toen mijn moeder mij naar een montessorikleuterschool wilde brengen. Ik was een hysterische worsteling met zuster Edeltruda begonnen om te ontsnappen. Volgens mij zouden de mooie dagen nooit meer terugkomen. De confrontatie met een buitenwereld waarin ik aan mijn lot werd overgelaten, had ik ervaren als een verdrijving uit het paradijs. Voor het eerst ervoer ik nu dat de opvoeder zich schuldig moet maken aan wreedheden die een wig drijven tussen hem en het kind waarvoor hij verantwoordelijk is. En dat je alle tics en beslissingen die je in je eigen ouders gehaat hebt, onbewust tegenover je kinderen herhaalt: 'Is het niet zo is het niet waar?' zoals mijn grootvader placht te zeggen. Nooit had ik geweten dat kinderen onder elkaar alleen maar oorlog kunnen voeren. Ik dacht dat alleen broers en zusters dat deden.

Het was onze eigen schuld, van mij en Eefje. Vanaf de geboorte hadden wij onze baby geen moment alleen gelaten. Urenlang was beurtelings moeder of vader naast haar wiegje blijven zitten, in de hoop dat ze eindelijk in slaap zou vallen. Zodra we aan haar ademhaling dachten te horen dat ze onder zeil was, probeerden we het roze kamertje uit te sluipen. Nooit hadden we de deur gehaald. Het kleine meisje bleef volledig bij haar positieven en dwong ons terug te keren aan haar zijde. Meestal was het ermee geëindigd dat wij, volkomen uitgeput, haar bij ons in bed namen. Chiara had vanaf het begin terreur uitgeoefend. Het leek of ze geen slaap nodig had en in het halfdonker van haar kinderkamertje duistere krachten verzamelde die ons gevangen hielden. Eén blik van haar donkere ogen bracht ons aan de rand van vertwijfeling. In die blik lag niet alleen verwijt maar ook groot verzet. Alsof wij ons schuldig moesten voelen om haar loutere bestaan. Daaraan waren wij ook schuldig. In plezier en genot geconcipieerd, en nu gaf zij ons het idee dat wij daarvoor moesten boeten. Al het plezier dat wij háár probeerden te geven, warme oliebaden, mooie babykleertjes, knuffels, verjaardagspartijtjes met ballonnen en taart, werd onmiddellijk afgestraft door de afkeuring waarmee zij het gebodene verwierp. Zij wilde alleen maar ons, ons leven: zij verslond ons met huid en haar.

Natuurlijk hadden wij het geprobeerd met babysitters. Die hielden het na één keer voor gezien. Sterker nog, wij werden altijd voortijdig teruggeroepen van onze betaalde afwezigheid omdat de baby er weer eens in geslaagd was de hel te laten losbarsten. Ik kan wel begrip opbrengen voor de onzalige tieners die een aan hen toevertrouwd mormel doodschudden of smoren. De Vereniging ter Bescherming van Ouders tegen Kinderen kan op mijn sympathie rekenen.

Na een paar van deze pogingen hadden wij het opgegeven. Sindsdien heeft Chiara nooit meer een oppas gehad, en is er geen nacht voorbijgegaan zonder een van ons aan haar zijde. Misschien een van de redenen dat de moeder zich met geweld van het handenbindertje had losgemaakt. Intussen voelde ik het zelf als een voorrecht dat mijn kind zo innig met mij verbonden was. Het bleef de vraag of zij een verlengstuk van mij was of ik er een van haar.

Dit boek moet niet gelezen worden als handleiding voor de opvoeding van jonge meisjes.

Bijgevolg voelde ik het als mijn eerste moord toen ik adamant bleef en haar naar het kleuterschooltje bracht. Ik had bij de aartspaap van Arsina geïnformeerd waar ze terecht kon. Volgens mijn moeder moest je altijd bij de plaatselijke pastoor advies inwinnen. Dezelfde die tegen betaling ons huisje elk jaar kwam zegenen. Lopend, want hij bezat geen middel van vervoer. De oude bromfiets die Giannini hem later in zijn grootmoedigheid schonk, hoort in een ander hoofdstuk. Om zijn pensioentje aan te vullen, want de enkele mis die soms nog werd opgedragen in het kerkje van Arsina, kwam voor rekening van een jonge hulppriester uit het volgende bergdorpje, Capella. Dat de Kerk in Italië een nog bedenkelijker instituut is dan in haar geboorteland of in de Brabantse provincie waarin ik toevallig ben geboren, kon mijn moeder niet weten. 't Is moeilijk alle dingen, die volgens Reve met elkaar verweven zijn door onzichtbare verbindingslijnen, uit elkaar te houden en hun eigen plaats te geven.

Onze buren riepen, als de meeste Italianen, voor de noodzakelijke overgangen in het bestaan (geboorte, huwelijk en overlijden) de hulp van de clerus in, maar hadden door hun fascistische achtergrond overigens weinig op met de inmenging van de Kerk in het dagelijks leven. Naast de fameuze treinen die in de periode van de zwarthemden op tijd reden was dit een van de onbetwistbare voordelen van het fascisme, tot op heden een generiek scheldwoord (vooral door de culturele coup van links, dat na de oorlog onmiddellijk de alleenheerschappij opeiste) dat steevast gebruikt wordt maar geenszins van toepassing is op het nationaal-socialisme van het Derde Rijk, en meer in het algemeen op dictatoriale regiems.

Wanneer het mij te pas kwam, hekelde ook ik de historische periode waarin Italië voor het eerst tot eenheid was gesmeed en waaraan de Giannini's hun fortuin hadden te danken, maar ik moest bijvoorbeeld toegeven dat het alleen de fascisten was gelukt op Sicilië een einde aan de maffia te maken, en dat de zogenaamde bevrijding door de Amerikanen onmiddellijk weer de grootste boeven, onder het aegis van de *Democristiani*, in het zadel had geholpen – een gesel die in het Italië waarin ik terecht was gekomen nog steeds voor de grootste misstanden zorgde.

Over het paradijs was een onzichtbaar netwerk van intriges getrokken. We leefden in het kielzog van de *anni di piombo*: de affaire-Moro was net door Oek de Jong vermoord, voor Nederland.

Door de actie van een paar rechters die achter het Enimont-schandaal waren gekomen, werd de macht van de grote partijen ondergraven. Voortaan heette Milaan *Tangentopoli*. Maar ook werd steeds duidelijker dat door het optreden van rechter en volksheld Antonio di Pietro in de smeergeldprocessen van *Mani pulite* de maffia, die haar politieke rugdekking kwijtraakte, een bloedig offensief geopend had. De ware aard van de gebeurtenissen uit de tijd van de *Brigate Rosse* zou pas tien jaar na ons vertrek aan het licht komen. Nadat Giovanni Falconi en Paolo Borsellino, die onder veel tegenwerking van regeringswege de eerste maxiprocessen tegen de maffia hadden aangespannen (met het door de al eerder vermoorde Dalla Chiesa verzamelde materiaal, en met hulp van de eerste *superpentito* Tommaso Buscetta), opgeblazen en doorzeefd waren, met vrouwen en lijfwachten, begon een inzicht te dagen dat de politiek vanuit het zuiden gestuurd werd. De meeste Italianen hielden zich van den domme. Elk land zijn eigen folklore. Waagde ik al eens daarnaar te vragen, dan werd ik fluks terechtgewezen, onder verwijzing naar 'onze' *Molucchesi* die in Drenthe een trein gegijzeld hielden.

We leefden in Italië, en zoals alle buitenlanders die zich daar gevestigd hebben, wilden we alleen de mooie dingen zien. Met politiek hadden we niets te maken. Mijn historische belangstelling, in gesprekken met de buurman, hield wijselijk op bij de bezetting van D'Annunzio, na de Eerste Wereldoorlog, van Fiume. De Italianen hadden aan de oorlog, door hen gevoerd tegen de gehate Oostenrijkers, meegedaan op basis van een belofte dat ze de *Irredenti* terug zouden krijgen, de steden aan de Dalmatische kust die cultureel gezien allang behoorden tot het Italiaanse cultuurgebied. De Amerikaanse president Woodrow Wilson had anders geoordeeld: aan Italianen, ijsverkopers en spaghettivreters die niet kunnen vechten, hoeven we geen genoegdoening te geven. Ze zijn onbetrouwbaar; daar hoeven we geen rekening mee te houden.

D'Annunzio was onze held, van mij en de buurman, voor hem als vermeende wegbereider van het fascisme en als *vate* des vaderlands, voor mij als dichter (lees het gedicht over de regen in het pijnbomenbos van Versilia), levensgenieter en romanschrijver. En als *cocainomano* en vrouwenversierder, een man die op de grootst mogelijke voet had geleefd, zonder ooit één rekening te voldoen. Dat alles onder het geniale motto: *Ho che ho donato.* Net als in Frankrijk werd hier, in monumenten, straatnamen en parkbeelden, de herinnering aan de Grote Oorlog levend gehouden. Zoals gezegd had de Tweede Wereldoorlog alleen een culturele coup ten gevolge gehad,

Einaudi en later Feltrinelli, waarvan ze nu nog steeds aan het herstellen waren. Met politiek liet ik mij niet in, openlijk.

Hoe dat ook zij, het leek mij geen goed idee Chiara naar schooltje van Umberto te sturen, het zoontje van de buurman. Die zong als hij een goed humeur had omdat hij bij ons mocht eten uit volle borst: '*Un po' di pepe ed un po' di sale!*' Peper was in het buurhuis taboe. Dan was elke dag begonnen met Giannini: een van ons zou beide kinderen naar school kunnen brengen. Of, in zijn optiek: wij zouden sámen onze kinderen op school kunnen afleveren, en dan werd het moeilijk mij voor de rest van de dag, tot de kinderen weer opgehaald moesten worden, van hem te ontdoen.

In de wijk San Marco bij het hospitaal, naast de gelijknamige kerk, was een nonnenschooltje, met een levensgroot suikerwit Mariabeeld tussen de schommeltjes en draaimolens. Ik had daarover goede dingen gehoord, van Nino. Maria hield een bijna doorzichtige hand met smalle vingers en dunne marmerhuid uitnodigend uitgestrekt. Futiele poging mijn afhankelijkheid van de buurman te doorbreken. Katholiek opgevoed was ik zelf, zonder daarvan nadelen te ondervinden. *Suora* Immaculata had een streng doch vriendelijk gezicht en bood onmiddellijk gastvrijheid. Zij had vroeger in Abessinië met negerkindertjes gewerkt. Ik dacht aan mijn oudere zuster, die ooit in een visioen op het altaar van de Haarlemse parochiekerk Heilig Hart het Jezuskindje had aanschouwd. Zij had voor het Vormsel als patrones Maria Goretti gekozen, die heilig was verklaard door de onduidelijke Papà Pacelli, omdat zij was verkracht. De stevige suora had het zover niet laten komen op haar eerste missie in het land der zwartjes. 'Verboden op het beeld te klimmen,' zeiden haar ogen het bordje na aan de sokkel van het buitenbeeld. De uitnodiging van de Maagd werd op voorhand afgestraft.

Voor Chiara naar het *asilo* of *nido* (nestje) kon, equivalent van onze kleuterschool, moest ik een wit jasschortje kopen

69

met een fraai kraagje, waarin ook de jongetjes gekleed gingen. Op feestdagen werd onder dat kraagje een rode band van papier-maché gestrikt. De gemeenschap der heiligen bleef natuurlijk niet beperkt tot de 365 dagen van het jaar. Elke dag was voor de katholieke kinderen een feestdag, naar een van de heiligen vernoemd. Het waren er niet zoveel als de ontelbare scharen engelen, maar die hadden geen *vita, morte & miracoli* gekend. Engelen zijn geen martelaren. Mijn engeltje Chiara wel. Ze moest een handdoekje mee naar school nemen, dat net als de jasschort gemerkt was met een opgenaaid embleem, zodat de kinderen zich niet konden vergissen. Chiara had *buste e lettere* gekozen, misschien als symbool voor de vele epistels die ik haar moeder moest sturen namens haar.

De eerste keer dat ik gedwongen naald en draad ter hand nam. Verstelwerk ging de geëmancipeerde huisman langzaam beter af. Knopen aanzetten, broeken afzomen, de zomen van te kort geworden jurkjes uitleggen – slechts kousen stoppen ging mij te ver. Ondergoed waar de rek uit was en sokken met gaten gooide ik weg. Alle begin is moeilijk: de draad door het oog van de naald krijgen, hoe ik ook aan het uiteinde likte, zoals ik mijn moeder vaak had zien doen. Ik besloot dat ik een leesbril nodig had. Een alleenstaande moeder kan nooit de vaderrol vervangen, maar een alleenstaande vader is tegelijk ook moeder. Daarop maakte ik mijn dochter graag attent, elke moederdag. Vaderdag vierden we niet. Wel kindjesdag, op het feest van de Onnozele Kinderen, slachtoffertjes van Herodes.

Mijn dochter had, als de andere kinderen, ook een *zaino* of rugzakje nodig, waarin haar merendine en de flesjes *succa di frutta* werden meegevoerd. Om mijn verzet tegen de kerk enigszins duidelijk te maken, had ik een rugzakje gevonden met rode ster en cyrillische lettertekens. Dat was niet naar de zin van Chiara. Die had haar schoolboeken, waarvoor de oude Geppetto zijn overjas had moeten verkopen, het liefst, net als Pinocchio, over haar schouder meegenomen aan een riem.

'Je hebt nog helemaal geen boeken nodig.'
'Hoe kan ik nou zonder boeken leren, papa?'
'Wat wil je dan zo graag leren?'
'Hoe je een *ragazzino per bene* moet worden.'
'Wat moet dat betekenen?'
'Volgens Umberto kan ik nóóit een *ragazzino per bene* worden.'

Chiara propte haar rugzakje vol met persoonlijke bezittingen: de lappenpop Lange Wapper, die ik voor haar gefabriceerd had naar het model van Els Pelgrom; haar pluizendekentje (een uitgeknipt stuk van haar eerste wollen dekentje, waarop ze heel zuinig was; ongeveer zoals Penelope trok ze daarvan de draden los om de pluizen tussen haar vingertjes te wrijven); een vulpen, opschrijfboekje of ander voorwerp van mijn bureau, opdat ik niet alleen haar maar ook mijn *tools of trade* zou missen. Op het laatste moment wist ik nog onze poes Koffie, die zich vrijwillig door haar liet maltraiteren, zoals haar minnaars zich later door Chiara lieten kwellen, te bevrijden uit haar plunje. Een van haar lievelingsgedichten kwam uit een vertaling van *Der Struwelpeter*:

Hein laat nooit een dier met rust.
Dieren kwellen is zijn lust.
Hier neemt hij de poes ter hand;
't Arme dier schreeuwt moord en brand.
Há, een hond, wat een plezier!
Vrééslijk kwelt hij 't arme dier.

Zo werd ze door mij gedumpt bij de zusters van San Marco, met nauwelijks meer dan drie woorden Italiaans. Ik had haar plechtig laten beloven dat ze geen tekeningen of knutselwerk mee naar huis zou nemen, omdat ik die toch onmiddellijk zou weggooien. Chiara kende de berg papierproppen rond mijn bureau; die waren haar sowieso liever om mee te spelen. Als baby had ze die eerst op willen eten, en daarna hadden we een jaar van snippers scheuren gekend, liefst van mijn mooiste boeken. Toen ze volwassen was, las ze mijn boeken nog steeds niet, maar gebruikte ze als onderzetter voor koffiekoppen, theepotten en ovenschaaltjes.

Het brak mijn hart haar achter te laten en ik mocht daarvan niets laten merken. Zonder haar aanwezigheid kon ik niet werken. Die eerste dagen zat ik net zo in de rats als zij. Ik kon slechts wachten tot het moment dat ik haar weer kon ophalen.

Bij een gemeentelijke instantie had ik een bonnenboekje moeten kopen voor de maaltijden die de kinderen op school geserveerd kregen. Elke dag werd daarvan een blaadje afgescheurd. In de hal van het schooltje hing een briefje met het menu van die dag. Pasta of risotto, met fruit toe. Net als de andere kinderen gaf Chiara de voorkeur aan haar merendine en haar flesjes suikersap met abrikozensmaak. Minimaal twaalf procent vruchtgehalte.

De kinderen moesten bidden, netjes op hun plaats blijven zitten en met vork en mes leren eten. Chiara vertelde mij dat het een wedstrijd met haar klasgenootjes was om te kijken welk tekentje er op de keerzijde van het bestek was aangebracht. Sommige tekentjes brachten geluk; het ontbreken van een merkje was een slecht teken. Ik begreep niet waar ze het over had. Zij leerde de regels van het spel zonder het te begrijpen. De fortuin was meestal aan haar kant. Vond ze geen merkje op haar bestek, dan weigerde ze een hap te nemen.

Bij navraag aan suora Immaculata bleek ze die eerste dagen één zin herhaald te hebben, elke keer dat liefdevol het woord tot haar werd gericht, woorden die Chiara evenmin begreep. De suora voelde wel aan wat het kleine meisje aldoor vroeg. De *papa* is ons aller vader: 'Wanneer komt papa terug?'

Omdat er overigens niet veel met dit vreemdtalige meisje te beginnen viel, werd Chiara door suora Immaculata uit de klas gehaald (mijn dochter had geen schik in tekenen, kleuren, papier vouwen of fröbelen) en op een hoge kruk in de keuken geplaatst, waar een andere zuster het eten klaarmaakte. Daar kon ze tenminste iets van begrijpen: ze babbelde in het Hollands, de keukenzuster gaf op haar handelingen commentaar in het Italiaans. '*Pomodore*,' zei Chiara als ik vroeg wat ze gedaan had op school, '*cipolle e prezzemole*.'

'En anders niets?'

'*Carotte*,' was haar antwoord. De eerste woorden die ze in haar tweede taal sprak, gingen over eten. Soms was er taart; die nam ze in haar rugzakje mee terug, platgedrukt in een bruine enveloppe. Aan mij vroeg ze daar een postzegel op te plakken en het adres van mama erop te schrijven.

'*La torta è per festeggiare*,' was haar eerste zin. Vandaar ging het snel.

'Heb je nog meer gedaan behalve koken en eten?'

'*Giro giro tondo*.'

'...?'

Nog in haar schortje, armen wijd, begon ze in de rondte te draaien:

Giro giro tondo
casca il mondo
casca la terra
tutti per la terra!

Tot ze zich duizelig op de grond liet vallen.

'Dus je hebt toch met de andere kinderen gespeeld?'

'Ach, papa, dat weet je toch: die zijn allemaal vervelend, stom. Ik hoef helemaal niet op de schommel. En ze hebben allemaal een moeder.'

'Jij toch ook?'

'Moet je nou ook nog zout in mijn wonden strooien, zou Laura zeggen?'

'*Un po' di pepe ed un po'di sale.*'

'*Uffa!* Gaan we nou? Ik word niet goed van al die moeders en jou daartussen – zie je hoe ze kijken?'

Op moederdag had Chiara een andere verrassing voor mij meegenomen. In een aantal dingen wilde ik streng zijn: geen speelgoed meer in mijn studeerkamer of in de eetkeuken, en, zoals we hadden afgesproken, geen schooltekeningen of plaksels. Besmuikt gaf ze mij een kartonnen vijfhoekje met een kettinkje eraan en een portretfoto van haar erop geplakt: 'Het is eigenlijk voor mama bedoeld.' Op de achterkant had een oplettende suora geschreven: '*Vai piano, papa.*'

'Die moet je op het dashboard hangen, aan de choke, bij de Christoffel.' Toen mijn vader een van zijn laatste mooie auto's had weggegeven, de BMW-V8 (in onze familie werd nooit iets verkocht of verhandeld), had ik (het was even ondenkbaar dat hij een van zijn kinderen een auto zou schenken) de autoradio en zo'n medaillon weten te redden. Die had ons kinderen veilig over de wegen en bergpassen van de grote landen gevoerd. Van autotermen was mijn dochter goed op de hoogte, omdat ze altijd toekeek als ik lag te sleutelen. In die tijd hadden de auto's nog een choke, een knop die mijn moeder meestal open had laten staan, totdat ze zei, wanneer de carburateur verzopen was: 'Het gas doet het niet meer.'

Chiara wilde alles weten, net als Rineke Tineke Peuleschil, bij ons uit Amsterdam / die altijd wilde weten hoe alles toch zo kwam. Als ik haar vragen moe was of het antwoord schuldig bleef, en verzuchtte: 'Waar moet dat heen?', citeerde ze fluks: 'En toen gaf zij zelf meteen het antwoord / ik weet het al: we gaan naar Zandvoort!'

Het footootje had ze uit haar paspoort geknipt. Chiara had een paspoort omdat ze vaak als Ummetje (*Unaccompanied Minor*) in haar eentje per vliegtuig heen en weer geshuttled werd tussen Eefje en mij. Ouders van nu, waarmee jarenzestigouders worden bedoeld, zijn slechte ouders. Ze willen alles uitleggen aan hun kinderen, waarmee ze hun gezag verliezen. Alleenstaande ouders met één kind hebben geen gezag. Die vormen een partnerschap met hun kind en laten het delen in hun besognes. Niet voor niets klaagde mijn dochter later dat ze nooit een jeugd had gekend.

Gelukkig had ik Chiara nu van alles te vragen over het gedeelte van haar leven dat ze niet met mij deelde. Ik was bijvoorbeeld gefascineerd door de aftelversjes die ze spelenderwijs opdeed, en waarvan we allebei niet wisten wat ze precies betekenden:

Ambarabaccicicoco
due civette sul commò
che facevano l'amor
con la figlia del dottor
il dottore s'ammalò
*Ambarabaccicicoco!**

Chiara had een goed oor voor versjes. Zo vaak werd ze voorgelezen en liet ze haar favorieten herhalen, dat ze spoedig een heel repertoire uit haar hoofd kende en op verzoek, ook wel vrijwillig, afdreunde. Ons eerste succesnummer, toen ze nog geen twee jaar oud was, hadden we aan Van Nelle te danken. Ik zei de regels op, en liet het laatste rijmwoord voor haar open, dat ze met zelfverzekerde, krachtige dictie invulde:

In een landje bij de... **duinen**
en niet heel ver van de... **zee**
leefde eens een... **dwergenpaartje**
en dat heette... **Piggelmee**

En zo verder, tot en met de dramatische omslag en het toch nog gelukkige einde met de merkthee uit Rotterdam. Haar vroegrijpe, taalkundige begaafdheid kwam volgens mij, al wist

75

ik dat het onzin was, doordat ik reeds eindeloos met haar had gesproken toen ze nog niet geboren was, mijn oor tegen de zwellende moederbuik gedrukt, die ik steeds met oliën moest inwrijven. Overigens was ik er tijdens de zwangerschap van overtuigd dat het een jongetje zou worden. Op echo's hadden we het geslacht niet kunnen determineren. Ik droomde in die tijd heel vaak dat mijn kind, ook al ben je nooit zeker van het vaderschap, reeds sprekende ter wereld zou komen. Naar mijn gevoel was dat ook zo, al duurde het een jaar voor het eenzijdige discours beantwoord werd. Maar daarna hield het ook niet meer op en was onze verbale uitwisseling constant, tot ik er soms de brui aan gaf omdat mijn dochter altijd het laatste woord bleef houden.

Ik was met een meisje blij. Ik hield van meisjes en kon goed met ze opschieten. Met een jongetje had ik mij geen raad geweten. Toch voedde ik haar op als een scheepsjongen. In mijn jeugd had ik boeken verslonden over zeehelden en vooral piraten; de vaak verhulde vrouwelijke zeerovers hadden mijn voorkeur. Een jongensmeisje was mijn ideaal.

De boeken kwamen pas toen Chiara naar de *elementare* ging, lagere school. Net toen zij zich vertrouwd en veilig begon te voelen bij de suore en ze zich die prachtige typisch Toscaanse tongval had eigen gemaakt, waarin *casa* klinkt met een zachte aangeblazen 'g' en de harde Italiaanse 's' als een Nederlandse 'z', zoals in 'Gazastrook', zodat Lucca wordt tot iets als 'Lugga', en overigens een knauwerige afkapping van de klinkers, waarin de buurman zo goed was omdat het in Italië als chic wordt beschouwd, net zoals bij ons bekakte lieden zeggen: 'Daar mot je bij mij niet mee ankommen', een uitspraak die ik natuurlijk nooit meer heb kunnen aanleren en waar ik jaloers op ben, die ervoor garant stond dat het kleine meisje voor een geboren Italiaanse kon doorgaan, hetgeen ze heel graag wilde...

'Als mama enig benul had gehad, had ze mij toch even in

Italië kunnen baren! Dan had er tenminste Lucca in mijn paspoort gestaan.' Die diertjes, die kinderen, die mensen hebben geen benul, was een geliefde manier onze minachting voor anderen te verwoorden.
'Dat ging niet zomaar eventjes. Je was een zware bevalling. Je paspoort is trouwens naar de kloten.'
'Ach papa, wat maakt het uit: we reizen nu toch samen.'

...nauwelijks was mijn dochter op het nonnenschooltje van San Marco geïntegreerd, of het schooljaar was voorbij, en ook het ritje langs de forno daar vlakbij, waar ze sublieme focaccia maakten die Chiara's problemen van de dag op slag ontkrachtten. Er werd een feest gegeven in het klooster van de nonnen in de heuvels van Vorno, ten zuidwesten van de stad, met alle ouders, die tientallen taarten hadden meegenomen en spumante waarvan ook de kinderen dronken; samenzang, versjes en een toneelstukje, concertje toe in de tuin, waar het al donker begon te worden en een van de zusters, met gitaar begeleid door de keukenzuster, 'Di tanti palpiti' uit de *Tancredi* van Rossini zong, een nummer dat, net als bij de Italianen van twee eeuwen terug, bij Chiara niet meer kapot kon. Religieus onderwijs! Chiara had er in ieder geval de hand van Maria aan overgehouden, die vond ik later in alle blankheid bloedeloos afgebroken bij de pols terug, waarschijnlijk in een poging van het kleine meisje in het beeld omhoog te klimmen. Later gebruikte ze hem als presse-papier en als ringenhouder. Ik durfde niet meer langs de nonnenschool om te verifiëren of het werkelijk háár hand was – Chiara 'vond' wel meer wonderlijke dingen – en hem dan terug te geven aan de maagd.

Ti trovero
Mi troverai.

We hadden in een wijde omtrek van de stad, van Santa Anna, via Capannori en San Concordio tot Pescia, een zevental scholen bezocht om te kijken waar Chiara, die nogal opzag tegen de overgang, zich thuis zou voelen.

Ik weet niet wie de doorslag heeft gegeven, maar toen we, tamelijk ver buiten de stad, over de nieuwe weg naar Pisa, langs Pontetetto, waar mijn in oude Citroëns gespecialiseerde garageboer Mauro de duurste *extra selezione* toscani rookte en in rekening bracht, vlak voor de tunnel waarna de weg in haarspeldbochten afdaalde naar Pisa, het schooltje in het dorp Santa Maria del Giudice binnen waren gelopen en daar door Hilda en Rosalba, die samen één klasje dreven, begroet en rondgeleid waren, was het pleit beslecht. Chiara viel bij de juffen in de smaak, de juffen bij mij. Als we de benodigde boeken hadden, kon ze daar meteen insluizen. De juffies hielden de wind eronder. De kinderen waren beleefd en gezeglijk: elke zin begonnen ze met '*Maestra!*', nee, elk tweede woord was een aanroeping van het gezag. Chiara werd bekeken tijdens haar rondleiding alsof Hilda en Rosalba een poppenspel opvoerden van de ideale school met het meisje als marionet. Maar niet werd ze, zoals Pinocchio, door de andere marionetten herkend en in triomf op het toneel gehesen: '*Evviva, evviva!*'

De kinderen bleven doodstil in de banken zitten, de rijen gesloten. Mijn dochter accepteerde de twee geblondeerde leraressen onmiddellijk als *ersatz*-moeder (wat ze bijna nooit met een van mijn importvriendinnen deed), en noemde hen bij het eerste afscheid al enthousiast *maestra*, wat haar op twee klinkende zoenen kwam te staan.

En wat voor boeken! Zwaar uitgegeven op dik, glossy papier. Nooit heb ik zulke mooie en dure schoolboeken gezien. En zoveel! Alle mogelijke onderwerpen kwamen aan bod, met landkaarten, schema's van het heelal, geschiedenis vanaf de Egyptenaren, de gevaren van drugs, voedselvoorschriften, wiskunde die meteen met de verzamelingenleer begon, litera-tuuroverzichten – het moest de leerlingetjes wel duidelijk wor-den dat in de moderne tijd alles met alles samenhangt in een virtuele wereld van hypertekst. Mijn eerste zin, die ik destijds tientallen malen moest overschrijven uit een fluttig, reeds door een generatie andere kinderen beklad en bemorst boekje was: 'Een aap, een aap, een aap, kijk, een aap in de bus.' De kroonprins was nog niet eens geboren.

Nu kon ik, of liever de arme Chiara, aan den lijve onder-vinden waarover ik tot mijn vrolijke verbazing elk jaar inge-zonden brieven in de kranten had gelezen.

'ZEVEN KILO OP DE SCHOUDERTJES: artsen slaan alarm: scheve schouders en vervorming van de ruggengraat!' Zelfs de longen schenen gevaar te lopen: de lange inspanning en onna-tuurlijke houding van de naar voren gestoken nek kon, afge-zien van het veroorzaken van scoliose en spierverrekkingen, ook negatieve gevolgen hebben voor de ademhaling.

'HOE DE RUGZAK TE GEBRUIKEN: *in tien voorschriften.*

1) De rugzak van boven naar beneden vullen, en niet van links naar rechts.

2) De rugzak vullen te beginnen aan de rugzijde: eerst de woordenboeken en andere zware boeken, dan de lichtere, tot slot de schriftjes en bovenop de merendine.

3) De rugzak goed sluiten zodat de inhoud wordt samenge-drukt.

4) Om de rugzak aan te trekken, hem op een krukje zetten, er met de rug naartoe gaan staan, door de knieën zakken en hem omdoen terwijl hij van onder wordt vastgehouden.

5) Altijd de riemen zo stellen dat de ene schouder niet meer te dragen krijgt dan de andere.

6) Altijd de lengte van de draagriemen zo kort gespen dat de onderkant van de rugzak niet op de billen rust.

7) Als het gewicht te zwaar is, dan beter de rugzak niet om-doen maar hem dragen in de hand.

8) Nooit de rugzak overladen.

9) Niet rennen met de rugzak op de schouders.

10) Nooit de rugzak slechts aan één schouder hangen.'

'*Uffa*,' zei Umberto toen ik hem met dit lijstje in de hand gewaarschuwd had. Ik had wederom het idee, nu door medische bewijzen gesteund, dat ik mijn dochter aan het verminken was door haar naar de *elementare* te sturen. Ze voelde mijn schuldgevoel haarscherp aan en liet daarom mij haar rugzak dragen, naar de auto, en van de auto naar het schoolhek.

De eenvoudige oplossing werd verhinderd door een nog krankzinniger regel: de kinderen mochten hun boeken niet op school in het kastje onder hun bank laten liggen. Ze hadden ze allemaal elke dag nodig, op school én thuis, ieder kind zijn eigen woordenboek – en Italiaanse woordenboeken zijn reuzenwoordenboeken, om die hele prachtige taal te kunnen bevatten. Zouden er andere talen zijn waarvoor zoveel mensen geheel vrijwillig hun leven lang cursussen volgen? Spreken leren ze 't nooit. Wees ervan verzekerd, wanneer een Italiaan u het compliment maakt dat u zo goed Italiaans spreekt, dat u nog steeds bij les één bent. Zou u het werkelijk goed spreken, dan wordt dat als vanzelfsprekend aangenomen en zou een compliment een belediging inhouden.

Chiara sprak en dacht intussen Italiaans, van binnen en van buiten. Het denken in een andere taal verandert je persoonlijkheid, misschien min of meer overeenkomstig het bijbehorende volkskarakter. Ik heb dat bij mezelf gemerkt toen ik langzamerhand half in het Italiaans ging denken. Ik ging andere dingen zeggen, me anders gedragen, bepaald uitbundiger, hoewel misschien ook oppervlakkiger, dan wanneer ik tussen Nederlanders verkeerde. Of wanneer ik met de buurman het understatement van het Engels aanhield. Wanneer de emoties, zoals bij dat verdoemde schaakspel, plotseling hoog opliepen, gingen we vanzelf over op Italiaans.

Mijn Italiaanse dochter was bijna een ander persoon dan

haar Nederlandse ik, dat van het begin af aan zwaarmoedig was geweest. Een tijdlang is ze meer Italiaans geweest dan Nederlands. Dat kon je afmeten aan onwillekeurige uitroepen. In plaats van 'au', wanneer ze pijn had, zei ze '*aiaa*'. Soms gebruikte ze zelfs, met Nederlandse woorden, Italiaans idioom: 'Ik zie het uur niet dat we naar huis kunnen.' (*Non vedo l'ora...*) Van mijn tweetalige vriendin Donatella heb ik begrepen dat het geen voordeel is tweetalig te zijn. Je weet niet meer in welke taal je persoonlijkheid ligt. Die zweeft rond een kern die er niet is. Je wisselt steeds van rol, heel handig in het sociaal verkeer, omdat het spelen van een rol de mensen makkelijker afgaat dan het tonen van hun ware ziel, maar in die ziel blijft eeuwig deze wig. Je hoort thuis in je moedertaal, anders raak je ontheemd. Het moet letterlijk de taal van je moeder zijn. Ook al dacht ik beide rollen te kunnen vervullen, voor Chiara kon ik in belangrijke opzichten nooit een moeder zijn. Ze had al een moeder.

Mijn moeder, die zelf in '33 van huis en haard verdreven is uit Frankfort (*Weil Frankfurt so groß ist, da teilt man es ein / in Frankfurt an der Oder und Frankfurt am Main*), die evenmin als mijn dochter vast van stem was, en die net zoals ik een voorgedragen gedicht of verhaaltje nooit tot een einde kon brengen vanwege de prop in haar keel (wij kinderen keken verbaasd naar haar op: wat is er toch met ons moeder?) – mijn moeder heeft ons in Nederland nooit een gevoel van 'thuis' kunnen meegeven. Zij hoorde niet in Nederland. In Duitsland had ze de crisis en de inflatie meegemaakt (wij hebben als kinderen nog met die gigantische coupures gespeeld, waarvoor je gisteren nog een huis en vandaag alleen een brood kon kopen), maar zulke armoede als in Nederland had ze nog nooit gekend. Margarine in plaats van boter en één koekje bij de thee.

Uit alle macht hield ze in Holland haar kaken op elkaar, Duits was haar moedertaal. Op de Nederlandse school vertelde ze dat háár moeder Zwitserse was. Men wist wel beter. Haar schoonvader keurde deswege het huwelijk af en was er niet bij aanwezig. De eerste kinderen kwamen vlak na de oorlog. Zij bracht hun niet haar moeders taal bij maar een vreemde spraak. En dus ook weinig van haar eigen cultuur, waarop een groot verbod stond.

Het resultaat is dat ik mij nergens thuis voel. Gelukkig kan ik gaan en staan waar ik wil. Blijft echter de hunkering naar iets wat er niet is en nooit is geweest.

Op mijn beurt heb ik mijn dochter nooit een thuiscultuur kunnen meegeven. Wij leefden als gasten in een vreemd land, een geleend vaderland zo u wilt. Haar spelling van het Nederlands blijft foutjes vertonen. Ik heb al deze zaken nooit eerder beseft. Je kunt het beste voorhebben, een thuis heb je niet voor het uitzoeken.

Uit een willekeurig gesprek van voorbijgangers vangen we de woorden op: '*È un caso triste...*' (Een treurig geval.) '*Triste, si...*' Waarop Chiara ongevraagd aanvult: '*Ma molto!*' Niemand kan die holle 'o's, waarvan de eerste lang klinkt en de tweede kort wordt afgebroken, of die ronde 'l' zo mooi uitspreken als Chiara, ook al heeft ze nog steeds de Italiaanse woordenschat van een schoolmeisje.

Maar vraag je: citeer 's
een vers van Couperus,
dan kan ze dat niet, dat is dom.

Omdat we er niet bij hoorden, hadden we de neiging de Toscanezen te imiteren, hun gesprekken na te volgen of aan te vullen, er de absurde elementen uit te halen. Chiara kon nog heel goed van buiten tegen haar tweede taal aan kijken. Vooral wanneer we hun gebarentaal herhaalden, werden we vreemd aangekeken.

Hoorden we iemand met stemverheffing zeggen: '*Eaou!*'

dan brulde zij het minstens even krachtig terug, in precies de goede intonatie. *Eaou!*, waarvan elke klinker als een lettergreep wordt uitgesproken, is een bijna universele oerkreet. Wijs- en middelvinger tegen de duim gedrukt, en de hand van boven naar beneden bewegen, drie keer. 'Wat wil je nou?' zoiets, of in haar latere Vondelpark-Nederlands: '*get a grip*'. De buurman was fel tegen praten met de handen, iets voor onbeschaafde zuiderlingen. Chiara riposteerde door tegen hem haar mond niet open te doen en een gebaar van minachting (*disprezzo*) te maken, met de rug van de hand, of alleen de duim, over de onderkant van de kin naar voren. *Disprezzo* was wat de buurman, zonder handen, iedereen betoonde: neerbuigend want hulpvaardig, minachtend want superieur, afkeurend want zelf wist en deed hij alles beter. Een missionaris die de onbehouwen Batavieren komt bezoeken welke aan hem zijn toevertrouwd, terwijl hij eigenlijk de hoop alreeds heeft opgegeven hun nog enige beschaving te kunnen bijbrengen. De beschaving die *al fresco* op het gewelf van de grote salon van zijn villa was geschilderd. Nog beschaafder dan dat, omdat het slechts een herinnering aan dat begrip was, waarvan de brokstukken in kalk en gips naar beneden zouden komen wanneer je je stem verhief.

'*Ma* Pico...!' zei ik om de situatie te redden. Elke dialoog en elk antwoord, ook op de radio en de televisie, begint in het Italiaans met: 'Maar...', gevolgd door een aposiopesis oftewel een korte stilte, veelzeggend, om na te denken, of absoluut nietszeggend, hoe u het wilt.

'*Ma* papa...!' Assimilatie door imitatie, iets waar ook *borderliners* goed in zijn.

'*Un po' di rispetto!*' Mijn dochter danste als een marionet om haar tegenstander heen, beide handen met licht gespreide vingers wijd op en neer bewegend om haar echolalische woorden te benadrukken: '*Rispetto, rispetto, rispetto!!!*' Een scène uit het eerste deel van *Novecento*, die ze met mij in de openluchtbioscoop op het pleintje achter de Torre delle Ore had gezien. Van alle films die we daar in de loop van tien zomers hebben bekeken, konden we hele dialogen naspelen. *Mediterraneo*, met de acteur 'Lo Russo' (Diego Abantatuono), is een van onze favorieten.

Giannini probeerde het opnieuw, gespeeld bezorgd, alsof mijn geldgebrek (de huur moest nog betaald) een ziekte was: '*Ma, davvero, come stai?*' (Hoeveel liever had ik niet de grijns van de zelfverklaarde parkeerwachter op de Piazza Santa Maria del Borgo, wanneer hij het portier voor mij openhield met de immer gelijke groet: '*Ma, Lei, dottori, come La vede lo situazione?*')

'*Maow...*' (Langgerekt, iets anders dan 'maar', en ook geen '*mô*' of '*bô*', hetgeen betekent: ik weet het ook niet. Deze klank wilde zoiets zeggen als: het gaat wel.)

'*Vuol dire...?*' (Heb je nou geld...?)

'*Non c'è di male...*' (Van den domme: ik heb niet te klagen.)

'*Sul serio...*' (Ik meen het: de huur!)

'*Si tira avanti...*' (Letterlijk: men sleept zich voort, we worstelen voort, men doet wat men kan.) Chiara en ik werden niet moe dergelijke dialogen met nutteloze stopwoorden te vervolmaken.

'*Alora...?*' (Ik kan er dus op rekenen? Hij viste nog steeds naar zijn geldje.)

'*Vedremo...*' (Komt tijd, komt raad. Misschien later.)

'*Comunque...*' (Ik wil toch aandringen...)

'*Dicevo...*' (Wat ik eigenlijk bedoelde...)

'*Non c'è fretta.*' (Altijd en overal te gebruiken: er is geen haast bij.) 'Haast' is in het Italiaans een relatief begrip. *Un momento* – minstens vijf minuten. *Arrivo* – een kwartier wachten. *Vengo subito* – die zien we nooit meer terug. *Aspetta* – vergeet het maar.

'*Però...*' (Zich aan het thema vastklampend...)

'*Semmai...*' (Onder bepaalde omstandigheden, als ik dit boek eindelijk af heb...)

'*Insomma...*' (De idioot wilde nog steeds terzake komen.)

'*Purtroppo!*' (Ik moet er wel bij zeggen dat op dit moment...)

'*Cioè...*' (Je bedoelt gewoon dat je het nu niet hebt?)

'*Ma figurati!*' (Kom nou!)

'*Vediamo un po...*' (Wacht eventjes...)

'*Tu mi ennervisci...*' (Je begint op mijn zenuwen te werken.)

'*Ma senti un po...*' (Wat krijgen we nou...?)

'*Si!*'

'*Proprio io che ti...*' (Je durft toch niet te beweren dat...?)

'*Così!*' (Dat is nou precies wat ik wél bedoel.)

'*Non scherziamo...*' (Zijn we nou helemaal belatafeld?)

'*No!*' (Ik heb ze nog allemaal bij elkaar, hoor.)

'*E tu dicevi invece...*' (Daarnet zei je nog...)

'*Dicevo di sì!*' (Je kunt de pot op!)

De buurman begon zich op te winden: '*Ma siamo matti?*' (Wie is hier gek, jij of ik?)

'*Magari...*' (Onmogelijk te vertalen stopwoord. In dit geval te intepreteren als: misschien wel allebei.) Hij bond in.

'*Soltanto...*' (Ik heb dat geld echt nodig.)

'*Cosa?*' (Laat me niet lachen.)

'*Se sei pronto...*' (Nu echt serieus.)

'*Sono pronto come Zorro al cavallo!*' (Ik ben serieuzer dan de paus.)

'*Nonostante...*' (Ik heb het idee dat je me voor de gek houdt.)

'*Direi piuttosto...*' (Ik zou anders zeggen dat jij een houten kop hebt.)

'*Io invece...*' (Kijk naar jezelf!)

'*Macché!*' (Je wilt me toch niet beledigen...!)

'*Anzicheno...*' (Wel degelijk...)

'*Ma non esageriamo...*' (Laten we het nou niet op de spits drijven.)

Hij haalde diep adem en deed een laatste poging: *'Quanto-meno...'* (Je kunt toch alvast wat aanbetalen?)

'Lo dicevo...' (Ik zei toch dat ik tijdelijke problemen met de *cashflow* heb! Kwestie van *capital drag*.)

De buurman begreep het, onwillekeurig zijn handen droog wassend. *'Buonanotte e sono!'* (Ik heb er tabak van; ik ben weg.) Quod erat intendum.

'Uffa!' zei Umberto, die zich tijdens de dialoog onder tafel verborgen had gehouden. Er waren twee gelegenheden waarbij het zoontje van de buurman onder tafel kroop: wanneer zijn vader en ik een woordenwisseling hadden; en wanneer, in de keuken van de villa, op de televisie een liefdes- of naaktscène werd vertoond. Zonder ooit te begrijpen waar het over ging, was Umberto op onze hand. Chiara en ik steunden hem in zijn rebellie tegen zijn vader, in wiens ogen hij niets goed kon doen, evenmin als Giannini in de ogen van zíjn vader ooit iets goed had gedaan. Dat had die vader goed gezien. Voor deze avond was de schaakpartij afgewend. Giannini moest een Tavor en junior naar bed. Om zijn autoriteit minimaal te handhaven, gaf de vader hem met de vlakke hand een flinke tik op het achterhoofd, richting deur. Een heel normaal gebaar in Toscane, liefkozing en terechtwijzing ineen. Toen ik dat een keer bij Chiara probeerde, greep ze de bezem met de lange twijgen en mikte met de stok in mijn buik. Die begon toen net mijn zwakke plek te worden.

'Papa, nog één keer en je ziet mij niet meer terug!' Des duivels was ze en naar bed liet ze zich niet zo gemakkelijk sturen. Ik schrok en moest ook lachen. Dat gebeurde mij altijd wanneer mijn vrouwen mij te lijf wilden, met vuisten, pumps of kleerhangers. Ze werden er nog kwaaier van.

'Waar had je dan gedacht heen te willen? Je krijgt van mij een kwartje om een andere vader te zoeken.' Dat had mijn vader vroeger tegen ons gezegd. 'Of anders breng ik je bij de zigeuners.' Ik had mijn vader op zulke momenten gehaat en nu zei ik hetzelfde.

'Ik houd straks net zo lang mijn adem in tot ik er morgen niet meer ben.' Het lachen verging mij en de schrik was echt.

'Pico, je doet je vader pijn!'

'Papa, jij doet je dochter pijn!'

'Chocolademelk voor de troost?'

'Gottegá' – haar eerste uitspraak van dat drankje hield ze aan – 'voorlezen, viool spelen en nog niet naar bed!' Wat ik had moeten rechtzetten tot: chocolademelk, voorlezen, eventueel wat spelen en dan *Schluß*.

Bij het ravotten op het erf en in de tuin tussen de twee huizen droeg Umberto zijn Zorro-masker en een cape, een carnavalskostuum. Het carnaval van Viareggio is beroemd en net zo vervelend als het bloemencorso. Chiara, bloot onder een pareo in tijgerpatroon die door een van mijn vriendinnen was achtergelaten, een badmuts vol knijpers op haar hoofd, wat haar een Medusa-kop gaf. Het buurjongetje schoot met een waterpistool; zij droeg een lange boog over haar schouder, waarmee ze echte houten pijlen schoot met koperen punt. Die raakten vaak zoek in de bosjes. Eindeloos zoeken, nieuwe kopen in de schatkamer. Die boog en die levensgevaarlijke pijlen zouden mij nog van pas kunnen komen als de buurman weer eens in het struikgewas aan het scharrelen was, in de hoop de naakte tieten van een van mijn vriendinnen op het terras te ontwaren. Altijd vriendinnen met de mooiste tieten gehad – zijn jullie nu tevreden en kan er misschien een verjaardagskaartje af? Over de Napolitaanse borsten die mijn dochter later ontwikkelde, komen we in dit boek niet meer te spreken.

De schooljaren verliepen. Elke dag kotste Chiara haar ontbijt uit aan het einde van de oprijlaan. Ik reed een halfuur heen en terug om haar te brengen, en het kostte mij een uur haar te halen. Steeds met het grootste plezier. Ik hield van rijden door een landschap dat zo mooi was; ik ging mijn dochter verlossen van de uren dat ze het alleen moest uitvechten.

Die uren op school vielen Chiara niet licht. Wat deed ik

haar aan? zo sprak haar blik wanneer ze uit het schoolhek kwam. Toch niet erger dan wat alle ouders hun kinderen aandeden? Misschien wel, omdat zij als buitenstaander en indringster werd beschouwd door 'de andere kinderen'. Juist het feit dat ze bij de juffies zo geliefd was en bepaald werd voorgetrokken, zette die kinderen tegen haar op. Francesca, Grazia, Brunella, Angelica, Elena, Simonetta en hoe die krengetjes nog meer mochten heten. Ze heeft er nooit iets over gezegd en nooit geklaagd. Pas achteraf, toen het allemaal 'voorbij' was (ook voor mij, ik, die deze jaren als een idylle bewaar in mijn hart), kreeg ik haar eerste schooldag te horen.

Jongens en meisjes zaten gemengd in de klas, maar tijdens de speelkwartieren werd de natuurlijke orde hersteld. Chiara imiteerde braaf de anderen en zocht aansluiting bij de meisjes. Maar die gingen in groepjes achter een boom staan. Ze fluisterden met elkaar en hielden op met praten als Chiara eraan kwam. Ze duwden haar in de bosjes. Als ze mee mocht doen met het overgooien van een handbal, werd die keihard naar haar kop gegooid. Eerst schoten ze pijnboompitten naar haar. Chiara maakte een lange neus.

'*Cucù*, jullie kunnen me toch geen pijn doen!' Toen gooiden de meisjes met hele pijnappels, die zij wist te ontwijken.

'*Cucù*, jullie kunnen me toch niet raken!'

Daarna begonnen de kinderen hun schoolboeken naar haar te gooien, het aardrijkskundeboek, het rekenboek, het geschiedenisboek. Maar omdat het moeilijk gooien is met boeken die alle kanten op fladderen, raakten ze haar nog steeds niet.

'*Cucù*!' Bukkend was Chiara steeds meer achteruitgelopen naar het schoolhek, maar voor ze dat bereikt had, was de valse Elena met haar grote Garzanti op het muurtje van het hek geslopen. Eleonora kwam naar Chiara toe rennen, en de enorme klap uit de hand met het woordenboek die voor Chiara bedoeld was, kwam op het hoofd van Eleonora terecht, die haar niet had willen stompen maar waarschuwen voor het gevaar achter haar. Eleonora ging onderuit, en terwijl Chiara zich over haar heen bukte, kwamen met de handen op de rug de twee juffies eraan geslenterd, net als de carabinieri altijd te laat. Van de anderen was natuurlijk niets meer te bekennen. Chiara kreeg de schuld. Ze kon aantonen dat al haar boeken nog in haar tas zaten, behalve de grote Garzanti, die ik die dag nodig had gehad. Pas toen Eleonora na twee weken hersenschudding weer op school kwam, werd de zaak opgehelderd. Het maakte mijn dochter niet populairder bij de meisjes. Voortaan ging ze met de jongens knikkeren, Piero, Federico, Arturo, Stefano, Gaetano en Gioacchino, die ze sowieso minder tuttig vond. Ik moest een knikkerzak voor haar maken van geruite stof. Alle knikkerzakken ter wereld zijn van ruitjesstof gemaakt.

Een van de dingen die ons vol trots waren getoond bij onze verkenning was een lange schraagtafel in de hal met een uitstalling van werkstukken en handwerkproducten die de leerlingen hadden gemaakt. In sommige gevallen was aan zo'n werkstuk vijf jaar, de hele schooltijd, gewerkt. Na het eerste weekeinde dat Chiara op haar nieuwe school zat, lag een pronkbeeldje van gebakken klei in gruzelementen op de vloer. Chiara kreeg de schuld. Ze ontkende, haar gezicht verraadde geen emotie. Er werd een ouderavond belegd waarop gevraagd werd om betere begeleiding van buitenlandse kinderen. Ik protesteerde dat wij geen buitenlanders waren maar Europeanen, *tutto in regola*, en zwaaide zelfs met mijn moeizaam verkregen verblijfsvergunning. Wij zijn ook Europeanen, maar in de eerste plaats Italianen, en voor alles Toscanezen, was het antwoord.

'Het zijn toch brave mensen,' probeerde ik bij Chiara te vergoelijken.

'De buurman is ook *bravo, ma mólto!*' 'Bravo' betekent in het Italiaans dat je ergens goed in bent. Omdat Chiara niet aan de godsdienstles wilde en hoefde (een nieuwe wet) deelnemen, zou dat uur gebruikt worden voor een integratiecursus met een van de juffen, wat erop neerkwam dat ze in de bar aan de overkant een kop koffie met een brioche gebruikten. De andere kinderen stinkend jaloers, maar Chiara was jaloers dat ze geen Eerste Heilige Communie mocht doen.

Aan het eind van elk schooljaar was ook een feest: een tombola, veel eten, een speurtocht, behendigheidsoefeningen & voordrachten, een wandeling naar de top van de kale berg achter Santa Maria del Giudice vanwaar je de Tyrrheense Zee kon zien. Met de staf van de school, de *maestre*, de kokkin en de *bidella*, deden kinderen en ouders of ze één grote familie vormden.

Voor mij was elke dag dat ik haar kwam ophalen van school een feest geweest. Ik kan de huizen, de tabaksboer, de apotheek, de dakgoten, het romaanse kerkje en de twee bars van dat dorp uittekenen, in holografisch perspectief. Ik kan alleen niet schilderen. Wat in mijn statische geheugen staat gegrift is in geen enkel medium uit te drukken. Ook ben ik bang dat ik het kwijtraak als ik alles opschrijf. Voor we terugreden, dronken we wat in de onverlichte bar tegenover het schooltje. Dralend om weg te gaan waar we morgen weer moesten terugkomen.

De juffies, Hilda en Rosalba, begeleidden hun klas van de eerste naar de laatste. Chiara had één vriendin gekregen op school, Eleonora, die de klap met het woordenboek had opgevangen, enig kind van een modelgezin. De vader vrachtwagenchauffeur, de mooie moeder goed in de keuken. Zo wilde zij het eigenlijk ook hebben: een moeder die taarten en pizza's bakt. Gastvrij: als ik daar mee moest eten, kreeg iedereen één pizza, de vaders twee. Ik voelde me een halve vader, want ik kon er niet meer dan één op. Ik reed dan ook geen vrachtwagens. In het grote huis van Eleonora stond in elke kamer een televisie, ook in de slaapkamer van het meisje. Alle klasgenootjes hadden een eigen toestel. Chiara was daar wel verwonderd over, maar ze miste het niet, ook niet de televisie van de buren, die altijd aanstond onder het eten.

Umberto was haar dagelijkse speelkameraadje, maar ze was verliefd op een somber jongetje van school, dat door zijn grootvader werd afgehaald. Dom maar stoer. Thuis hadden ze renpaarden. Fabrizio was de slechtste van de klas. Hij droeg te krappe shorts en kon goed stukmaken. Voor mij had hij eens voorgedaan hoe hij een spijl van het schoolhek kon verbuigen. Zijn moeder, die ik alleen op schoolfeesten zag, had een tatoeage op haar bovenarm en een blauw oog. De hoogste klas organiseerde de schoolfeesten en begeleidde de kleintjes.

Zo ook Chiara, in haar laatste jaar. Ze was inmiddels een gevierde leerlinge. Op die dag zei ze tegen de juffies geen maestra meer, maar Hilda en Rosalba. Vijf jaar lang had ze aan haar project gewerkt, boekbinden: een prachtige dummy in halfleer met blanco bladzijden, voor haar vader, om te vullen. De kinderen – gek dat zij zelf ook altijd bleef praten over 'de andere kinderen' van school, en niet over de jongens en meisjes – die haar eerst met de nek hadden aangekeken, zagen tegen haar op. Ik vond het helemaal niet leuk dat dit de laatste keer was dat ik over de weg naar Pisa tot voor de tunnel moest rijden; we wisten ook niet wat er daarna zou komen – de *scuola media* als ze in Italië zou blijven, drie jaar voor men kon kiezen tussen *liceo scientifico*, *liceo classico*, of *liceo artistico* –, maar mede door de inventieve organisatie van mijn dochter was dat laatste feest het mooist.

Halverwege de zomerdag, nog voor de uitreiking van de rapporten en voor de eterij begonnen was (de kokkin maakte pasta; de bij- en nagerechten werden door de ouders meegenomen; de vaders achter een gigantische barbecue; ik had een bramentaart en een kwetsentaart gebakken), nog voor de uitslag van de tombola (waarbij was gezorgd dat iedereen wat meekreeg, zoals iedereen wat had ingebracht), trok Chiara, die de hele dag al een verbeten maar beslist geen vrolijke indruk gemaakt had, mij aan mijn mouw, de tuin uit, het schoolhek door en wilde in de auto stappen.

'Moet je van niemand afscheid nemen?'

Raadselachtig antwoordde ze: 'Ik heb mijn maatregelen genomen.'

'Wat bedóel je daar in godsnaam mee? Laat mij in ieder geval nog even je werkstuk ophalen.' Ze gaf geen antwoord. Ik liep de stoep weer op – 'de grote familie' was over de tuin en de binnenplaats verspreid, waar tafeltjes onder parasols waren opgesteld en iedereen bezweet en moegespeeld aan de limonades en de aperitieven zat – en liep de hal binnen. Enorme ravage: de schraagtafel met de werkstukken van het laatste jaar was omgekieperd en alles lag gehavend en kapot door elkaar op de grond. Het blanco boek dat ik had moeten volschrijven was grondig uit de band gescheurd. Toen ik weer naar buiten rende, zag ik Fabrizio en Eleonora bij het open portierraam van mijn auto smoezen met mijn dochter. Ze stuurde hen weg voor ik binnen gehoorsafstand was. Toen ik haar aanriep, zei Chiara, die achter haar zonnebril strak door de voorruit bleef kijken: 'Laten we maar naar huis gaan, papa.'

▶ Het buurhuis

Chiara en ik staan op het terras naar de dag te kijken, het eerste wat we doen als we 's ochtends wakker worden. Zal er iemand komen of weggaan? Zullen we zelf weg moeten? De roofdierpoes, die ik Pitigrilli noem en zij Koffie, en die naar geen van beide namen luistert, komt. Zij komt naar ons toe alsof ze op de catwalk loopt, het volgende pootje precies voor het vorige plaatsend, met een lichte wieging van haar lijfje. Katten lopen altijd de catwalk als ze zich geobserveerd weten. Daarom heet de catwalk zo. Elke ochtend liggen er netjes een, twee of drie grijze pluimstaarten op de stoep. Van de rest van die relmuizen is niets overgebleven, behalve soms enkele botjes in een kotshoopje onder het groen uitgeslagen was- en waterbekken, wanneer de poes te haastig heeft geschrokt.

Pitigrilli lag 's avonds op mijn schrijftafel onder de groene leeslamp, als zij niet door Chiara in bed werd geplet. Dat liet zij zich welgevallen. Later is zij bevriend geraakt met onze sprekende vogel. Zij sliep dan boven op de toegedekte kooi. Wanneer Lolo de 'vrije vlucht' kreeg of 's avonds in een waterschaaltje op de grond midden in de kamer zijn toilet maakte en in bad ging, keek de poes belangstellend en oplettend toe. Onze beo is geëindigd in Artis. Ik heb het één keer kunnen opbrengen in de Amsterdamse dierentuin te gaan kijken, en Lolo herkende mij onmiddellijk en kwam pratend tegen het gaas hangen, begerig om als altijd met zijn snavel in mijn oor te kietelen, maar ons contact werd door zijn nieuwe beovriendjes met geweld afgebroken.

Pitigrilli is nooit in Holland geweest. Eén keer heeft zij geworpen, voor we haar lieten steriliseren. De kleine katjes hebben we verkocht in een winkelwagentje voor de Esselunga. Als ik mij niet liet zien, waren ze zo weg. Op een ochtend lag Koffie te verstijven onder de auto van de buurman. De maden kropen reeds uit haar buik. Zij had tot dan toe altijd de gevechten met de slang gewonnen. We hebben haar begraven in een schoenendoos (Gregson) op een stukje van Chiara's pluizendeken. De volgende ochtend was zij weg. Niet diep genoeg. Laat in de nacht komen de vossen uit hun holen.

Het kronkelpad naar de oprijlaan zuigt en stuwt afwisselend, een getijdentrek die gelijk opgaat met ons humeur. Van felgroen via grijstinten tot diep in het rood: oppassen geblazen. We moeten iets doen om onze spelkarakters niet te laten verpieteren door gebrek aan geld, vreugde, het ontbreken van sociaal leven. Onze temperamenten zijn communicerende vaten. Ik somber, zij somber; dochter uitgelaten, vader blij. Over dat pad konden we de wereld in gaan om nieuwe of vertrouwde dingen te ontmoeten; via dat pad waren ons gelukkige momenten uit het verleden ontsnapt. Sims hebben er baat bij een goed contact met hun buren te onderhouden.

Op onze heuvel voelden we ons zo veilig dat we 's nachts de vleugeldeuren, geschilderd in oud-Toscaans geel, konden openlaten. Niemand kon ons zien, zodat je elke morgen naakt naar buiten kon lopen. Een man, die toch altijd een dier blijft, mag graag in de bosjes langs zijn eigen terrein pissen. Chiara had zichzelf geleerd rechtop staande te ritselen, zoals zij dat noemde. Een holenmens. Op den duur kon dat niet doorgaan, de moeder moest eens weten... Wat mij betrof kon het kind niet lang genoeg opgroeien in het wild. *Mon enfant sauvage.*

Het gras tussen de rode plavuizen was hoog opgeschoten, daar moest iets aan gedaan worden. De bramenhaag begon ons in te sluiten. De pachtboerderij aan de overkant konden we niet meer zien. De buitenwereld was zich langzaam van ons aan het terugtrekken, zoals wij steeds meer aan het zicht van de wereld onttrokken werden.

Het was een zondag. Dat hadden we al gehoord aan het luiden van de kerkklokken, dichtbij en veraf, maar je proefde het ook in de lucht. Zondag was een gelukkige dag, omdat Chiara dan niet naar school hoefde. Het was een schaarse dag – zij kwam minder voor dan alle andere dagen, die min of meer op elkaar geleken, zoals elke zondag op andere zondagen lijkt – een schaarse dag omdat er, anders dan in Frankrijk, geen vers brood of focaccia kan worden gehaald. Wel banketbakkerswerk, voor alle mensen die bij familie op bezoek moeten, maar Chiara en ik hielden niet van taart, behalve wanneer we die zelf gebakken hadden. Zondag was een nutteloze dag, omdat Chiara geen Eerste Heilige Communie had gedaan en er niet kon worden gewerkt, ook al ging het zwoegen van de boer op het land (en zijn zoon op de trekker) gewoon door. Zondag was een onbruikbare dag voor uitstapjes, omdat elke Italiaan met zijn verloofde of gezin in de auto stapte voor een uitstapje; de wegen tussen Florence en de kust waren onberijdbaar.

Zondag was ook een gevaarlijke dag. Op zondag verveelde de buurman zich nog meer dan op doordeweekse dagen, omdat zijn kinderen (Umberto met zijn Zorro-masker, die nooit iets goed kon doen en altijd de schuld kreeg, en zijn kleine broertje Vittorino, een ettertje dat vaak in huilen of schreeuwen uitbrak en dan de schuld aan Umberto gaf) thuisbleven. Giannini had het rijk het liefst alleen, ofwel om zich terug te trekken in zijn jongenskamer met een stapel eerste jaargangen van *Playboy*, of om andere mensen lastig te vallen en het leven zuur te maken. Dat ging hem in zijn eentje beter af; vrouw en kinderen waren een blok aan het been. Op zondag kon Giannini het nog minder dan op andere dagen stellen zonder mij,

al was voor hem die dag het gevaar van Chiara voortdurend
aanwezig. Derhalve was het juist op zondag dat wij er bijna
niet onderuit kwamen de verveling van het buurgezin te delen, een uitnodiging voor het zich eindeloos voortslepend
pranzo aan te nemen en de dag door te brengen in de villa of
het park.

Villa Giannotti was in de familie gekomen door de grootmoeder van moederszijde – het adellijke bloed van verre. Hoe
de villa, in haar halfvergane staat, erin geslaagd was te worden
opgenomen in de Vereniging van Luccheser Villa's, was me
een raadsel. In geen enkel plaatjes- of fotoboek van die meest
uit de zestiende of zeventiende eeuw daterende modelarchi-
tectuur stond zij afgebeeld.

'Ik heb dat tot nog toe weten tegen te houden,' zei Giannini, die aan ieder antwoord, elke zin, een lange stilte vooraf liet
gaan, waarin hij peinzend in de verte keek alsof zijn denkpro-
cessen de wetten van het schaakspel volgden. Hij dacht zetten
vooruit, althans tráchtte dat te doen, en hield er op voorhand
rekening mee hoe zijn woorden zouden kunnen worden uitge-
legd. 'Dan ziet de georganiseerde misdaad ons wellicht over
het hoofd.' Ik vroeg mij af wat er in godesnaam te halen viel
in deze bouwval, die was ingericht met rotanmeubels en waarvan alles wat loszat al verkocht was: je kon als dief moeilijk
de fresco's van de salon uithakken, die geschilderd heetten te
zijn door een laat-achttiende-eeuwse barokschilder uit Syra-
cuse, Antonino Maddione – bepaaldelijk van het tweede garni-
tuur.

Een soortgelijke strategie had hij toegepast in het kantoortje van Southern Oxygen, een door zijn vader opgezet fabriek-
je waar zuurstof afgekoeld en vloeibaar in flessen werd gegoten, ten bate van ziekenhuizen en autolassers. Zijn broer had
de Steel Works overgenomen, een winkel in ijzerwaren in de
Borgo Giannotti. Gigi had in zijn bedrijfje absoluut niets te
doen: er werkten al een secretaresse, een boekhouder, twee

arbeiders en een chauffeur, die hem met angst en beven komen en met opluchting gaan zagen; en alle aandelen waren, inclusief beleid en directie, overgenomen door een serieuze firma uit Pistoia. Pas na jaren had hij mij een keertje laten opdraven in dat kantoor – eerder had zijn schaamte voor de rommelige schuurtjes die het verouderde bedrijf vormden de overhand gehad.

Het kantoortje was volkomen kaal: geen boekenkasten met ordners, vloerbedekking of wandversiering. Aan de muur hing een brandweerkalender van tien jaar geleden. Er stond een leeg bureau, waarop een telefoon zonder nummerschijf, waarmee je alleen gebeld kon worden maar zelf niet kon bellen; een stoel ervoor, en een stoel erachter, waarop de handelingsonbevoegde *direttore* ongelukkig zat te wezen. Een betere titel had hij niet: *dottore* of *avvocato* was hij niet, ondanks zijn sportverblijf aan Harvard. Zijn vader was nog *commendatore* genoemd, een aanduiding waar je in groeide als je rijk of machtig werd, op leeftijd. Giannini jr. had geld noch macht – hij was afhankelijk van de toelage waarmee vader de zoon kort hield. Zijn *werk* had er de laatste jaren uit bestaan de bejaarde vader van huis op te halen, even langs de zaak te rijden en dan af te leveren bij de herenclub van de AN, een overblijfsel van de fascistische partij van Almirante. De rekeningen die het budget van de zoon maandelijks overschreden, werden door hem bij zijn moeder ingediend.

Waarom had Gigi mij die keer ontboden? Wilde hij in een zakelijke omgeving mij de huur opzeggen, omdat zulks in de bevriende, familiaire omstandigheden moeilijk was, vooral met Chiara erbij? Ik ging met kloppend hart zitten en zweeg. De buurman dacht zichtbaar na. Een zet van de Spaans benauwde verdediging? Ofschoon ik meestal met zwart begon, was ik vaak te roekeloos in de aanval. Alles om het spel maar te bekorten. Na een eindeloos lijkende stilte van zinderende krachtvelden, zoals men ons vertelt dat die aan de oerknal is voorafgegaan, trok hij een lade van het oorlogsbureau open. Ik kon zien dat die leeg was op één velletje na. Wat hij te voorschijn haalde, bleek een uitgescheurde advertentiepagina uit *L'Espresso* van een juchtlederen schoenenmerk. Hij legde mij dit document voor, zoals een rechercheur een foto op de verhoortafel legt, er nog even naar kijkt en dan met een vlugge handbeweging omkeert. Ik keek verbaasd naar deze schoen, zo een als ik nooit dragen zou. De buurman knikte een paar keer instemmend, alsof hij mijn verbazing wel had verwacht. Toen zei hij langzaam en met nadruk, als betrof het een vertrouwelijke mededeling van de geheime dienst: 'Ik weet een zaak in Viareggio waar ze me deze schoenen leveren voor de fabrieksprijs.' Mijn belangstelling sloeg meteen in opluchting om: ik keek het vertrek rond en liet mijn blik rusten op een in de bakstenen wand uitgehakt gat, van het formaat en soort dat de Zware Jongens vaak maken in de muur van een van Oom Dagoberts geldpakhuizen. Oom Dagobert heet Zio Paperone in het Italiaans. Zo noemden Umberto en Chiara in hun roversspelletjes de buurman. Geheel ten onrechte. Omdat Umberto een bijkans bejaarde vader had, beschouwde hij die min of meer als de spreekwoordelijke Amerikaanse oom in Italiaanse komedies. Waakzaam had Gigi mijn blik gevolgd. Een vraag was overbodig, maar uitleg wel gewenst.

'Dat heb ik expres gedaan. Dan denken de inbrekers dat de brandkast al gekraakt is en dat hier niets meer te halen valt.' Niet helemaal ten onrechte, misschien.

Van zijn moeder zou de buurman de villa erven, dacht hij, in het steeds onwaarschijnlijker wordende geval dat zij ooit kwam te overlijden – iets wat ik niet meer heb meegemaakt. Omdat hij niet in het palazzo in de stad bij zijn ouders wilde blijven, terwijl de andere, jongere kinderen allang gesetteld waren en carrière hadden gemaakt in de Steel Works, zoals zijn jongere broer, of door de eigenaar van Perugina (snoepjes en chocoladewerk) te trouwen (zijn zuster), was de oudste zoon in de villa blijven hangen, omdat de familie niet meer geïnteresseerd was in het wijngoed, en de *villeggiatura* in die oncomfortabele barak wel voor gezien hield. Als een van die typisch Italiaanse *vitelloni* wilde hij graag onder moeders vleugels blijven, zonder zich de stiekeme geneugten van het andere geslacht te laten ontgaan. Bij elke vrouw die hij tegenkwam, ging Gigi automatisch over in *the Spanish stroll*–ietwat voorovergebogen, met beide polsen bewegend om de manchetten wat verder onder zijn jasje te laten uitkomen. De aanvalshouding van het haantje dat als hij klaarkomt niet *Xflix-chen-chen* uitroept, zoals in de pornografische fotoromances van Pontanello, maar *chicchirichi* kraaide, ons kukeleku. Zogenaamd om op de villa te passen; voor de familie werd de nutteloze eerstgeborene op deze manier onschuldig uit het zicht gehouden. In Amerika had hij al eerder brokken gemaakt, door twee kinderen te verwekken bij de dochter van een beroemde New England-familie. Die hadden snel door dat de Toscaanse graaf nep was, en ook overigens onbruikbaar, waarna ze hem, via Giannini sr., die overal voor te vinden was als er maar geld mee te verdienen viel, hadden afgekocht op voorwaarde dat Gigi afzag van alle aanspraak op die kinderen en nooit meer een voet in Amerika zou zetten.

De oudste van zijn twee Amerikaanse zoons kwam toen hij meerderjarig was een keer onaangekondigd op bezoek bij Gigi. De jongen speelde gitaar en was natuurlijk nieuwsgierig geworden naar zijn geheimzinnige afkomst. Toevallig was ik erbij aanwezig dat ze elkaar voor het eerst troffen. Spontaan had de verloren zoon aanstalten gemaakt zijn vader te omhelzen en te kussen, iets wat onder vrienden, trawanten van de families en echte bloedverwanten heel gewoon is, vooral wat zuidelijker in Italië. Vol afgrijzen had Giannini zijn zoon van zich afgestoten en hem terechtgewezen: 'Néé, dat nooit, *assolutamente!* Dat is een gebruik van boeven en *terroni.*'

De buurman had iets waar Engelsen, zelfs Hasting, ook last

van hebben: de doodsangst voor een *wanker*, of nog erger, een *gay* te worden aangezien – terwijl ze die aanleg allemaal in zich hebben. Bij Giannini merkte je dat meteen omdat hij veel te dicht op je kwam staan, zeg maar binnen de halve meter, een soort vertrouwelijkheid suggererend die er niet was. Niet leuk, omdat zijn adem met de jaren steeds slechter werd. Tot zover de voorgeschiedenis.

Onze geliefde buurman had van de houtboer een onhoudbare helhond overgenomen, die hij op veilige afstand van de voordeur in een sterk vervuild hok aan een roestige ketting liet verhongeren. Alles van waarde uit de villa had hij verkocht, natuurlijk zonder dat de ouders ervan wisten. Als graaf Dracula gebruikte hij het schaars verlichte en gemeubileerde karkas om jonge meisjes te verleiden, geholpen door zijn klassieke uiterlijk en het woedende geblaf van de hond, dat aanhield zolang er bezoek was. De neus van de man was, net als die van Pinocchio, indrukwekkend. Hij wist heel goed (en ik heb dat pas later begrepen, wederom: alles te danken aan de buurman) dat je jonge meisjes eerst bang moet maken om ze willig te krijgen. Waarvoor denk je dat al die opgroeiende gozers zo graag met hun vriendinnetje naar *splatter movies* gaan? Pas daarna kan er eventueel aan martelen worden gedacht.

Gigi had een systeem per abonnement ontwikkeld, dat hij mij trots uit de doeken deed. Een van zijn vrienden, overgehouden uit het playboycircuit langs de Versiliaanse kust van de jaren vijftig, was directeur geworden van een internationale *finishing school* voor domme erfdochters in Florence. De school was, weinig oorspronkelijk maar wel met allure, Dante Alighieri genoemd. Bakvissen die voor geen enkele studie geschikt waren en aan wie manieren moesten worden bijgebracht, in combinatie met een vleugje Italiaanse cultuur en taal, werden daar klaargestoomd voor een goed huwelijk. Bij de jaarlijkse bals waarop zij een geschikte kandidaat aan de haak konden slaan, was de klassieke figuur van de buurman een topper. Hij wilde helemaal niet trouwen, maar allemaal bezweken ze voor zijn charmes. Daar was een keer schandaal van gekomen, toen Gigi een paar van die meisjes had meegetroond naar zijn in het donker indrukwekkend ogende buitenverblijf, en ze niet meer liet gaan toen zij er genoeg van hadden en terug wilden naar hun kostschool. Het voorval had de plaatselijke krant gehaald, en was vervolgens door de vader, die zijn contacten bij de staatspolitie en de magistratuur had, fluks in een begrotelijke doofpot gestopt. Elk jong meisje, was Gigi's overtuiging, wil een keer ervaring opdoen met een oudere man. Hij was de geschikte oudere man bij uitstek.

In mijn ogen was de buurman leeftijdloos. Hij leefde minstens tien jaar terug in de tijd. Voor hem was het nog steeds een zaak van morgen dat prins Junio Valerio Borghese, de ex-commandant van de x-Mas, een extreem-rechtse, paramilitaire groepering, met zijn privé-legertje, gerekruteerd uit exponenten van de Cosa Nostra en rechtse leden van de Siciliaanse afscheidingsbeweging uit '43, begin december 1970 zijn mars naar Rome begon in een serieuze poging tot een door velen gewenste staatsgreep. Ook na diens gedwongen ballingschap was Giannini, zo niet de facto dan toch in gedachten, een volgeling van deze Borghese gebleven. Natuurlijk was hij een voorstander van de terugkeer van het geestelijk ernstig verzwakte koningshuis Savoie. Net als zijn herinneringen, bewaarden zijn ideeën en politieke voorkeuren het zwart-wit van voor de kleurentelevisie en -vakantiefoto's.

Gigi leek tegen de zeventig toen ik hem ontmoette – een leeftijd die hij prachtig en met waardigheid wist te dragen – en hij beweerde nog steeds zeventig te zijn toen ik uiteindelijk toch moest vertrekken, een man in doodsstrijd achterlatend. Van kennissen uit de buurt begreep ik dat mijn vertrek...

Nee, dat komt later: wij staan nog steeds op het terras, in afwachting van de verschrikkingen die een zondag met het buurgezin betekende. Ik herinner mij dat ik 'geschokt' was toen Giannini mij, op een eerste rondleiding door de ongebruikte kamers van de villa, een plakboek liet zien, gelegen op het klavecimbel in de grote salon, met krantenknipsels van oude mannen die een extreem jong bruidje huwden. Als hij in popmuziek of film was geïnteresseerd, zouden Roman Polanski en Bill Wyman niet ontbroken hebben. Charlie Chaplin was ook van de partij. Gigi was geobsedeerd door deze Lolitaverbintenissen en raakte er opgewonden van. Ik was toen nog verloofd met een vriendin die slechts zeven jaar jonger was, de moeder van Chiara, min of meer een generatiegenote. Pas achteraf heb ik begrip gekregen voor deze voorkeur.

In de tijd dat ik de casa colonica begon op te knappen om het huis minimaal bewoonbaar te maken, enkele jaren vóór Chiara geboren werd, had de buurman uit het Florentijnse reservoir net een Frans demoiselleke met dubbele naam opgedaan dat zich niet zo een-twee-drie liet wegsturen. Zoals de 'vriendschappelijke huurovereenkomst' tussen mij en Gigi op een dubbel misverstand berustte, zo begrepen deze partijen elkaar vanaf het begin verkeerd. Het meisje, Michelle de Beaufort, dat natuurlijk niet meteen prijsgaf uit een verarmde familie te komen, was te lelijk om deze prooi te laten gaan; en Gigi had zijn adellijke bruidje van wie hij aannam dat zij het einde van zijn financiële zorgen betekende. Een bruidje was ook op een ander punt dringend gewenst, omdat de nog krachtige vader de reeds bejaarde zoon als voorwaarde had gesteld dat die voor nageslacht moest zorgen wilde hij iets van de erfenis zien.

Michelle de Beaufort en ik kwamen ongeveer terzelfder tijd op het landgoed van de Villa Giannotti te wonen. Vanaf het begin waren wij medestanders in ons verzet tegen het onmogelijke karakter van Gigi, en bittere tegenstanders in het dingen om zijn sympathie. Hij probeerde ons beiden te gronde te richten. Gigi kon niet met zijn jonge vrouw overweg en zij niet met hem. Ik kon met hem overweg en ook met haar. Zij haatte ons allebei, omdat we vrienden waren en zoveel tijd met elkaar doorbrachten, behalve in tijden van wisselende wapenstilstanden, wanneer zij ofwel met hem tegen mij samenspande om Chiara en mij uit het boerenhuis weg te krijgen, dat zij voor zichzelf opeiste, ofwel met mij tegen haar man een complot smeedde om de lastpost uit de weg te ruimen. Had zij erop gerekend dat mijn buurman op leeftijd, die altijd over zijn gezondheid klaagde, spoedig zou bezwijken, dan kwam zij bedrogen uit want Giannini jr. was niet dood te krijgen; net zoals zij zich misrekend had dat ze een rijk man zou trouwen. Gigi, die onder druk van zijn vader te snel van stapel was gelopen door zich te verbinden met dit treurbloempje, was op zijn beurt woedend toen hij erachter kwam dat hij van de Franse familie helemaal niets te verwachten had.

'Nog geen washandje heeft ze ingebracht,' beklaagde hij zich bij mij. 'Geen uitzet, geen bruidschat, helemaal niets! Ik ben er zelfs achter gekomen dat haar overgrootvader Dreyfusard was – die joden zijn de ondergang van onze beschaving.'

Hoe dan ook gelukte het haar zwanger te worden (ieder had een eigen slaapkamer, in de verst van elkaar verwijderde uithoeken van de villa), Umberto werd ongeveer gelijktijdig met Chiara geboren (en zijn vader schreef hem bij de *anagrafe* in als Umberto Giacomo Giannini-de Beaufort). Michelle ontwikkelde een lelijke huiduitslag en andere zenuwtics onder de aanhoudende psychische geweldpleging van haar man, en het muurbloempje verlepte snel bij gebrek aan water. Gigi kon zijn vader een kleinzoon laten zien. Maar de grootvader wachtte nog tien jaar met sterven en toen de buurman eindelijk aan een gedeelte van zijn erfenis was gekomen, wist hij er geen cent van te spenderen, zelfs niet voor het achterstallig onderhoud van villa en landgoed. Op den duur moest hij zijn jongenskamer opgeven, waarvan zij een eetsalon wilde maken. Toen liet hij in de donkere *cantina*, waar de op dieselolie gestookte verwarmingsketel stond, en brandhout en inferieure wijn bewaard werden, door de manke metselaar een houten hokje zonder ramen timmeren, dat hij in het vervolg zijn *studio* noemde, en waarin hij zich met zijn oude jaargangen *Playboy* terugtrok.

'Mijn geld is te laat gekomen om er nog plezier van te hebben,' vertrouwde hij mij toe. Zelf geen plezier meer, dan mocht ook niemand in zijn omgeving genoegens smaken, het minst van allen degenen die van hem afhankelijk waren, zoals wij. De ouwe vrek was rijk geworden. Neemt u rustig van mij aan: hoe rijker de mensen zijn, des te minder zijn ze geneigd een uitgeslagen muntje uit hun zak te laten rollen. Gigi reed rustig een halfuur met de auto naar een openbare telefoon om een vriend in Viareggio op te bellen tegen lokaal tarief. Zelfs bij zijn benzinestation probeerde hij op de literprijs af te dingen. De godganse dag was hij in de wijde omtrek op zoek naar supermarkten waar de spaghetti een dubbeltje goedkoper was, naar een *gommista* waar de autobanden in de uitverkoop waren. Liefst kocht hij tegen korting partijen etenswaar op waarvan de uiterste houdbaarheidsdatum was verstreken. Bracht hij vanuit een onooglijk oord wat vlees mee naar huis, dan rook dat verdacht. Hij had een manie voor tweedehandsnachtkastjes – 'het beste meubilair' – die hij in mijn stal opsloeg, samen met auto-onderdelen van de sloop, verroest hekwerk, regen- en kachelpijpen die nog van pas konden komen, dozen vol lege flessen en verouderde zwart-wittelevisietoestellen. Van elk uitstapje met de auto bracht hij doorweekte stammetjes en half verrotte takken mee voor de open haard.

Het vervelende was dat hij probeerde mij op dergelijke strooptochten mee te tronen. Naast hem in de auto merkte ik dat hij naar oude man begon te ruiken, vooral door die hinderlijke gewoonte zich te dicht tegen iemand aan te dringen, alsof al zijn uitlatingen een geheim bevatten. Voor de oliekachel had hij kerosine nodig, maar omdat hij geen statiegeld voor de twintigliterjerrycans wilde betalen, moest die met veel moeite en geknoei worden overgegoten in lekkende plastic houders die hij zelf nog had. Eenzelfde soort geknoei met de gasflessen voor de keuken: in plaats van de gebruikelijke vijftien liter *bombole*, waarmee je bijna een halfjaar kon koken, kocht hij een soort campingflessen van vijf liter, zodat de oven vaak halverwege afsloeg of de pasta niet de benodigde kooktijd haalde. Voor de douche had hij een twintigliterboiler geïnstalleerd, zodat de rest van de familie, na zijn toilet, zich met koud water moest behelpen.

Het was duidelijk dat hij ziek was, nauwelijks meer aan tafel verschijnend, en kreunend rondlopend met een kruikje tegen zijn maag. Zodra het avondeten was genuttigd, meestal pasta con aglio e olio met een geroosterde aubergine als *contorno*, stuurde hij zijn vrouw naar bed: 'Zie je nu wat voor vrouw ik heb? Een Française die geen crêpes kan maken! Jij begint met zwart.' Hij beweerde zelf de ziekte van diepvries te hebben (meestal behielp Michelle zich met producten van Capitano Findus, ons Iglo, en *semifreddi* – halfbevroren fabriekstoetjes), maar ik had sterk het idee dat zij reeds was begonnen, zonder mij te raadplegen, hem te vergiftigen met gemalen medicijnen. Nooit stond ik daar van tafel op zonder buikpijn en een lichte vorm van duizelige misselijkheid. Tegen het einde ben ik een keer onder de maaltijd met mijn hoofd in mijn bord flauwgevallen. Gigi, die elke dag haar kostje kreeg voorgezet, hield het alleen zo lang vol door nauwelijks iets te eten. Ik heb haar zelf nooit meer dan een blaadje sla naar de mond zien brengen. Behalve als hij even afwezig was – dan propte ze zich vol met de door hem als dodelijk beschouwde chocola.

Afijn, het was nog steeds zondag, en achter de rug van de buurman was ook Umberto opgedoken, om het verzoek van zijn vader kracht bij te zetten die dag samen door te brengen.

Het zoontje deed mij denken aan het slechte vriendje van Pinocchio, *Lucertolo* of hagedis – niet alleen omdat hij altijd uit was op kattenkwaad maar ook omdat hij er plotseling was, zonder dat je hem had horen aankomen, met een stralende blik die weer doofde zodra zijn vader iets tegen hem zei. Dat was zelden iets aardigs. Maar zei ik wel genoeg lieve dingen tegen Chiara? Ik vond gewoon dat ze haar mannetje moest staan. Umberto kon even plotseling weer verdwijnen. In gezelschap verstopte hij zich graag, onder de tafel of in een kast, liet iedereen naar hem zoeken en keek dan stomverbaasd wanneer de zoekers weer in de eetkeuken terugkwamen waar hij onwaarschijnlijk braaf boven een leerboek gebogen zat.

Ik had weleens een gesprek tussen Umberto en Chiara afgeluisterd, waarin hij haar voorstelde om niet meer naar school te gaan.

'Het is je reinste dwaasheid altijd maar te leren en *si Maestra* te zeggen, *buona sera e sono.*'

'Ik wil graag leren om mijn arme vader een plezier te doen. Dan kan ik later geld voor hem verdienen om een warme overjas te kopen.'

'Maar dat is het juist: je hoeft helemaal niet te leren om aan geld te komen. Dat krijg je van je moeder, en als hij dood is van je vader.'

'*No, no, il mio povero babbo, no!* Die mag niet dood. Dan heb ik niemand meer!'

'Dan trouwen we eerst en krijg je geld van mij, een beetje. Maar laten we nu eerst kastanjes schieten.'

Op deze zondag keek Chiara mij smekend aan: 'Wat kan je doen?' zei ze, 'zou Aminta zeggen.'

'We schieten pas na het eten. Eerst gaan je vader en ik lekker schaken.' En Chiara was al achter haar buurvriendje aan verdwenen. Samen doorzochten ze de twintig afgesloten kamers van het huis, op zoek naar geheimen. Hun grootste heldendaad was geweest dat ze naar de punt van het dak waren geklommen en niet meer naar beneden konden. Vandaar had je een prachtig uitzicht over de wijde omtrek, wist ik van het dakpannen herschikken. Chiara was de enige die de helhond durfde benaderen en voedsel gaf. Michelle had eindeloos geprobeerd om vriendschap met het beest te sluiten, en het zelfs een naam gegeven: Melampo (evenmin erg oorspronkelijk: de helft van alle Italiaanse honden heet Melampo), maar durfde toch alleen van grote afstand wat brokken en afgekloven botjes naar hem toe te werpen. Zodra iemand de helhond benaderde, maakte hij enorme sprongen, rechtstandig op en neer. Chiara en ik wisten van onze bezoeken aan de Esselunga, waar ook een pad met dierenvoedsel was gevuld, dat Italiaanse honden, net als de andere Italianen, het liefst pasta eten. Je hebt speciale twintigkilozakken met hondenpasta, *penne* zijn het meest in trek. Die moeten net als menseneten eerst worden gekookt. Ik denk dat Italiaanse honden zo bijtlustig zijn omdat ze aan een vegetarisch dieet worden gehouden. In ieder geval gingen wij nooit bij de buren eten zonder dat Chiara Michelle hielp met koken. Zij maakte, in een gore pan die nooit werd afgewassen, de pasta voor de hond en ging die dan heel liefjes brengen. Bij haar blafte hij niet, maar legde zijn oren in zijn nek, zijn voorpoten plat op de grond, alsof hij in haar een meerdere erkende. Ik weet nog steeds niet of Chiara zich in dat stadium bewust was van de geheime krachten die ze bezat. Zodra ze dat later wel werd, namen ze af. Ik noemde haar, behalve Pico, ook wel speels Malocchio – ze wist niet wat het betekende en hield die bijnaam voor een variant op Pinocchio.

Lekker schaken! Ik hoor Wim Kan nog zeggen: 'Lekker aan je schriftelijke cursus beginnen! 's Avonds om acht uur naar die ijskoude zolder. Blll!' Maar dat zou ik ook zeggen bij joggen of naar de sportschool. Hier kon je bij blijven zitten en een pijp roken. Koud was het wel, in de keuken van de villa. We zaten zowat ín de haard. Ik kwam vaak in de foute hoek door röntgenschaak in het eindspel met de torens. Eigenlijk waren onze rollen omgekeerd. De erfelijke antisemiet van een buurman was bepaald sterk in uithoudingsvermogen en in wat de eerste Europese schaakkampioen, Alexander Alekhine in München '42, uitkomend voor de Vichy-regering, de verderfelijke joodse verdediging noemde. (Daarna volgde een snelle neergang van deze schaker, onder invloed van oorlogsuitslag en alcohol – onder mysterieuze omstandigheden is hij dood gevonden in een hotelkamer te Lissabon, nog voor zijn proces kon plaatsvinden.) Terwijl ik bepaald een voorstander was van wat deze van oorsprong aristocratische Rus 'de arische tactiek' noemde: in de aanval, *Blitz*. Des te eerder was ik verlost van deze kwelling.

Ik heb een serie boekjes van Kanger geërfd die zo heten: *Lekker schaken*. En dat is niet ironisch bedoeld. Absoluut het enige wat ik aan het spel sympathiek vind, zijn die exotische namen met een streepje ertussen, gevolgd door een buitenlands toponiem en een jaartal. Het is een parallelle wereldgeschiedenis, die zich van de gewone weinig aantrekt – op genoemd voorbeeld na en de controverse in 'de Strijd der Titanen' (Fischer-Spassky, Reykjavik 1972) tijdens de koude oorlog, waarbij je altijd vermoedde dat de Amerikaanse partij met blinkende tanden en te veel aftershave achter zijn oren aantrad in een felgekleurd hemd met korte mouwen en figuurtjes van palmbomen, kurkentrekkers en krokodillen, en de Russische op krakende schoenen met dikke zolen, in te wijd vallende pakken die een beetje stonken naar mottenballen en muffe kool. Schakers zijn allemaal gek. Wel chic dat hun geniale hulpjes secondanten worden genoemd. Het gaat ook gewoon om duelleren. Elke nederlaag is een verplettering, je wilt daarna alleen nog dood.

Wij waren dus al een eind gevorderd in die oude keuken waarin het licht niet zo hoog kwam dat je de spinraggen kon zien, met oude stoffige kasten vol samengeraapt serviesgoed, *credenza's* waarin levensmiddelen bewaard werden, stilstaande staartklokken, een Amerikaanse vlag boven de schouw, en dan de lange tafel met de twintig stoelen, een rieten bank met een plaid naast de telefoon, geheimzinnige schilderijtjes aan de muur, waarvan de lijsten vaak 't meest waard waren, en de twee doorgezakte rottingstoelen waar wij in moesten schaken. Ooit waren de kasten en de blinden in bleekgroen geschilderd –misschien door Michelle om haar aan het thuisland te herinneren. Het water voor de pasta kwam aan de kook, daarna zou Gigi ongetwijfeld wat vlees en worstjes laten aanbranden in de gloeiende sintels van het haardvuur (de Toscaanse keuken!), Chiara had haar pannetje al naar de hond gebracht, het jongste zoontje keek in een hoekje naar de Kinder-reclames op de tv, waarvan het geluid gelukkig uit stond.

Het leek allemaal zo behaaglijk, toen Michelle, die de tafel al gedekt had en het brood gesneden, timide vroeg: '*Butto la pasta?*' Een vraag van het grootste belang, omdat dan iedereen gereed moet staan om onmiddellijk te kunnen beginnen; dat luistert heel nauw. (Iets wat ik in mijn kookboek zou benadrukken: eerst de gasten aan tafel en dan pas de pasta in het water gooien. Het zit 'm in die kleine dingen. De rokerige atmosfeer van een open schouw waarin vruchtbomenhout en wijnstronken smeulen, kun je natuurlijk minder makkelijk bij zo'n recept als voorwaarde stellen.) Aangezien ik geen *sugo* rook, die enkele uren op moet staan om in te dikken en op smaak te komen, nam ik aan dat het weer *aglio & olio* zou worden.

Toen kwam Umberto uit een ongezien hoekje en fluisterde iets in zijn vaders oor. Gigi sprong op en antwoordde met een krachtig: 'Nee!'

'Moeten jullie eerst nog de partij afmaken?'

'Erik had al eerder moeten opgeven. Maar het is zondag vandaag en we gaan pizza's maken!'

Onbegrijpelijk voor ons, is pizza voor de Italianen een traktatie, als variatie op de altijd eendere maaltijden. Nu was die keuken uitgerust met een uit Romeinse baksteen opgebouwde koepeloven naast de haard, en de buurman kon daarmee overweg. 'Dat is het, papa,' zei Chiara later. 'Hij is alleen geschikt voor pizzabakker!' De oven moest eerst een uur worden voorverwarmd, liefst met dunne takjes van de wijnstruiken die na de wijnoogst waren gekortwiekt – en dan van vorig jaar. Deeg maken en laten rijzen was Michelle te ingewikkeld, dus werd een expeditie georganiseerd naar de Borgo Giannotti, om bij het arbeidersrestaurant een kant-en-klare bal wit elastisch deeg te halen. Umberto wilde per se mee, dus ook Chiara moest in de auto, en op het laatste moment werd onder protest ook Michelle meegenomen, die wilde kijken of ze nog een taart kon halen bij de *pasticceria*; dan hoefde ze geen crêpes te bakken.

Ik sloot het grote binnenhek van de *cortile* achter de vertrekkende familiale. Dat hek moest altijd op slot, ook als de mensen thuis waren. De meeste Italianen hadden in die tijd al een stalen hek met afstandsbediening, maar dit was zwaar schuiven van smeedijzer over grind, vuile handen van de roest en oppassen voor de hond. Ik besloot buitenom naar mijn eigen huis te lopen om daar in afwachting van hun terugkeer vast wat *pecorino* op een schijf brood met olie en zout te nemen, en misschien nog een sigaar te roken, die in het buurhuis niet gewenst was. Ik was er namelijk zeker van dat Giannini de verleiding niet kon weerstaan om bij de enige zaak die de Borgo Giannotti ontsierde, een onlangs geopende Hamburger King, waar nooit iemand zat en een flauw blauw tl-licht scheen, iedereen op een hamburger te trakteren. Het was zijn lievelingsrestaurant, en ook dat van Umberto. Goedkoper (en viezer) kon je nergens eten. Ketchup en mayonaise werden thuis terecht door de Française geweerd (indien nodig maakte ze haar eigen mayonaise, die alleen wilde lukken wan-

neer Chiara niet in de buurt was) maar konden daar in overvloed gespoten en geknepen worden.

* * *

Ⅲ *Spelpauze*

Als de bijbelse God de mens naar Zijn beeld en gelijkenis geschapen heeft, dan moet die god dus op de mens lijken, met of
zonder baard en lang hippiehaar (Zijn zoon). De Beatles hebben indertijd, na het slikken van lsd, een goeie gooi gedaan
naar het godendom: door middel van hun hoofdhaardracht.
En zo is het natuurlijk ook: elke stelling is omgekeerd even
waar, zoals Oscar Wilde wist: 'Werken is de vloek van de drin-
kende klasse.' Wij hebben, althans sommigen van onze recente voorgangers die een dialoog met het noodlot aan wilden
gaan, ons die god geschapen, naar onze gelijkenis, dat wil zeggen, vol ressentiment en wraakzuchtig, alleen uit op het be-
schermen van de eigen stam: de rest zal eeuwig branden in
zwavel en pek.

Een inmiddels ietwat verouderde tak van wetenschap – al
wordt hij nog druk beoefend in alle uitzichtloosheid – houdt
zich bezig met *Artificiële Intelligentie*, dat wil zeggen dat ze in
steeds grotere computers (en zoals het woord al zegt, blijft
een computer altijd een rekenmachine, of om het chic te zeggen: een apparaat voor het snel uitwerken van algoritmen)
proberen het menselijk brein (ik ga hier niet in op de das-
speldachtige verschillen die worden aangebracht tussen brein,
geest, verstand en hersenen) na te bootsen met een 'denkende
machine'. Het idee is, of was, want ik ben niet op de hoogte
van de huidige *state of the art*, dat als je zulke 'denkende machines' maar ingewikkeld genoeg maakt, met allerlei *feedback*-
koppelingen, zij vanzelf tot een toestand van bewustzijn zou-

den geraken. Leren van hun fouten en zichzelf verbeteren kunnen ze al. Dat is meer dan de mens gegeven is.

In de achttiende eeuw werd zo'n automaat 'de Turk' genoemd, en op kermissen vertoond. Die kon een beetje schaken. Het IBM-programma *Deep Blue* kan het alreeds opnemen tegen grootmeesters en wereldkampioenen. Maar de mens is geen schaakmachine, zou mijn kleine zusje zeggen. Eerder een onwillige marionet, zoals Plato en Carlo Collodi zeiden.

Na de televisie is ook de computer 'ons leven binnengedrongen', de nutteloze gsm-telefoontjes reken ik daar ook toe. Zouden ze een dergelijke frase, die over deze zaken spreekt als buitenaardse indringers, ook hebben gebruikt toen de drukkunst was uitgevonden en het boek verspreiding begon te vinden? Of toen het schrift werd uitgevonden en terrein won? Ongetwijfeld was dat de grootste sprong voorwaarts, want wat niet staat opgeschreven, weten wij niet meer. Zo kort is ons geheugen. Wij hebben zelfs geen herinnering aan de ontwikkeling van het menselijk brein, aan onze conceptie of onze geboorte.

Hoe dat ook zij: de huiscomputer wordt voor een groot deel gebruikt om mee te spelen. Toen ze bij *De Groene Amsterdammer* destijds computers voor de redacteuren invoerden, moesten na korte tijd de kinderachtige, gratis door Microsoft bijgeleverde spelletjes worden verwijderd, omdat die redacteuren de hele dag aan het patiencen bleven.

Ik houd niet van spelletjes (en ook niet van sport, zodat ik op dubbele wijze een hekel heb aan schaken, dat ze een sport noemen maar dat toch een spelletje blijft, al worden er ego's door gekraakt en levens verwoest – maar dat geldt ook voor pokeren en kaart- of kansspelen). Op geen enkele manier kan ik het leven als een spelletje beschouwen – kon je dat maar, want het is geen onfilosofische gedachte. Ik weet niet wat ik vervelender vind: het leven of spelletjes. O, die ellendige oudejaarsavonden of regenachtige vakantiedagen uit mijn jeugd, dat je door anderen gedwongen werd mee te doen om geen spelbreker te zijn. Monopoly en Stratego – walgelijk! Mijn broer had de goede truc om, wanneer hij aan het verliezen was, schichtig op te staan, daarbij het spelbord omgooiend, en te zeggen dat hij moest poepen. Spelletjes als ganzenbord of mensch-erger-je-niet die je met kinderen moet spelen: misschien een van de zwaarste taken van de opvoeding. Ik maak een uitzondering voor het fietsspel *Stap-op*, juist vanwege de afschuwelijke connotatie die fietsen, strand, bos en heide voor me hebben, gesloten overwegen, lekke banden – elke week wel twee op mijn krantenwijk – en gedwongen overnachtingen in de jeugdherberg. In het hele leven heb ik, naar mijn gevoel, wind tegen gehad.

Volgens mij vinden kinderen die spelletjes, waarbij alleen de tijd wordt gedood, ook helemaal niet leuk. Zo min als ze pretparken, speeltuinen, kermis en andere divertissementen leuk vinden. Het wordt hun aangepraat dat die dingen leuk zijn, dat ze Walt Disney, met zijn verwerpelijke en gesimplificeerde Amerikaanse moraal, leuk moeten vinden. En kinderen passen zich graag aan. 'Ga maar lekker spelen!' is een van de ergste dingen die je tegen een kind kunt zeggen. Spelen met andere kinderen is altijd vechten in de pikorde. Op harde manier worden ze zo met het volwassen leven geconfronteerd. Door spelen leren ze verveling kennen, en anders niet. Hoe moet je met barbies spelen, behalve door ze eindeloos aan en uit te kleden? Ik overdreef – Chiara had net als haar soortgenootjes barbies; die zijn een noodzaak in het leven van een kind – het spelen met de Ken en de Barbie, armen op en neer zwaaien, het popje op en neer bewegen: 'Hallo, hoe gaat het?', zodanig in de poging een dialoog tussen de plastic popjes te ontwikkelen dat Chiara ze algauw voor gezien hield.

'Jij kunt niet spelen, papa.'

'Nee.'

'Dan moeten de barbies dood. Hun kleren uit, ik zal die

domme haren afknippen en dan gaan ze in de bak bij de waterschildpadjes.' Maar barbies zinken niet.

Toen ik mijn eerste prijs gewonnen had, heb ik voor Chiara zo'n superdure mooie pop gekocht. Ze speelde er niet mee. Bij een reorganisatie van haar kamertje had ze deze naamloos gebleven pop aan een strop opgehangen aan de muur.

'Is dat hoe je met mijn cadeaus omgaat?'

'Wat kun je doen, papa, zou Aminta zeggen.'

'Leg haar ten minste in een poppenbedje.'

'Dan is ze evengoed dood. En ze begint te stinken van het eten dat ik haar gegeven heb.' Die pop kon plassen maar niet kakken.

Aan mijn jeugd had ik Pop Katrien overgehouden, die aan mijn oudere zuster had behoord, maar die zij aan mij had weggegeven nadat ze de ogen met slaapmechaniek eruit had gedrukt. Mijn zuster hield ook niet van poppen. Pop Katrien had holle ogen en rammelde als je haar schudde. Maar ze had rood haar en een heel kort jurkje aan, dat ik opwindend vond. Pop Katrien was nog niet van plastic. Haar hoofd tuimelde alle kanten op. Ze kon alleen wijdbeens zitten. Mijn vader placht te zeggen: 'Dood poppenhaar groeit nooit meer aan.' Met de verboden schaar (je schijnt kinderen te moeten leren hoe ze die moeten vasthouden) bleef ik van haar rode haar af, maar probeerde wel een gaatje 'van onder' te maken. Wist ik veel dat er twee nodig waren? Het grootste verschil tussen poppen en echte meisjes is dat poppen geen schaam- of okselhaar hebben. Meisjes van nu willen in dat opzicht op poppen lijken.

'We kunnen ze begraven, zoals we met Koffie hebben gedaan.' Maar de vossen namen geen barbies mee en ze gingen onder de grond niet tot ontbinding over. Ze zijn sterker dan het leven.

'Misschien moeten we ze verbranden.'

Dan de Sims, een van de beroemdste en meest sophisticated computerspelletjes. De vergelijking met romanpersonages is onvermijdelijk. Je voert je eigen karakter en dat van je vrienden in, compleet met sterrenbeelden en eigenschappen, en dan kijk je wat er gebeurt. Het is een nabootsing van het echte leven waarbij poppen, automaten en huisdieren verbleken. Die laatste hoef je alleen eten te geven. De Sim heeft net als echte mensen meer behoeften, waaraan allemaal afzonderlijk voldaan moet worden: *honger*, *comfort* (een dure bank geeft meer comfort dan een thonetstoeltje), *hygiëne* (handen wassen na toiletgang, douche of bad; waarheidsgetrouw geeft de jacuzzi waar je met meerderen in kunt minder punten voor hygiëne); *blaas* (waarmee ook darmen worden bedoeld; juist als de Sim haast heeft, omdat hij een bezoeker moet opendoen of op tijd op zijn werk komen, wil hij zijn baan niet verliezen, doet hij de wc-bril omlaag en gaat hij uitgebreid zitten kakken); *energie* (die is gauw op als je een echte baan hebt); *plezier* (een van de moeilijke zaken om op peil te houden); *kamer/huis* (hoe groter en lichter de kamers, en hoe duurder ingericht, des te meer punten), en *sociaal*.

Deze laatste behoefte lijkt het zwaarst te wegen, en trekt het snelst de humeurmeter omlaag. Een alleenlevende Sim heeft het héél moeilijk, droomt alleen maar over meisjes en filmzoenen, en loopt voortdurend jammerend rond. Je kunt natuurlijk iemand uitnodigen, met hem of haar televisiekijken, biljarten, eten (als de andere partij het geduld heeft te wachten tot je gekookt hebt), in het zwembad duiken (als je reeds goed verdiend hebt), of praten. Praten, opscheppen, vermaken, rugmassage geven, mop vertellen, kietelen, flirten, knuffelen en, als je met één iemand ver gevorderd bent, ook zoenen. Nooit vergeten afscheid te nemen, anders gaat dat van je sociale punten af. Ben je te snel met iemand kietelen, dan kun je een klap voor je kop verwachten.

Het is een verschrikkelijke uitputtingsslag.

Maar nog verschrikkelijker is dat je zó in het spel opgaat,

eraan verslaafd raakt en ermee doorgaat, dat je langzamerhand de mensen in het echte leven alleen nog Sim-bewegingen ziet maken, als Sim ziet reageren en hen alleen aldus benaderen kunt. En op den duur ben je zelf een Sim geworden, met slepende tred en gebogen schouders als de energie op is, vol wanhoop met beide handen tegen het hoofd gedrukt stampvoetend omdat het niet wil zoals jij het wilt, eenzaam en ongelukkig als je niet genoeg meisjes binnen weet te slepen, en al helemaal zonder uitzicht op carrière (en dus geld) als je in je cv zo stom bent geweest als beroep *schrijver* op te geven. Daar kun je geen geld mee verdienen, dus moet je een baan bij het leger zoeken, in de postkamer, als medisch proefpersoon of zakkenroller – *low profile*-beroepen waar je amper je rekeningen van kunt betalen. De enige bonus waarop de schrijvende Sim kan rekenen is een inzameling van fans voor een standbeeld, ter waarde van 150 Sim – terwijl een gemiddelde Sim 600 Sim per dag verdient.

Word je te dik met een meisje, en kom je eindelijk aan zoenen toe, dan wil ze meteen een huwelijksaanzoek doen, en als je daar geen zin in hebt en twee keer weigert, kun je de vriendschap wel vergeten. Humeur in het grijs, minder vooruitzichten op de carrièreladder. En als je humeur in het grijs staat – we hebben het hier nog niet over dieprood, waarbij de Sim het in zijn broek doet en op de grond in slaap valt – kun je niet studeren en ook geen nieuwe baan zoeken, want studiepunten heb je nodig voor een baan.

'Ik ben nu veel te depressief om te studeren (schaken, pianospelen), nee, ik wil niet, ik ben nu veel te depressief om een baan te zoeken!' Daarbij maakt de Sim toneelgebaren van pathologische wanhoop en vertwijfeling. De studiepunten voor karakteropbouw moet je halen in de verschillende disciplines van *koken* (anders blijf je je altijd in de vingers snijden of gaat het fornuis in brand), *technisch* (voor het repareren van de espressomachine), *charisma* (door voor een spiegel toespraken te oefenen), *lichaam* (een hometrainer of veel zwemmen), *inzicht* (door te schaken: dát kan de Sim gelukkig wel alleen) en *creatief* (schilderen of pianospelen).

Het was een zware dagtaak om het leven én een dochter gaande te houden.

Mooie muziek, beginnend met de vlooienmars en eindigend bij Skrjabin. Ook de taal van de Sims is interessant: een mengeling van Amerikaans, Zweeds en Zwitserduits – Latijnse invloeden zijn er niet te ontdekken. Overdag kwinkeleren de vogeltjes, de postbode komt fluitend langs (alleen met rekeningen, en zo is het ook), er zijn krekels te horen, in de avond een koekoek en 's nachts blaffende honden in de verte en soms een uiltje. Wanneer je een bord vergeet af te wassen, zoemen de vliegen rond.

Je komt tot de onheilspellende ontdekking dat leven en spel zijn verwisseld, en voortaan is het leven net zo vervelend, zo moeilijk en zo onredelijk als het spel. Je kunt niet meer uit bed komen. Het heeft geen zin meer jezelf bevelen te geven: de vrije wil en de chaosfactor hebben de boel overgenomen. Het gevaarlijke spel heeft je opgeslokt: je bent deel van het systeem geworden, je leeft in de parallelle wereld en helaas niet in die van Mulino Bianco. Het is onmogelijk je aan de spelregels te onttrekken of ze te negeren, wil je niet spoedig dood.

Zo werkt de romankunst ook, als het goed is: die neemt het leven over, dat van de schrijver en dat van de lezer; het boek slokt je op en zuigt je uit: je verdwijnt erin en kan je er niet meer aan onttrekken.

* * *

⏸ ▶

Het meest dode uur van de zondag, na de middag: de buren waren pizzadeeg aan het halen in de Borgo Giannotti en ik was even naar huis gegaan om een sigaar te roken, whisky te drinken en saxofoon te spelen, toen de nieuwe telefoon ging. Op hevig aandringen van de buurman en mijn ex had ik een telefoonaansluiting laten aanleggen (waarvoor een flink stuk van het verwilderde bos in het verlaten dal gekapt had moeten worden). Voor de veiligheid. Dat was maar hoe je het bekeek: ik voelde mij veiliger wanneer de mensen me niet ongevraagd konden lastigvallen.

'*Pronto?*'

'*Pronto!*'

'*Pronto – ma chi parla?*' Zo gaan Italiaanse telefoongesprekken. Met grafstem en gevolgd door een kerkhofstilte, zoals immer.

'Giacomo.' Wie anders.

'Ah, zijn jullie eindelijk terug. Ik heb de auto niet gehoord. Ik kom eraan.'

'Wacht eventjes. Ik bel vanaf de overkant, bij Sandro.' Alles op veelbetekenende, bijna beschuldigende toon.

'?'

'Het hek is van het slot. En de hond slaat niet aan.'

Was ik dat soms vergeten? Een doodzonde in Gigi's ogen.

'Wat kun je zeggen, zou Aminta zeggen? Moet ik soms even blaffen?' Een van mijn grote ergernissen was dat de buurman mij zag als portier, tuinman en bewaker. Eentje die huur betaalde, de helft van de vuilnis- en oprijlaanbelasting, de helft van het watergeld (terwijl zij met hun twintig kamers met zijn vieren waren en wij in ons krot met twee) en een belachelijk aandeel in de aanleg van de ongewilde telefoonlijn door het bos.

'Heb je echt niets gehoord?'

'Dat zeg ik toch.'

'Er klopt iets niet. Ik heb de *Questura* al gebeld.'

'Politie?'

'Ze komen er zo snel mogelijk aan.' Dat zeiden ze bij de Sims ook altijd.

'Wat kun je doen?' Omdat het hem ernst was, liet ik dit keer maar achterwege: 'zou Aminta zeggen'. Gigi had toch al een hekel aan haar.

'Neem de honkbalknuppel, wacht tot je de *pantera blu* hoort arriveren en loop dan voorzichtig naar het hek. Houd ondertussen goed je ogen open.'

'*Sissignore, commanda!*' Ik hoorde de sirenes al. Vaak werden villa's in de buurt leeggehaald. Een aflegger die in de berm paddestoelen zocht; zodra de bewoners het pand hadden verlaten, een fluitje naar de handlangers, en toeslaan. Al was het voor een boodschap in de Esselunga, drie kwartier hadden ze altijd. Vooral als ze wisten wat ze zochten. Het grote werk werd met de verhuiswagen gedaan. Ik kon mij moeilijk voorstellen dat ze de meest vervallen villa van Toscane als doelwit hadden uitgekozen. Zijn hele leven had Gigi op een overval gewacht. Zouden zijn overdreven angsten nu zijn uitgekomen?

Het was een houten honkbalknuppel, uit Amerika, van Harvard, die Gigi mij had opgedrongen voor de veiligheid. Bij hevige twisten zaten Chiara en ik elkaar beurtelings met het ding achterna. Ondertussen heb ik al die jaren in Lucca nooit mijn auto op slot gedaan en lieten we 's nachts vaak de buitendeuren open.

Langzaam liep ik het pad af. Alleen omdat de sympathieke *vicequestore* met zijn snor een vriend van de buurman was, kwam *la forza* zo snel. Een van de dingen die mijn woede jegens de wereld voedde, was het feit dat de justitie altijd en overal bezit verdedigt en het alleen opneemt voor de rijken. Er is geen rechtvaardigheid.

Als een padvinder links en rechts spiedend liep ik mijn kronkelpad af. Het daverde van de cicaden. En ik zag 'wattiets' zoals Chiara zou zeggen. In de bocht stak half in de braamstruiken een oude, afgeragde bromfiets. Zet de feiten op een rij en trek je conclusie, Watson! Zou de helhond op deze brommer zijn gevlucht?

Met dit nieuws meldde ik mij bij de voordeur, aan weerszijden waarvan de twee lichtblauwe Alfa's geparkeerd stonden. De eerste sporen waren al gevonden: op de tafel in de hal lag een nog warme toscano en stond een fles aangebroken whisky zonder dop. De buurman keek mij veelzeggend aan: hij kende mijn ondeugden. Daarna werd op het keukenaanrecht een drol aangetroffen. Zo slecht was ik niet. Een agent die rond het huis was gelopen, had opgemerkt dat het badkamerraam geforceerd was – iets wat ik vaak voor Michelle had moeten doen wanneer zij weer eens haar sleutels vergeten was. ('Niks zeggen tegen Giacomo!') Op het eerste gezicht miste er niets, maar de *crime scene* was duidelijk nog warm, net als de hachelbout. Vastberaden stond Gigi achter Michelle, nadat hem met klem was afgeraden zijn jachtgeweer te halen. Michelle probeerde de kinderen bijeen te houden. Umberto gooide balorig zijn groen-lichtgevende balletje *slime* tegen het plafond, en iedereen schrok of zich een geest manifesteerde. Daarna kreeg hij een flinke draai om zijn oren. En nóg een, om hem tot stilte te manen, toen hij in huilen uitbarstte. Voor de meer dan twintig kamers systematisch doorzocht konden worden, had de eerste dief zich al overgegeven.

'*Marocchino!*' juichte Giannini bijna, die zijn wereldbeeld bevestigd zag. De arme jongen bekende meteen: ze waren met zijn drieën, de aflegger was 'm meteen gesmeerd, er moest er nog eentje binnen zijn. Het zoeken in de kamers leverde niets op, behalve dat ik de gelegenheid te baat nam om in de slaapkamer van Gigi onder het hoofdkussen zijn Tanfoglio te confisqueren. Het was een .22-gevalletje van de 92-serie, een soort oefenkit. In ieder geval kon Michelle zich nu wat veiliger voelen. En ik kon mijn plannen uitwerken. Heerlijk vooruitzicht eerst wat te oefenen met deze kit.

Er werd niets gevonden, noch iets vermist.

Waar was de derde man?

Chiara dacht het te weten. Niemand wilde haar geloven, maar de vicequestore liep toch met mij mee naar het door haar aangeduide dienstbodekamertje (tijdelijk niet in gebruik bij gebrek aan au pairs, sinds de laatste genoeg had gekregen van de niet-aflatende belangstelling van de huisheer). Sidderend onder het bed werd het diefjesmaatje in de kraag gevat.

'*Uffa!*' zuchtte Umberto toen zijn geheimste schuilplaats was ontdekt. De derde vogel was gevlogen, zonder evenwel gebruik te maken van de vluchtbrommer.

Waar was de hond?

De twee boefjes werden, geboeid in een van de Alfa's, aan de tand gevoeld. Hadden ze die vergiftigd? Natuurlijk wisten ze van niets. Terwijl de vicequestore een glas whisky kreeg aangeboden, ik mijzelf een glas inschonk en Gigi voor een moment zijn *fegato* vergat, doorzocht de manschap de tuin. Geen levende of zieltogende hond, geen derde boef, rapporteerden ze. Omdat de vicequestore, die van zijn zondagsmaaltijd was weggerukt, wel trek had in een tweede en een derde glas, werden de mannen nog een keer op pad gestuurd, dit keer om *buiten* de muren van het terrein te zoeken. Dan bleven ze langer weg.

In de keuken begon het gezellig te worden. Het pizzadeeg was inmiddels ingezakt en de oven weer uitgedoofd, maar niemand had meer trek in eten. Behalve ik. Michelle werd bevolen om crêpes te bakken, maar weigerde bij de staat van het aanrecht. Ze weigerde ook de boel op te ruimen. Ik had medelijden met de Marokkaantjes, en nam het werkje op mij. De buurman dacht niet anders dan dat ik daarvoor aangenomen was. Ik kon hem wel schieten, met al die politie over de vloer.

Maar het moest raak zijn, en met zo'n klein pistooltje zou ik zeer gericht van heel dichtbij moeten schieten, *bruciapelo*. Nu niets verknoeien. De kinderen werden zoet gehouden met schepijs uit de diepvrieskast.

Daar kwamen de agenten terug, triomfantelijk. Ze hadden drie vuilniszakken gevonden, die de boefjes kennelijk al over de muur hadden gegooid. Was ik Giannini geweest, dan had ik ter plekke door de grond willen zakken. Voor alle anderen was het feest.

Uit de eerste zak kwam het tafelzilver.

Van mijn moeder had ik heel goed het verschil geleerd tussen *verzilverd* bestek, zogeheten 'hotelzilver', en echt zware zilverwaar. Dat had natuurlijk zilvermerkjes ingestempeld, net als de knop van mijn Victoriaanse wandelstok. Heel wat had ik voor mijn moeder afgepoetst, tot mijn handen en nagels zwart waren: de Queen Anne-koffie- en theepotten, suiker- en roomkannetjes, nooit gebruikt; koekjesschalen die alleen te zachte omakoekjes droegen; dienbladen die nooit in ijskruim verzonken oesters hadden gekend; bonbonnières waarvan ik de te lang bewaarde inhoud stiekem weggooide; het twaalfdelig bestek van de grootouders (inclusief vismessen en tientallen opscheplepels en -vorken, taart- en sorbetscheppen) – met tandpasta; de messing roeden van de traplopers en de roodkoperen ketels en polentapannen die ze van de markt van Luino hadden meegesleept – met brasso. Ik poetste, om mijn moeder een plezier te doen, tot je je in het gebutste edelmetaal kon spiegelen. Een pokdalig gezicht. Naarmate mijn ouders ouder werden, is dit ketelwerk dof geworden. 't Is lang geleden dat er twaalf mensen aan de uitschuifbare tafel zaten. Traplopers hebben ze allang niet meer. Mijn vader gebruikt de polentapan nu om zijn ongeopende rekeningen in te bewaren, die mijn oudste broer een keer per halfjaar moet uitzoeken wanneer er weer iets dreigt te worden afgesloten. Sociaal hebben zij zich al veel langer voor de wereld afgesloten. Dat ongelukkige Sim-gedrag zit in de familie.

De lepels, vorken en messen uit de vuilniszak van Giannini droegen ook stempelmerkjes, ongeveer van alle restaurants en hotels tussen Viareggio en Florence.

'Hoera, zou Aminta zeggen!' zei Chiara, die op de kleuterschool al met gevarieerde bestekinscripties was geconfronteerd.

Uit de tweede zak kwamen transistorradiootjes, wegwerpfototoestelletjes en batterijwekkers – zelfs de keukenwekker en de eierwekker hadden ze meegenomen – en de verzameling Swatch-horloges die Giacomo met zijn zoontje deelde. De keukentelevisie, waardoor je naar het geluk en het landschap van Mulino Bianco kon kijken, hadden ze over het hoofd gezien. Waarschijnlijk omdat hij gewoon aan was blijven staan. Een bewegende televisie valt minder op dan een dooie.

De grootste verrassing leverde de derde vuilniszak. Minstens een honderdtal stropdassen, in hun diverse kleuren bijna wriemelend als exotische slangen, lag in een hoopje op de vloer. Daar moesten de dassen van Giannini sr. en van de grootvader ook bij zijn. Italianen zijn niet origineel in het uitzoeken van cadeaus. Ook ik kreeg met elke verjaardag van de buren een nieuwe stropdas ten geschenke. Zo te zien had ik nog heel wat jaren te gaan.

Dit waren de schatten die de villa had opgeleverd. Eventjes had ik nog meer medelijden met de buurman dan met de boefjes.

De bromfiets werd door Gigi opgeknapt en een tijdje gebruikt om bij mij het erf op te komen crossen, tot ik er op een dag genoeg van had. Ik hoorde al wanneer hij het ding aantrapte, met het gas loeide en dan steeds dichterbij kwam. Met uitgestrekte armen ging ik voor hem staan, op het laatste, steilste stukje van de helling. Hij remde, gleed onderuit en kwam in de modder terecht. Nog nooit had ik hem zo kwaad gezien, maar de boodschap was aangekomen. Een week lang werd er niet geschaakt. Daarna vond de buurman een andere bestemming voor de brommer. Hij deed hem ten geschenke aan de oude *parroco* van Arsina, die geen middel van vervoer had en nu op deze knotterfiets, als een echte missionaris in de jungle, voor het hoogfeest van Pasen zijn diensten kwam aanbieden in de buurt, voor de jaarlijkse inzegening van het huis.

Nog later, maar niet veel, werd aan mijn deur geklopt door een geduchte vrouw van middelbare leeftijd. Half achter haar stond een van de Marokkaanse boefjes, die van onder het bed in de dienstbodekamer. Zij identificeerde zich als vrijwilligster voor de reclassering en eiste op hoge toon de bromfiets terug die op mijn terrein was achtergelaten. Die was eigendom van de jongen, die hem voor zijn werk nodig had. Ik had het hart niet de oude pastoor te noemen en verwees haar naar de buurman. Maar je kon lang aan de trekbel bij het inmiddels met een dubbel hangslot gesloten hek hangen, opengedaan werd er toch niet. Tot slot van dit verhaal: later werd het hele verroeste smeedijzeren hek uit zijn voegen gelicht en op een Ape-karretje afgevoerd. Niet door dezelfde jongens, al had ik hun dat gegund, want zo'n oud hek was meer waard dan alle hotelzilver dat je in een mensenleven kunt ontvreemden. Ik weet niet wie het langer heeft uitgehouden, de bromfiets of de aartspriester.

Met een hongerige maag liep ik met mijn buit op huis aan, een superbrave Chiara aan de hand. Van een afstand hoorden we hoe Gigi zijn plaats had ingenomen op de stoel buiten de keukendeur, vanwaar we na het eten soms met het lichtgewicht jachtgeweertje op kastanjes schoten, of op de relmuizen die over de elektriciteitskabel van huis tot huis renden. Ik had er heel wat neergehaald. Giannini mocht het met schaken doorgaans winnen, mijn schiethand was beter. Nu leek hij helemaal in het wilde weg te schieten, vooral in de richting van ons huis. Een enkele kogel haalde het dak. Ik had een gerust hart: het gestolen pistool zou ongetwijfeld de inbrekers worden aangerekend.

'Wat zou er met de hond gebeurd zijn?' vroeg ik mijn dochter.

'Ach, papa, die heb ik eerst eten gegeven en daarna heb ik die enge ketting losgemaakt. Je weet toch hoe hij springen kan? In één keer zoefde hij zaf-zaf de muur over, en door het hek heb ik hem nagekeken: hij rende rechtstreeks op de horizont af. Fijn dat wij naar huis kunnen, *nonostante!*'

▶ *Thuis*

Het grootste geluk van een man die eindelijk uit het ouderlijk huis is vertrokken en zijn eigen plek heeft gevonden, is thuis-komen. Zoals in het hoofd van de drinker reeds de stoffen vrijkomen van de roes wanneer hij op weg gaat naar de kroeg, of bij de gedwongen geheelonthouder diezelfde stoffen nog steeds vrijkomen – maar nu moet hij ertegen vechten en met spijt het begin van de roes onderdrukken – wanneer hij in lijn 4 door de Utrechtsestraat tramt (en nog verkeert hij in de dui-zelingmakende onzekerheid of hij niet toch bij de volgende halte op het Frederiksplein zal uitstappen) ('Daar heeft Adri de prachtigste bladzijden aan gewijd!' placht mijn dochter te zeggen, maar dat zei ze op den duur over elk onderwerp en alles wat we tegenkwamen), zo begon ik mij al gelukkig te voelen wanneer ik op huis aanging.

Dat genoegen was voelbaar, elke keer, als we van school terugkwamen, of wanneer Chiara en ik slechts een kleine ex-peditie hadden gemaakt om op de volgende heuvel kersen te plukken of in het wilde bos dennenappels te zoeken voor het vuur.

Des te groter was de opwinding wanneer we van ver kwa-men. Onder de motorkap duiken om de vloeistofpeilen te controleren, verse antivries voor de ruitensproeier, de voor-ruit wassen en een schop tegen de banden geven. Weg uit Holland!

Terwijl ik vroeger, toen Chiara nog een baby was en in de

reiswieg achterin lag, de 1435 kilometer van Haarlem naar Lucca in twee dagen reed, precies op de helft overnachtend in Rioz, een gehucht in de Comté, in dezelfde herberg die Kanger en ik op onze eerste tocht toevallig hadden aangedaan, ontwikkelde ik later de gewoonte om de afstand in één ruk te overbruggen. Ik kon niet wachten. Chiara zag het uur niet dat we aankwamen, en begon bij Utrecht met vragen of we er al bijna waren, een vraag die ze nog tientallen malen zou herhalen en die mij het gas dieper deed indrukken.

Dat kon pas goed voorbij Arnhem of Maastricht, de uitvalsweg die we meestal namen: ah, het landschap en de huizenbouw geven bij Visé al aan dat we uit Nederland weg zijn, wat een plezier! Nog even de lange helling voorbij Luik en we zullen een eerste maal stilhouden om te kijken wat voor lekkers de picknickmand prijsgeeft. Zomer of winter, we eten buiten, of het nog licht is of reeds donker.

Het beste systeem bleek laat in de middag vertrekken, de nacht tegemoet, waarin ik hoopte dat Chiara onder zeil zou gaan.

'Nee, papa, eerst de bergen over.'

Ondanks de waarschuwingen van Giannini stopte ik een enkele maal op een parkeerplaats om een dutje te doen. Ik bezwoer Chiara mij een uurtje met rust te laten en weer te gaan slapen, maar in mijn halfslaap kon ik voelen hoe ze stijf rechtop midden op de achterbank bleef zitten, met haar punnikwerkje onbeweeglijk tussen de twee voorstoelen doorkijkend naar het donker buiten de voorruit. Haar waakzaamheid maakte het mij onmogelijk echt weg te zakken, maar ik hield mijn ogen stijf dicht en dwong mijn ademhaling langzaam en gelijkmatig te gaan.

'Papa!' fluisterde Chiara bijna onhoorbaar om het verbod niet te overtreden. Ik deed of ik niets hoorde.

'Papa!!' fluisterde ze even later weer, iets harder. Ik bromde verstoord. Gespannen stilte.

'Papa!!!' weer iets harder, maar je kon het nog steeds geen praten noemen. Ten slotte kwam ik overeind om haar eens goed de les te lezen. De auto was op de stille parkeerplaats omsingeld door twee motoren en een patrouillewagen van de Franse gendarmerie. Er stonden minstens tien onheilspellende, gehelmde en bewapende uniformen om ons heen.

De moeilijkste uurtjes om mijn ogen open te houden waren in het grauw van de reismorgen.

'Papa, maak je me wakker als de zon opgaat?'

Mijn ogen liepen snel vol licht wanneer we eenmaal bij de Italiaanse grens kwamen en ik mijn eerste espresso nam, het rinkelen van de dikke, witte kopjes hoorde, het malen van de koffie en de gorgelgeluiden van de espressomachine, de taal die wij de onze hadden gemaakt, gesproken door een correcte en beleefde *barista* in wit overhemd onder een zwart gilet. Chiara een *merendina* en een flesje abrikozensap. De barista schudde het flesje handig en gaf dan met de vlakke hand een klap tegen de bodem, voor hij de dop eraf wipte. De nieuwe dag gaf nieuwe energie. Iets na het middaguur zouden we thuis zijn. Mijn dochter was vooral zo gebeten op de in plastic verpakte zoetigheden van Kinder, omdat ze in het buurhuis streng verboden waren.

Mijn geliefde routes gingen over Martelange (tegen die tijd was mijn eerste tank bijna leeg en daar was de benzine en de whisky als beloning voor de aankomst straks belastingvrij), Longwy, Metz. Daar kon ik kiezen tussen de snelle weg over de *route péage* naar Straatsburg (altijd met spijtige herinneringen aan de oude rode kronkelweg over Château-Salins), in de nacht door die geliefde stad heen naar de Duitse autobaan tot Basel, en dan de Gotthard naar Chiasso/Como en de grens. Thuisland.

Of doorrijden naar Nancy en Épinal, b-wegen door de bossen naar Besançon, de sprookjesweg naar Pontarlier (reden we overdag, dan deed ik in Besançon, stad van Julien Sorel, het museum aan omdat Chiara een voorliefde had ontwikkeld voor Egyptische sarcofagen, stopte in Pontarlier om in het Café du Commerce een *chocolat chaud* te drinken, de kerk binnen te lopen en een boekwinkel te bezoeken, sinds Allert de Lange het Frans had opgegeven), en verder langs het Meer van Genève.

'Hier in Montreux heeft Nabokov gewoond en was vroeger een jazzfestival.'

'Papa, je wordt oud, dat heb je al tien keer verteld.' Naar Martigny, dan over de kleine weg omhoog tegen de Grote Sint Bernhard op. We kwamen bij Aosta binnen.

'Diep in het bos wonen de kolenbranders,' zei ze huiverend.

Toen Chiara voor de eerste keer de bergen zag, zei ze: 'Papa, dat is de wereld!' Dat zei ze ook elke keer als ze de zee aanschouwde: 'Papa, de hele wereld!' De hemel boven Toscane is een gespiegelde zee van weidsheid.

In het eerste geval kon ik Chiara antwoorden dat we er bijna waren, als we bij Parma de afslag naar La Spezia (honderd kilometer) genomen hadden, voor de autostrada della Cisa.

De dichter uit Luino, Vittorio Sereni, heeft een beroemd gedicht over die vaak besneeuwde en benevelde pasweg gemaakt, waarop de vrachtwagens met aanhanger (*killer camions* genoemd in Italië) gaan scharen en binnen of buiten de tunnels, in de bochten, tussen Berceto en Borgotaro, 's winters vele kettingbotsingen plaatsvinden. Je mag daar hele stukken niet harder dan zestig kilometer per uur; mijn Citroëns gaan nooit onder de honderdtwintig, met superieur gemak.

AUTOSTRADA DELLA CISA

Tempo dieci anni, nemmeno
prima che rimuoia in me mio padre
(con malagrazia fu calato giù
e un banco di nebbia ci divise per sempre).

130

Oggi a un chilometro dal passo
una capelluta scarmigliata erinni
agita un cencio dal ciglio di un dirupo,
spegne un giorno già spento, e addio.

Sappi – disse ieri lasciandomi qualcuno –
sappilo che non finisce qui,
di momento in momento credici a quell'altra vita,
di costa in costa aspettala e verrà
come di là dal valico un ritorno d'estate.

Hier begon het landschap min of meer vertrouwd te zijn, van ons. In Fornovo staat een fabriek van Barilla, die weldadig geurt naar thuis. Langs het geheimzinnige boekenstadje Pontremoli, waar elk jaar een literaire prijs wordt uitgereikt. En bij La Spezia voor het eerst de Tyrrheense Zee, de harde bergen van Ligurië die plaatsmaken voor het kalmere Toscane, we zijn in Versilia met bloeiende oleanders in de middenberm, de kuststreek van Lucca, alleen nog de *bretella* van de *raccordo* naar Florence, twee tunnels: een peulenschil.

Via de alternatieve route zagen we de zee in al zijn glorie wanneer we, na de op topsnelheid genomen rijstvelden (*Riso amaro*, vertelde ik de kleine, en probeerde voor haar de zinnelijkheid van Silvana Mangano op te roepen), naar Genua afdaalden, door de honderd bochtentunnels en over de hoge wiebelbrug. Rapallo ('Hier heeft een krankzinnige Amerikaanse dichter gewoond'), Sestri Levante ('En hier de beste Nederlandse schrijver, de enige die nog langer dan wij in Italië heeft gewoond'), tot we langs de Golfo dei Poeti reden (die haar meer interesseerden: weer moest ik over de dood van Shelley en zijn brandstapel op het strand vertellen), en in ons eigen Versilia kwamen. De marmertoppen van de Apuaanse Alpen doen aan sneeuw denken. De auto rook inmiddels naar verbrande olie en te lang bewaarde kaas. Daar was de afslag van de *bretella* naar Lucca—voor het eerst de naam die wij ons hadden toegeëigend, ergens tussen huisnummer en universum, op de groene borden.

'Ik wou dat die borden er niet stonden, papa. Nu kunnen ook andere mensen de weg vinden. Onze stad moet verborgen blijven! Poorten op slot, gifpijlen en brandende pek vanaf de muren op elke toeristenbus die het bastiljon probeert te naderen.'

Hoe vaak ik niet, in die wijde driehonderdzestiggradenbocht van de afslag, in de tweede versnelling naar de tolhuisjes van de A-12, op de zoveelste uitreis in omgekeerde richting met zwaar gemoed gedacht heb: dit is de laatste maal dat ik hier rijd en alles achterlaat... Toch waren we steeds weer teruggekomen.

Dit hoofdstuk gaat niet over reizen—groot reiziger ben je niet als je altoos dezelfde weg aflegt en, in de wetenschap dat dit stukje van de aarde, deze uithoek van Toscane, het beste is en beter dan je ooit nog zult tegenkomen, niet meer nieuwsgierig bent naar andere gebieden, verre landen, exotische bestemmingen, die geen van alle soortgelijke schoonheid bezitten, vergelijkbare rijkdommen, of meer beladen en betekenisvolle geschiedenis; dat weet je en het is zo! In deze cultuur was ik opgegroeid, en ik mocht mijzelf gelukkig prijzen dat het toevallig zo had uitgepakt—dit hoofdstuk gaat over thuiskomen.

Daar reden we de oprijlaan naar de villa op. De auto van de buurman (een grijze Peugeot 405 Break) stond er niet. De Dyane van Michelle was geen bezwaar. Zij zou heus niet de moeite nemen ons te begroeten. We hadden nog even vrij spel. Vlak voor het hek linksaf het onverharde modderpad op, een laatste dot gas om de helling te nemen. En met tikkend motorblok stond de DS stil voor de casa colonica.

Óp sprongen onze harten. We waren te lang weggeweest. Het pad was bijna dichtgegroeid, het gras hoog opgeschoten.

Morgen zou ik de zeis moeten slijpen. Eerst met de ronde hamer op het aambeeld de scherpe rand plat slaan. Dan met de slijpsteen wetten – het vocht van eigen spuug. Het geurt naar lente en honing, de vruchtbomen staan in bloei. Ik maak met de lange sleutel de dubbeldeuren open. Chiara is op slag haar lamlendige vermoeidheid kwijt. Ze klautert rap in de boomhut om alles terug te vinden zoals het was geweest, zoals het hoorde en het altijd blijven moest.

Met korstmos bedekte stenen, knoestige olijfbomen en ver-wilderde wijnranken. In mijn herinnering spelen de stenen van de verbrokkelde muur rond het domein, waarover de hond met één sprong was verdwenen, de muren van het huis en de stal, opgetrokken uit keien en Romeinse platte baksteen, een essentiële rol. Ik wou dat ik ze, net als de gekke schilder uit Pontito die door Oliver Sachs beschreven is, kon weerge-ven met de uiterste precisie van mijn herinnering: elke scha-kering, elke kleur, elk bobbeltje of spleetje en elke hagedis afbeelden met liefdevolle aandacht. Die stenen hebben voor mij nog steeds het tastbare, ik kan ze voelen en ik ruik ze. Er groeien varentjes en alle soorten helblauwe en gele bloemetjes tussen de brokken.

Wanneer ik na langere afwezigheid mijn huis weer betrad, rook het vochtig en kil, naar mos en schimmel, terwijl buiten de middagzon brandde. Maar ook naar boeken en naar de uit-gedoofde as van de haard. Het had gelekt, er waren nieuwe spinnenwebben en de oude wegen van de mierenkolonies stonden in file. De *scopa* erdoorheen, zo'n ouderwetse, met dunne twijgjes, een heksenbezem. Maar eerst gooide ik de luiken en de ramen open, zodat de bloesemgeuren en krui-denaroma's uit het hoge gras de mufheid zouden verdrijven.

De eerste die ons kwam begroeten met hoge staart was Pitigrilli. Zij kon zich heel goed redden als wij er niet wa-ren – de sprekende vogel zorgde later voor meer problemen: die moest worden ondergebracht. Ik maakte in de primitieve gootsteen de beschimmelde *caffettiera* schoon en draaide de butagasfles open. Schonk mijzelf een glas whisky uit Martelange in en stak een sigaar op, een toscano die ik zo gemist had, gekocht bij het eerste benzinestation in Italië. Ik liet het water stromen tot de roest uit de leidingen was gespoeld. Schakelde elektriciteit en boiler in, zodat we straks een douche konden nemen. Hing de dekbedden uit de ramen, draaide de matrassen om en schudde de kussens op.

We hadden geen honger. Er bleef altijd over uit de picknickmand: Ardenner worst, zoute koekjes, ouwe kaas en chocola. We zouden vroeg naar bed gaan, om morgen pas ons echte leven op te pakken. Waren er al cicaden in de pijnbomen en cipressen, zagen we al vuurvliegjes in het donker? De afgelegde kilometers raasden nog door mijn kuiten. De avond viel niet kil, maar om de kilte van het huis te verdrijven maakte ik, met hout van vorig jaar dat nog in de houtschuur lag, de haard aan. Toen het licht buiten wegviel, dansten de schaduwen van het vuur in de keuken en gaven de schemerlamp in mijn werkkamer en de groene bureaulamp waaronder zich de poes alreeds genesteld had, ons ons leven in het geheime huisje terug.

Op de rode sofa dronk ik de fles halfleeg. Chiara was met een van haar kinderboeken tegen mij aan geleund in slaap gevallen. Ik liet het vuur uitsmeulen. De auto zouden we morgen uitladen. Om elf uur het jazzprogramma van RadioTre. We wilden nog niet naar bed. Alleen hier rook het naar thuis. We voelden ons veiliger dan ooit, waren de buurman even vergeten. Ik stemde mijn viool, likte een riet nat van de saxofoon en probeerde het instrument weer leven in de blazen. Een huis, wanneer het thuis is, lijkt op een muziekinstrument. Je moet het eerst weer inspelen, losmaken, warmblazen. Ook ik was ingeslapen op de rode sofa. De buitendeuren stonden nog steeds open, de Toscaanse nacht was slinks en zoet binnengeslopen. Chiara woelde in haar slaap, haar voetjes hadden altijd tegen mij aan getrappeld. We moesten nodig onder de douche. Het oude vuil moest worden afgespoeld, voor we ons opnieuw vuil gingen maken om het erf te fatsoeneren, de kachel voor de winter klaar te maken, de carburateur van de auto uit elkaar te halen en weer te monteren, onkruid te wieden, grote boodschappen te doen, een, twee, drie wassen te draaien, de *credenza* met bedorven etenswaren uit te mesten. De koelkast stonk. Alles moest weg, alles vernieuwd. Ongetwijfeld moest ik de pannen van het dak herschikken. Misschien zou ik de ramen en de luiken opnieuw in de verf zetten, oud-Toscaans geel, net goud. Een ronde koelkast van het merk Opel, die je opende, heel handig, met pedaal. Nog steeds als ik op een koelkast toeloop, maak ik eerst die voetbeweging.

Hoe erg ik het ook vond om Chiara naar het vliegveld van Pisa te brengen wanneer ze met vakantie naar haar moeder moest, even erg was het wachten als ze op dat vliegveld zou terugkomen als Ummetje, vaak in het donker. Vanaf de parkeerplaats speurde ik onrustig de hemel af of de twinkellichtjes regelmatig bewogen. Het militaire Camp Darby was vlakbij gelegen, vanwaar de Amerikanen hun geheime vinger op de Italiaanse politieke pols hielden. Kort geleden, 27 juni 1980, was bij Ustica een DC-9 van Itavia in zee gestort: eenentachtig doden. Per ongeluk neergehaald door de almachtige bondgenoot. Regering en geheime diensten waren van aanvang aan op de hoogte van de toedracht, maar de Oude Poppenspeler achtte het beter het publiek te misleiden. *Raison d'état.* Tot op heden voeren de nabestaanden processen om achter de waarheid te komen. Via de beslagen ruiten van de aankomsthal kon ik zien hoe de passagiers over een aangereden trap uit het kleine vliegtuig kwamen. Dan een hele tijd niets, terwijl mijn angst groeide – zou ze er niet in zitten? –, en als laatste kwam een stewardess met mijn winters ingepakte Ummetje naar buiten. Met haar paspoort en een pak luiers werd ze mij overhandigd, nadat ik drie keer mijn handtekening had moeten zetten. Pas op de achterbank van de auto werd ze wakker: 'Kijk, papa, een nieuwe barbie.' Die werden door de vliegmaatschappij verstrekt om de onbegeleide kinderen zoet te houden. Nooit zou ik zo'n gruwel voor haar gekocht hebben. Chiara telde haar vliegreizen aan de barbies die ze eraan had overgehouden. En dan naar huis, over de donkere wegen rond Pisa die ik kon dromen. Vanavond mocht ze bij mij in het grote bed slapen waarin ze verwekt was. Maar geen van beiden sliepen we, veel te blij dat het weer thuis was. Een huis is voor een man alleen geen thuis.

Morgen zou ik haar in het teiltje voor de haard in bad doen. Morgen de brief met aanwijzingen van de moeder lezen, waarbij altijd een onkostennota was gevoegd. 'Hoera,' zou Aminta zeggen.

Thuis is de grote keuken met de open haard. Daar ruikt het naar basilicum. Op een bord liggen twee penen, een knoflook, een bosuitje en een twijgje rozemarijn: dat was meteen een schilderij, zoals mijn Engelse vriend Hasting het 't liefst schilderde. Het tafelblad ligt vol fruit en walnoten: onze eigen kwetsen en langs de weg geplukte sterappeltjes en perziken. Vijgen ruiken bijna niet. In de herfst hangen er trossen druiven, die we zelf geplukt hebben, langs de wanden te drogen.

's Nachts thuiskomen met de auto was het welkom van de grote witte uil die geluidloos voor ons uit vloog, laag tussen de lindebomen van de oprijlaan om de weg te wijzen. 's Ochtends vroeg zat diezelfde uil in de dakgoot boven mijn slaapkamerraam om mij met een laatste kreet te wekken, voor hij zelf slapen ging. Thuiskomend joegen wij de fazanten in het bosje van de bocht waar de bromfiets was gevonden op de vlucht, en zagen wij de jonge familie hoepa's een heenkomen zoeken. Thuis hoorde je 's ochtends onder de douche de kerkklokken van alle dorpjes uit de buurt: Arsina, Monte San Quirico, Capella, en in de verte alle honderd kerken van Lucca

136

binnen de muren, vooral de zware klokken van de dom en van de San Frediano. De San Frediano is 's avonds verlicht als we uit de openluchtbioscoop achter de Torre delle Ore komen: uit de Romaanse vensterbogen van de toren vliegen zwermen kraaien uit.

Een nieuwe morgen thuis opent het perspectief omkaderd door mijn slaapkamerraam, waarbuiten de dag begint. 's Zomers verbergen de paardekastanjes het zicht op het buurhuis, 's winters vormen zij een Japanse prent. Onder je eigen douche voel je je thuis. Uit het kleine badkamerraampje kijk je recht in de ogen van een vossenpaar, dat even bevroren staan blijft, voor het ongehaast verderloopt, alsof wij niet bestaan, door een wereld die niet de onze is.

Thuis is het meeste thuis in de winter, wanneer de buitendeuren dichtblijven en de kachel brandt, op de radio tussen de middag het operaprogramma *la Barcaccia* en 's avonds het jazzprogramma van RadioTre, te middernacht besloten met de Hymne van Mamelli voor de zender uit de lucht gaat. *Books Do Furnish a Room*. Daarna hoor ik de nachtzwaluw zingen, die zijn lied beëindigt met het klokkende geluid van een fles die leeggegoten wordt. Thuis is mijn werktafel in de nacht, met de groene leeslamp en de poes die zich vlak voor mijn werkboek genesteld heeft. Thuis is vooral het ritueel om Chiara in bed te krijgen. Eindeloos voorlezen, uit *Oke* en *Amei*, boeken die mijn ouders elkaar in hun verlovingstijd hadden gegeven en die respectievelijk gaan over de jeugd van een kleine jongen en een klein meisje. Uit Hauff en Andersen (altijd weer *De rode schoentjes* en *De sneeuwkoningin*), uit *De vliegende Hollander, Robinson Crusoe, Sophie en Lange Wapper*, *Deesje* en *Annejetje*, uit een Bob Evers-boek (waaraan vooral de vader plezier beleeft), uit Toon Tellegen. Van *Thoms nachtelijke avontuur* werd Chiara bang. Ik las voor uit Prisma Juniores die mijn moeder ons eindeloos had voorgelezen (*Jennings als detective* en *Op jacht met de zeerovers*) en ik vertaalde *Pinocchio* voor haar en het verhaal van Gobineau, *De danseres van Sha-makha.*

'En nu rietepetiet naar bed!' hoor ik mijzelf in mijn vaders stem zeggen. Tandjes poetsen en fluorpillen.

'Eerst nog chottega!' weet Chiara te rekken. Warme chocolademelk voor twee. Ik breng haar naar boven, met een warme kruik, want de bedden zijn 's winters ijskoud, de slaapkamers onverwarmd. Ik dek haar toe. Ze mag de poes meenemen in bed.

'Maar dan moet je beneden wel viool gaan spelen, papa, anders kan ik niet in slaap komen!' Ik speel een uurtje, de *Chanson russe* van Strawinsky en een sonate van Händel, of het middendeel van het vioolconcert in E-dur van Bach, strijkoefeningen van Tartini na. Ontspan de boog en sluit de viool in zijn kist, ga aan mijn werktafel zitten: eindelijk kan ik beginnen, bij de nachtelijke lamp. Eerst komt Pitigrilli geluidloos naar beneden om weer op mijn werktafel te gaan liggen. Daarna, even geluidloos, Chiara, haar pluizendekentje achter zich aan slepend. Ze nestelt zich in het holletje onder mijn benen, tussen de twee kastjes van mijn régence-bureau. We negeren elkaar. Zij slaapt in, ik schrijf de eerste zinnen van mijn droom.

We zijn weer thuis.

▶ *Heksen*

Behalve de buurman waren er nog andere bezoekers die zich bij ons thuis voelden. Allemaal import. Ze kwamen van ver, met vliegtuig of trein. Voor vakantie of verjaardagen. Een week voor mijn verjaardag in 1980 ontplofte op het station van Bologna een grote bom: vijfentachtig doden en tientallen gewonden.

Een nieuwe strategie: de aanslag werd dit keer door extreem rechts opgeëist. Meestal was het andersom geweest: de uitvoerenden bleven dezelfden, maar het doel was om links in diskrediet te brengen. De geheime diensten deden hun werk onzichtbaar, alles op suggestie van de Oude Poppenspeler in het centrum van het web, aan wie het al eerder gelukt was om gevaarlijke tegenstanders als Mattei en Moro uit de weg te laten ruimen. Nu begreep niemand er iets van. Wij wisten van niks, behalve dat de *strategia della tensione* erin slaagde ook het openbare leven te ontwrichten. Ik hield altijd mijn hart vast als er iemand met het openbaar vervoer zou arriveren. Maar Toscane was nog steeds het paradijs, Italië het Land van Kokanje waar de spelende kinderen vanzelf in ezeltjes veranderden. Chiara wilde voor haar verjaardag wel een ezeltje in de tuin.

'Je hebt Umberto toch,' grapte ik.

'Ik heb jou, papa. Jij bent zelf een grote ezel.' Dat zei ze naar aanleiding van de vriendinnen die op bezoek kwamen. Ik had voor haar verborgen gehouden, die eerste dag waarop haar moeder was vertrokken, dat spoedig de eerste zou arriveren. Een grote troost voor mij, maar ook aanleiding tot paniek, omdat ik op mijn vingers kon natellen dat Chiara niet van vreemde indringers was gediend.

Het moest vooral een gewone dag worden. Die avond zou mijn oudste vriendinnetje aankomen, een meisje uit Ticino, op wie ik al vanaf mijn vijfde verliefd was, en aan wie ik mijn eerste composities had opgedragen.

Alla mia bella Donatella.

Die verliefdheid was ontstaan uit een misverstand. Mijn ouders hadden een vakantiehuis in een dorpje aan het Lago Maggiore, vlak bij de Italiaanse grens. Ons huis lag boven het kerkje; vanaf het balkon keek je recht in de klokkenkamer. Zonder de motor van verliefdheid draait het leven niet. Het elk uur luiden van de klokken was aanleiding voor mijn eerste melancholie, omdat elk geslagen uur, met het beieren van alle klokken aan begin en einde van de dag, mij de gewaarwording bracht dat onze vakantie – de gelukkigste periodes van mijn kindertijd – onverbiddelijk werd afgeteld. Uurwerken, horloges en kalenders herinnerden mij aan de eindigheid van mijn verblijf in het beloofde land.

Tijdens de korte zomeravonden van het zuiden (voor mij was Ticino het zuiden, terwijl het later een Zwitsers geperverteerde imitatie van het echte Italië bleek) hingen de kinderen op de muurtjes rond het kerkpleintje. Veel plaatselijke kinderen waren er niet. De meeste mannen van het dorpje waren naar elders vertrokken om werk te vinden. Oude vrouwtjes, allemaal aan elkaar geparenteerd, bewoonden de ingewikkelde huizen, omgeven met hortensia's in pasteltinten, die ooit een zekere welstand hadden gekend. Twee zusjes van min of meer onze leeftijd brachten daar hun zomertijd door – het vaderlijk huis stond in Lugano, stad van groot geld en hotels. Van al die meren was het Lago di Lugano wel het koelst, met groen koud water, terwijl ons meer blauw was, zoet, en ideaal om in te zwemmen.

Het ene meisje was een Italiaanse schoonheid. Haar oudere zusje daarentegen zag ik niet staan. Donatella en Maria-Pia. Pas veel later heb ik begrepen dat lelijke mensen vaak, misschien ter compensatie, meer in hun mars hebben dan mooie. Twee of drie avonden per week klonk er vanuit dat kerkje, waarvan ik de contouren nog steeds kan uittekenen, vioolmuziek.

De viool is mijn ideaal, mijn *violon d'Ingres*. Ik heb niets bereikt, want ik kan de negende *Capriccio* van Paganini niet spelen, noch het derde vioolconcert van Saint-Saëns. Vioolconcert van Sibelius? Zowel de eerste als de tweede, vereenvoudigde versie: boven mijn macht! Mijn ouders zeurde ik de oren van hun kop om les te mogen nemen. Van een te vroeg gestorven oom koesterde ik in een antieke kist op zolder een viool, die ik probeerde te poetsen met het harsblokje dat voor de paardenharen van de strijkstok was bedoeld. Later mocht ik op les, en ik ben lessen blijven volgen tot mijn bejaarde leraar, van wie ik vooral over Franse literatuur leerde, gestorven is. Verder dan de Bach-concerten en Beethoven ben ik niet gekomen. Niet echt een talent, Provenier – hij doet maar wat. Studeren was mijn *fort* niet, in mijn jeugd.

Met schrijven kun je de mensen nog voor de gek houden. Dat is het hele abc ervan. Een goocheltruc waarvan je de mislukking met een *frappe* kunt wegmoffelen. Bluf en speed heb je ervoor nodig, zelfoverschatting, en geen watervrees. Je improviseert maar wat op bekende thema's, waarvan de akkoordenschema's reeds gegeven zijn. Vertrekken en weer thuiskomen, zo gaat het in jazznummers ook. Maar in de klassieke muziek is eerst aandacht, devotie, toewijding, studie en techniek vereist. De intonatie luistert nauw, want een valse noot is vals, en als de techniek tekortschiet...

Met schrijven kun je, bij gebrek aan techniek, eenvoud veinzen – wordt altijd op prijs gesteld. Ik blaas met valse lucht en niet gespeelde noten. Vaak is het mijn bedoeling vals te klinken. De liefde voor noten heb ik van mijn moeder. In het kraken ervan ben ik behendig geworden. Ook houd ik van oesters, die ik inmiddels zonder bloedvergieten (mijn eigen) weet open te maken. Niet gemakkelijker dan het openen van een meisjesdier. Dat ging in het begin ook nooit zonder ongelukken. Je moet de bovenkant en de onderkant weten te onderscheiden, en weten waar de sluitspier zich bevindt. De rafelige randjes blijven messcherp. Binnenin parelmoer en de zilte glibber. Mensen die niet van oesters houden, kunnen ook niet van vrouwen houden. Maar waarom zou je? Eén slurp, uit het gruisijs gedolven, en wat overblijft is de herinnering aan smaak en het verlangen naar meer.

Ik merk dat ik mijn eigen testament schrijf. Wat ik allemaal kwijt ben, kan ik zelfs niet mijn dochter nalaten. De verloren dingen, zoals mijn geluk, mijn verstand en mijn gezondheid, zul je op de maan moeten zoeken, weet ik van Ariosto. Daarom moet ik mijn lezer eerst dronken voeren met de beste chianti (Brunello van Montalcino, geheel in Amerikaanse handen, zelfs de sangiovese-wijnstokken zijn Amerikaans), voeden met de *farro* van de armoede (veel olijfolie eroverheen – daar is het gebied van Lucca immers echt beroemd om) en laten delen in mijn enthousiasme, niets anders dan een vorm van waanzin. Maanziek, zo kan mijn absurde verlangen naar het voorbije verleden het best worden aangeduid. Landschap noch stedenbouw trekt zich daar iets van aan.

De vioolmuziek die in de nazomer uit het kerkje van Caviano klonk, we schreven 1955 in het vakantiedagboek, verrukte mij. Verliefd was ik altijd. Dus viel ik voor het zusje dat daar ongezien aan het fiedelen was. Vanzelfsprekend associeerde ik schoonheid met schoonheid. Het had het mooie zusje moeten zijn dat de muziek tot klinken bracht, sonates van Händel – die kan ik zelfs zonder bladmuziek nog spelen –, het was de ander. Donatella had genoeg aan haar eigen schoonheid. Een van mijn eerste teleurstellingen, maar op háár ben ik verliefd gebleven. Door de jaren heen, ook toen ze getrouwd was met een atoomgeleerde, ben ik haar blijven zien. Haar ravenzwarte krulletjes zijn inmiddels grijs en ze woont samen met een dirigent op Malta.

Het artistieke zusje is het slecht vergaan. Op kracht van haar artistieke gaven was ze opstandig en trouwde een Portugese Afrikaan, van wie ze vier halfbloedjes heeft gekregen. Die vrouw kon je het bloed onder de nagels vandaan halen. Zij voelde zich superieur aan haar keurige, geassimileerde Angolees. Hij runde een reisbureau. Op gegeven moment heeft hij een pistool getrokken en zijn echtgenote dood-, drie van zijn vier kinderen aangeschoten. Donatella heeft op stel en sprong de kinderen uit Lissabon gehaald en naar Ticino getransporteerd, om de opvoeding van de halfweesjes op zich te nemen. De stoffelijke resten van Maria-Pia rusten nu op het kleine kerkhof van het dorpje dat mij altijd dierbaar is gebleven. Je kon er goed verstoppertje spelen.

Zodra Donatella hoorde dat mijn vrouw zou weglopen, bood ze aan langs te komen. Dat was de dag dat ik voor het eerst met Chiara alleen was. Hoe moest ik het haar uitleggen?

Ik heb voor mijn dochter nooit stiekem gedaan of iets voor haar verborgen willen houden. Dat Donatella na aankomst wilde rusten en meteen bij mij in bed kroop, is haar niet ontgaan. Ik had de lakens nog niet eens verschoond. Mijn hoogspanning vroeg om ontlading. De kloof van het verlies moest overbrugd worden. Donatella wist niet alleen goed om te gaan met mannen, ook met kinderen kon ze overweg. Ze had een natuurlijk overwicht. Ze kon een goede *sugo* voor de pasta maken.

Na het eten maakten we een wandelingetje, waarop de buurman uit een hinderlaag te voorschijn sprong. Hij was meteen enthousiast over de wisseling van de wacht, vooral ook omdat Donatella Italiaans sprak met de zachte 'erre' van het Noorden. Dat wordt chic gevonden, zelfs door Toscanezen. Mijn eerste vriendinnetje wist hem zijn plaats te wijzen, min of meer tot verbazing van mijn dochter. Die twee vrouwen waren aan elkaar gewaagd. Dat wil zeggen dat ze elkaar naar het leven stonden. Bij valavond liepen we weer op ons huisje toe. Ik stak de lange sleutel in het slot. Chiara versperde mijn gast de doorgang.

'Maar jij komt er niet in! *Sei una gran troia di stregona!*'

'Dan zijn we soortgenoten, want jij bent zelf een kleine heks!' en Donatella tilde mijn spartelende dochter op en droeg haar de drempel over. Die avond moest ik voor straf in het bedje van mijn dochter slapen. Chiara en Donatella deelden mijn bed – de enige manier om de situatie te redden. Chiara had haar eerste overwinning behaald.

Mijn aristocratische schildervriend Hasting had zijn eigen problemen. Na Eton was hij op Balliol uitgeflipt, in de *scene* terechtgekomen als assistent van Yoko Ono en op Ibiza aan de lsd geraakt. Daar had hij zijn vrouw leren kennen, een Duitse bankiersdochter die op voorhand haar erfenis erdoorheen had gedraaid. Zij was door hem van de verloedering gered. Om een stabiel leven op te bouwen waren ze neergestreken in een casa colonica op een bergtop boven Lucca, en hadden daar druk kinderen gemaakt, geschilderd en potten gebakken.

Chiara haatte die potten, over het paard getilde nesten, maar Hastings werk viel bij haar in de smaak. Hij schilderde wat wij rondom ons zagen. De hoogbejaarde vader van de vrouw, bankier van een huis dat in de oorlog de ss gefinancierd had, sloot op zijn sterfbed vrede met zijn dochter, op voorwaarde dat ze die waardeloze kunstenaar aan de kant schoof.

Ondertussen had Hasting zich gek gewerkt om het huis bewoonbaar te maken – en mooi was het geworden. Ik wenste vaak dat onze boerenwoning ooit een dergelijke transformatie zou ondergaan. Hij had het landgoed van zijn vrouw beplant met wijnstruiken, olijfbomen en kruidentuinen. Het was een exemplarische Toscaanse luxewoning geworden, alles in de beste smaak uitgevoerd: van huis en tuin werden fotoreportages afgedrukt in het Toscaanse equivalent van *Beter wonen*. De villa van de schrijfster Francesca Duranti kon er niet tegenop. Hasting was met haar ex bevriend. Hasting kende, beter dan Giacomo Giannini, iedereen die ertoe deed, van Bernardo Bertolucci tot aan Diamantina Rossi, van de Martini, die in een paleis van een villa op dezelfde heuvel woonde. Hij kende ook, van vroeger, alle personages die model hadden gestaan voor de karakters in *Brideshead Revisited* en in *The Dance*. Voor mij helden van de literatuur, maar hij haatte zijn verleden en sprak slechts met afkeer over het landgoed van zijn vader aan de Zuid-Ierse kust. Die vader had een oude Rolls, die niet meer wilde starten, en liet zich naar het dorp rijden in die auto, met twee paarden bespannen. Ook Hasting was onterfd, en leefde op een zakgeldje van de familietrust. Maar sinds zijn vader was gestorven, droeg hij wel dagelijks het onverslijtbare tweedjasje van zijn levengever.

In het zicht van de erfenis had Hastings vrouw hem zonder pardon de deur gewezen. Familie is familie. De koude kant komt op de laatste plaats.

Bij ons was Hasting altijd welkom. Als ik enkele maanden in Nederland moest zijn, om een bescheten boekje te promoten, woonde hij in ons huis, om dichter bij zijn kinderen te zijn. Opnieuw was hij een zwerver geworden. Een regenachtige avond in maart tikte hij tegen het keukenraam, en zag ik na de wasem van het glas geveegd te hebben zijn verwilderde grijze baard.

'*The worst has happened!*'

Ik dacht onmiddellijk dat hij de Duitse had vermoord. Bleek dat zij bij een zoveelste ruzie een duw had gekregen, gevallen was en twee ribben had gekneusd. Hij hield echt van zijn vrouw, die volgens hem het mooiste geslacht van de wereld had. Ik geloof niet dat hij veel andere geslachten heeft gezien. Hij was zo verliefd op het vrouwelijke in deze wereld, misschien een erfenis van Robert Graves' *The White Goddess*, dat hij voor vrouwen niet echt interessant was. Zij waren zijn religie, en vrouwen willen niet het voorwerp van verering zijn, zoals ook ik tot mijn verdriet heb moeten leren. Ze willen een machoman, een vriend, liefst homoseksueel, om mee te praten en een beschermer met geld. Die drie vallen zelden samen.

Een andere nacht waarop ik eenzaam in het nu te ruime bed sliep, hoorde ik een geweldig gekraak buiten mijn openstaande slaapkamerraam. Hasting, die net zijn zoveelste auto in puin had gereden, was in de boomhut van Chiara geklommen en vandaar op een tak van de ouwe pruimenboom geschoven om bij mijn slaapkamerraam te komen. De tak was afgebroken voor hij mij had kunnen wekken, en nu lag hij onder in de bramenstruiken.

De kinderen van nu – ik heb het Chiara kunnen afleren – gebruiken als elk derde woord van hun primitieve uitingen de woorden *shit* of *fuck*. Hasting was zo beschaafd dat ik hem nooit heb horen vloeken, laat staan die woorden ooit uit zijn mond gehoord heb. Toen hij met veel gekraak in de bramen was beland, zei hij alleen maar: '*Jesus-Christ on a bicycle!*'

Een andere keer, toen ik hem hielp bij zijn zoveelste verhuizing nadat hij uit zijn paradijs verdreven was, en we een wasmachine een trap op tilden, ik mijn greep verloor en het gevaarte op zijn tenen kwam, beperkte hij zich tot: '*Jesus wept!*'

Ik hield van Hasting, en het gekke was dat Chiara ook van hem hield. Ze zochten samen paddestoelen, bosuitjes, wilde bieslook en andere kruiden om heksensoep van te maken. Nooit heb ik lekkerder gegeten dan wanneer Hasting voor ons kookte – en Chiara at mee, terwijl ze al mijn voedsel bleef weigeren. Hij had zoveel te vertellen en de voorbereidingen duurden zo lang, dat het eten zelden voor middernacht op tafel kwam. Chiara blij. Die wilde nooit naar bed.

Ook in zijn schilderijen, die telkens dezelfde stillevens lieten zien: ons bordje met knoflook, penen en bosuitjes, een nachtmerriepaard in een spiegel, immer hetzelfde bodhisattvabeeldje op de voorgrond, paarse irissen langs de berm en getrapt blauw in de golvende heuvels van Toscane op de achtergrond – wist Hasting te toveren. Mijn dochter herkende zijn mythologiserende fantasmen. Zij vond het nooit erg als hij in haar bed bleef slapen. Dan ging zij gewoon bij mij liggen. Hij vormde geen bedreiging. Onze gesprekken die hele nachten doorhaalden, waren voor haar vertrouwenwekkend. Zij sliep gemakkelijker op onze *sing-song* dan op mijn verbeten stiltes boven het zoveelste schrijfboek. Chiara vroeg mij eens: 'Maar mannen kunnen toch geen heksen zijn?'

Mijn antwoord moet haar vreemd in de oren geklonken hebben: 'Hasting is een moderne man. Dat wil zeggen dat hij alle vrouwelijke eigenschappen bezit die de moderne vrouw zo node mist.'

Ik ben hem uit het oog verloren, nadat ik hem vanuit het dolhuis had toegebeten dat ik geen ongevraagd advies meer wilde – hij belde elke avond op: ik wilde slechts met rust worden gelaten. Toen ik hem later nog eens tegenkwam, was hij een echte boeddha geworden, uiterlijk. Ondertussen had hij een fantastische villa opgeknapt, een nieuwe vrouw gevonden en leefde in een kring van Toscaanse vrienden. Dat wil zeggen: immens rijke buitenlanders. Jaloers gun ik hem zijn eigen karma. Geen slaapplaats heb of hoef ik hem meer te bieden. Als niet-Toscaner besta ik niet voor hem.

Zoals de poes onrustig werd zodra de koffers van de kast werden getrokken en op het bed opengeklapt – Koffie voorvoelde dat wij op reis moesten –, zo begon Chiara nattigheid te voelen wanneer ik de meubels in de bijenwas ging zetten en de lakens opeens streek.

'Storm op komst?' bulderde ze onverwacht in mijn oor. Ik drukte mijn hand tegen mijn oorschelp.

'Wil je dat nooit meer doen?'

'Wie is het nu weer?'

'Het is alleen maar voor vakantie, hoor. En misschien zul je deze wel leuk vinden; die is feministe. Ze krijgt trouwens een eigen kamer.' Dat was altijd mijn truc, een teken dat gastvrijheid heilig is en de gast onaantastbaar. Ook al wisten die meisjes heus wel waar ze aan begonnen, als ze de lange reis van Holland naar Toscane ondernamen, ik maakte van tevoren duidelijk dat er absoluut geen verplichtingen waren, dat ze hun eigen slaapkamer en bedje kregen en hun eigen gang konden gaan. Dat ze ondertussen min of meer mijn gevangene waren, omdat ze in een vreemd land zonder eigen vervoer geen kant op konden, beseften ze pas later. Van de buurman had ik geleerd: nooit je auto aan een vrouw uitlenen.

Met Laura had ik overigens geen verhouding en háár zou ik juist wel mijn mooie rooie hebben toevertrouwd. De Proveniers hebben de ongelukkige neiging het onder hun stand te zoeken, gewoon omdat ordinaire meisjes lekkerder zijn – iets wat ik later het Gissing-syndroom heb genoemd. Of, als je het vriendelijker stellen wilt: het Pygmalion-complex. Zoals Norman Douglas het krachtig uitdrukte in een brief met huwelijksadviezen aan zijn zoon: '*In order to get a good fuck, you must bring them up yourself.*'

In de seksualiteit draagt een zekere minachting voor het object bij aan de opwinding – legt u me dat maar eens uit, *Herr Kirchner.*

Er was eens... een feministe! Nu ja, de strijdbare fase had ze al achter de rug en carrière maken was het devies. In de muziek. Zo was ik ook verliefd op haar geworden: zodra ze gaat zingen wordt elke vrouw mooi. Ze componeerde en speelde ook saxofoon. Voor het eerst van mijn leven was ik gevallen voor een vrouw van min of meer mijn eigen leeftijd, iemand die al gestudeerd hád en niet alles van mij hoefde te leren, van min of meer vergelijkbare sociale achtergrond, goed-burgerlijk, met originele gedachten – iemand met wie je ook praten en eten en lachen kon, en die je niet eerst zelf hoefde aan te kleden. Bepaald geen barbie, deze vrouw. Wel zo gemakkelijk, zou je zeggen.

Wel zo ingewikkeld ook. Want ik moest uit alle macht mijn bewondering en verliefdheid onderdrukken. We waren nog heel verse vrienden, en niet meer dan dat. Het mocht haar dan vleien dat ik haar muziek mooi vond en de muzikante nog mooier, ik weet zelf hoezeer bewondering van anderen afstoot en onverschillig maakt. Om te beginnen wilde ik helemaal niet geloven dat ze inderdaad zou komen, en toen we haar wilden afhalen van het station van Pisa, was ze daar ook niet. Maar toen ik teleurgesteld en Chiara opgelucht, de bocht van het pad naar ons erf op reed, zat Laura met haar rugzakje, enigszins als een verdwaald nachtdier, gevangen in de gele, draaibare koplampen van de DS.

Je moet als romanschrijver beloften schenden, en bovendien zijn eden van liefde in water geschreven. Het water van de Tyrrheense Zee, de zilveren golven voor de nachtelijke kust van Versilia, het stromende zoetwater van de Lima en de Serchio, en van alle geheime meertjes en poelen in Toscane. Toscane bestaat niet, behalve in de herinnering van geluk!

Laura vertegenwoordigde het zeldzame type vrouw dat aan zichzelf genoeg heeft, volkomen gelukkig en tevreden in haar eigen bestaan opgaat: vrijgevig en ongegeneerd. Van die vanzelfsprekendheid gaat een enorme aantrekkingskracht uit. Laura was zeker van zichzelf en het liet haar koud wat voor verwarring of verwoestingen ze daarmee bij anderen teweegbracht. Overal voelde zij zich als een vis in het water. Het leek meteen alsof ze altijd al in ons huisje had gewoond. Reeds de eerste ochtend lag ze in een minuscuul tangaslipje op een chaise longue op het terras. Zo kwam ze, bijtend in een appel, op blote voeten en met mijn tennisklep boven de ogen mijn koele, halfduistere werkkamer binnen, waar ik verbeten deed of ik aan 't werk was en het leven gewoon doorging. Voor mij stond het stil, net als mijn hart, bij die verschijning.

'Waarom kom je niet ook buiten zitten?'

Je kon ook denken – en ik dacht wat af die dagen met Laura, vergeefs speurend naar wat waar was, echt of onecht, misschien louter inbeelding van mijn vlammende hart – dat het haar niet uitmaakte met wie of waar ze was. Koninklijk negeerde ze onze aanwezigheid zolang ze het zelf naar de zin had. Zoals al mijn vriendinnen, te beginnen met mijn ex, haalde ze haar fijne neusje op voor onze bouwval – allemaal verwachtten ze de smaakvolle luxe die ze kenden uit de glossy magazines – maar tegen het landschap en de zomerzon van weelderig Toscane konden ze niet op. Dat was genoeg, meer had ik niet te bieden.

Maar het bleven wel ónze krekels en cicaden, onze vuurvliegjes als het snel donker werd en we nog buiten zaten te eten, de vruchten en de bloemen van ons eigen land, de geuren en de romantiek waarvan elk meisjeshart met vakantie droomt. Die hadden ze thuis in Amsterdam niet. Toen ik me daar jaren later tegen mijn zin tijdelijk moest schuilhouden, kocht ik een cd met Zuid-Europese natuurgeluiden. Ik zette het nummer op van de cicaden, na middernacht, en daar vielen de muren van mijn benauwde behuizing weg, ik sloot mijn ogen en voelde mij weer thuis in de kunstmatige paradijzen.

Terwijl ik Laura en Chiara alleen liet met de 'meisjesdingen' waar mijn dochter zo nieuwsgierig naar was – de *Cosmopolitan* die ze had meegebracht, zonnecrèmes en nagellak, benen scheren, de bikinilijn bijwerken en babyolie in het haar – glipte ik er met de auto tussenuit om naar de stad te gaan. Vers brood en focaccia. Bosaardbeitjes en spumante! Alleen de beste dingen waren goed genoeg voor mijn twee liefsten. Het lekkerste van de banketbakker, met veel wit poedersuiker erbovenop, zodat het leek of ze net coke hadden gesnoven en ik kon kijken hoe ze hun vingers aflikten. Te lang was ik niet bij *Intima donna* langs geweest, de lingeriewinkel in de Via Fillungo waar ze La Perla en Aubade verkochten. Je kunt zeggen wat je wilt van Italiaanse vrouwen, maar ze weten waar het om draait in het leven, met hun bidets en mooie ondergoed. Zo'n winkel binnengaan maakte je besmuikt, net als het betreden van een seksboetiek. Je moet er eerst dóór, als bij een iets te koude zee. Maar ik was doorgewinterd en had er schik in de maten af te laten passen bij de geschiktste verkoopstertjes. Geweldig grote doos voor de dunste en duurste niemendalletjes, ingepakt in zilverpapier met gouden linten. Je bent een liefhebber of niet. De meeste vrouwen weten liefhebbers wel te waarderen, al wantrouwen ze die als de ziekte.

's Avonds voor de open haard – die moet voor de toeristen ook in de zomer branden – gaf ik Laura haar geschenk. Ze was oprecht verrukt en kuste me uit dank. Die kus verdwaalde, beter gezegd: kwam goed terecht en zij smolt in mijn armen. Hard en stevig, soepel meegevend: verkocht. Ik althans, van haar heb ik het nooit zeker geweten. Je kunt dat niemand kwalijk nemen: een gezond lichaam functioneert nou eenmaal. Het stopwoord van Brett Easton Ellis, *hardbody*, leek voor Laura te zijn uitgevonden.

Geheim! Misschien was dat wel wat haar opwond: overspeligheid. Ze zuchtte en steunde of het echt was.

Ma il respiro di Laura invece è sempre uguale;
Quande faccia l'amore o quando salga la scala.
(Come m'ha preso in giro, lei, con quel respiro,
*come m'ha preso in giro, lei, con suo respiro.)**

Vanaf dat moment sliep ze bij mij in bed.

De volgende ochtend kwam Chiara in het grote bed liggen, pontificaal tussen ons in, een wig.

'Waarom slaap jij bloot?'

'Ik slaap niet en ik ben niet bloot; ik ben naakt, dat is iets anders.'

'Mag ik dan even kijken?' Chiara bestudeerde haar borsten, keek naar het ringetje in haar navel, en verbaasde zich over het streepje schaamhaar. Nooit had zij op deze manier naar haar moeder gekeken. Ze boog zich nog verder omlaag om Laura's geslacht te bekijken. Die liet haar even begaan en sloeg toen een hand om haar kut: 'Doosje dicht.' Dat woord had Chiara nog nooit gehoord. Van Laura leerde zij dat haar geslacht een kut was. Laura had geen borsten, maar tieten. Mijn dochter had het idee dat ze met sprongen vooruitging in de opvoeding tot jong meisje.

Nooit was ik heviger verliefd dan op Laura. Dat mocht ook wel, want mijn obsessie met Laura was een belangrijke reden voor Eefje geweest om bij ons weg te gaan. Maar stel je dan ook voor: een zangeres die een pauze in het optreden aankondigt en warm en bezweet vanaf het podium in je armen springt! Het deed pijn van geluk. Des te meer pijn omdat ik wist dat dit geluk onzeker was, en het geluk kort. Ik wist dat ik geen goeie minnaar voor haar was: ik minachtte haar niet. Ze was te mooi voor me. Tegenover zoveel aanstekelijke levenslust en schoonheid liet míjn lust het afweten. Ik stamelde maar wat. Zelfs mijn schrijfkunst bleef tegenover haar steriel: ik kon geen liefdesbrieven aan haar schrijven.

Laura was een vrouw om trots mee te pronken – Hasting werd er zenuwachtig van als we naakt gingen zwemmen in een van de geheime waterreservoirs tussen de chiantiheuvels. We reden met ons drieën voorin, Chiara in het midden, alle ramen open en losse haren in de wind, meezingend op de muziek van Prince. Ik ging alleen met Laura uit eten bij La Mora in Ponte a Mariano en liet haar terugrijden zodat ik mijn handen vrij had – ze weerde mij niet af. Naar zee bij nacht, waar ze haar hoofd liet rusten in mijn lies, de berg op, naar de opera, haar hand kroop in mijn broekzak, 's avonds flaneren over de muren om ijs met champagne te drinken: elke verkenning van verse geliefden is een nieuwe verkenning van de omgeving. Op de boot naar Portovenere fluisterde Laura in mijn oor: 'We hebben helemaal niet opgepast. Als een van ons aids heeft, plegen we gewoon samen zelfmoord.'

Ze speelde bij de buren, die dit wonder ook weleens wilden aanschouwen, Spaans gitaar en zong Chiara in slaap met 'Somewhere over the Rainbow'. Veel later bekende mijn dochter dat dát een van haar mooiste jeugdherinneringen is: Laura die op de rand van haar kinderbed gezeten 'Over the Rainbow' zingt. Zo voelde het ook. *Somewhere...*

De buurman had haar natuurlijk allang begluurd: eindelijk kreeg hij waar voor zijn geld! '*È una donna pulita!*' liet hij me ongevraagd weten. *Tutta acqua e sapone*, kortom. En onbeschaamd erop vertrouwend dat ze mij toch wel zou verraden, bood hij haar achter mijn rug de casa colonica gratis aan. Ons had hij er al bijna uitgezet. Dat had hij bij Eefje eerder ook gedaan: als jij Eriek nou wegkrijgt, dan mag je hier gratis blijven voor zo lang je wilt. Dat zou hij bij alle volgende vriendinnen weer proberen.

Het waren mooie jaren, want Laura had een abonnement: ze kwam elke zomer terug, al was het op steeds wisselende condities. 'Wisselende krijgskans' – een van de intrigerende begrippen die ik uit mijn Latijnse schooljaren heb bewaard. Soms kwam ze met een denkbeeldige kuisheidsgordel om. Doosje dicht. Nog later kwam ze met een zoontje. Ik lag met koorts te bed, Chiara en Laura hadden lol voor vier, lachten mij uit en vertelden elkaar hun geheimen in het zwembad. Ik las haar dagboek, en het zoontje dat niet zwemmen wilde (daar kreeg hij oorpijn van), hield bij mij de wacht. Op haar bladzijden bleef van de zekerheid weinig over: het was een en al twijfel, over zichzelf en over anderen. Laura was geen Muze of godin, ze was gewoon een Sim.

Rechter Salvini, leesbril in de hand, verklaart met zachte stem en afgeronde r's: 'De *strategia della tensione* in Italië kan als een echte kleine oorlog worden beschouwd, een burgeroorlog zonder burgers. Denk aan de hele serie aanslagen, vanaf Piazza Fontana, de aanslag voor de Questura van Milaan, die van Brescia, de aanslag op de trein Italicus en daarna op het station van Bologna en wat er allemaal nog meer is gebeurd. We moeten absoluut van het idee af dat deze serie aanslagen – ik heb het óók over de moorden op politiek ongemakkelijke grootheden als Mattei, Moro, Della Chiesa, Falcone en Borsellino – het werk zou zijn van een paar fanatieke en heethoofdige brigadisten. Wat er is gebeurd, werd in feite ingegeven, gestuurd en uitgevoerd door de allerhoogsten in het centrum van de macht, door de geheime diensten en door de CIA. Doel van dit alles was links in diskrediet te brengen en een verschuiving van de macht, zoals Moro voorstond, te voorkomen.' Vijftig jaar lang diende, nee leidde de Grote Poppenspeler deze onheilspolitiek.

Chiara maakte gebruik van een soortgelijke strategie. Zij papte met mijn vriendinnen aan, om een front te vormen tegen mij, zodat ik er genoeg van zou krijgen en die vriendinnen de laan uit stuurde. Een rechtstreekse confrontatie, zoals bij Donatella, om hen het huis uit te krijgen en hun de toegang te ontzeggen, had immers niet gewerkt. Toen we nog met Eefje waren, was het in haar ogen altijd twee volwassenen tegen het kind; nu was het twee vrouwen tegen de man.

'Als ik later groot ben, wil ik met Laura trouwen. Ik ben namelijk feministe. Zo is dat namelijk. Én mooi ondergoed!' Chiara kreeg haar saxofoon, al bleef hij in de kist. En feministe... In ieder geval mooi ondergoed. Net als Laura hield ze eerst van zichzelf en dan van jongens die naar haar pijpen wilden dansen. Bijenkoninginnen waren het, die niet zonder het werklustige manvolkje kunnen. Mantrix-spinnen die hun partner verslinden als die niets meer te geven heeft. Chiara had goed gezien dat er storm op komst was, al kwam die uit een andere hoek. Want hoe languide Laura zich ook kon overgeven aan de vormen van geluk, haar keerzijde was een pokkenhumeur als de dingen even niet naar wens gingen. Helemaal een Sim-karakter dat we niet in de hand hadden. Als we niet opletten, zouden we een vriend verliezen. Ik moest altijd op mijn tenen lopen om de dingen zo mooi te houden als in mijn voorstelling. Laura kankerde over de blaren die ze had opgedaan toen zij met Chiara naar het zwembadje van Mutigliano was gewandeld. Ze had bezwaren tegen mijn rijstijl. Wat feministe? Zolang vrouwen niet van auto's houden en van vuurwapens, zijn ze nog niet uitgeëmancipeerd!

We kregen ruzie over de onboeken die ze las. Geen wonder achteraf dat ze de mijne liever de deur uit deed. Ruzie over intellectuele exportfolklore als Fellini, Dario Fo, Benigni en de gebroeders Taviani, die door Nederlandse intellectuelen voor het echte Italiaanse gedachtegoed worden gehouden. Ze kon verschrikkelijk vloeken als het eindelijk een keertje regende en ze niet in de zon kon zitten, 'opgesloten in dit rottige pokkenhuis'. Ze vond ons keukenhoekje vies en onvoldoende, zonder dat ze zelf ooit een vinger uitstak. Zo zijn onze manieren, zo zijn feministen. Een keertje kwam ze met een onweerskop terug van de bottega, waar ze naar haar vriendje thuis had willen bellen.

'Deed hij niet aardig tegen je?' vroeg Chiara liefjes. Ze draaide zich om naar het kleine meisje, zei op donderende toon: 'Moet jij nu ook nog zout in mijn wonden strooien!?' en

155

verdween naar haar eigen kamer. Barst in de deur. Ik hield wel van boze meisjes, dan is de verzoening extra zoet, maar Chiara was zich rotgeschrokken en de deur was kapot.

'We moeten wel altijd héél voorzichtig doen met Laura, vind je niet, papa?' Maar Laura had een keer lief-ernstig tegen mij beweerd dat er maar een handvol mensen in je leven kunnen zijn die ertoe doen, en dat je die altijd met je meedraagt. Misschien heb ik het verkeerd verstaan en mij vergist, als in het lied van Billy Strayhorn, 'Lush Life':

> *Then you came along with your siren song and turned me to*
> *madness.*
> *I thought for a while that your poignant smile was tinged with*
> *the sadness*
> *of a great, great love for me...*
> *Oh, I was wrong, again I was wrong.*

De waarheid is dat ik een beetje bang was voor Laura. Of voor mijn verliefdheden. Voor de liefde zelf, wat dat betreft. Ik wist niet goed wat ik moest doen als ze plotseling tegenover mij aan tafel in huilen uitbarstte, als ze steun zocht tegen mijn schouder. Ik verzekerde haar dat ik er altijd voor haar zou zijn, alles voor haar zou opgeven.

'Je begrijpt het niet.'

Dat klopte. Een andere waarheid is dat mijn vriendinnen iets van hun verongelijktheid – immers het loon voor wat je geeft – aan Chiara hebben meegegeven. Voor haar waren het allemaal heksen, die iets aan haar vader wilden ontfutselen door met hem te slapen. Daar zat iets in. De vriendelijkheid waarmee ze mij kwamen opzoeken, kreeg altijd een vijandige kant wanneer ze gewend waren. Mij vonden ze zo overheersend, ik kapselde hen in. Ze voelden zich altijd bekeken en beoordeeld – ik liet hen geen moment hun gang gaan. Aan gene zijde van de seksualiteit zit een reservoir van boosheid verborgen, Pandora-dozen en Medea-wrok. Vrouwen weten, als ze niet dom zijn, dat ze kunnen toveren met hun lichaam en dat wij er elke keer weer in trappen.

Chiara werd door deze strijd, die zij op haar manier met mij te leveren had, gefascineerd. Hoe deden ze dat, haar vader zo van slag doen geraken? En waarom? Zij kon nog zo wisselen in wat ze later wilde worden, het vaakst toch zei ze dat ze heks wou blijven. Een kindergrap, misschien, maar tot ze zich daarvan bewust werd, had mijn dochter echt zoiets als het tweede gezicht. En anderen herkenden dat in haar en waren daar doodsbang voor, ik incluis. Zij oefende een macht uit die ze niet beheerste.

Chiara had ons afgeluisterd op de boot, en ofschoon ze nauwelijks kon weten wat aids was of zelfmoord, moest het wel heel erg zijn. Ze gebruikte de woorden van haar grote voorbeeld te pas en te onpas, bij elke kleine tegenslag. Als de DS weer eens langs de weg stilstond, midden op de dag in de hitte van de rijstvelden, en ik geheel op goed geluk de solexcarburateur in en uit elkaar sleutelde: 'Als hij het straks nog steeds niet doet, plegen we maar samen zelfmoord.' Maar het lukte mij nog steeds om Chiara aan de gang te houden, dacht ik. We hadden net een grote ruzie tot verzoening weten te brengen.

'Maak mij nu maar dood, papa, mijn leven zit je in de weg.' Dit was mijn Malocchio. Haar tegenhanger Pinocchio had iets heel anders uitgeroepen: *'Babbo mio, salvatemi! Non voglio morire, non voglio morire!'*

Chiara geloofde mij wanneer ik zei dat ik haar naar de zigeuners zou brengen. Dat had mijn vader tegen ons gezegd. Voor mijn oudste zuster was dat een aantrekkelijk alternatief.

'Ik ga morgen naar de zigeuners, papa.' Wat moet je daarop zeggen? Mijn vader placht te antwoorden: 'Áls je gaat, moet je nu gaan!'

Chiara keek me inktzwart aan: 'Wacht maar tot ik verminkt

langs de weg zit met een ziek hondje en een leeg schoteltje in de hand. Je zult nog om mij huilen!' Daar kon ik beter niet op wachten. Ik moest iets doen. Maar wat? Je wacht niet op je lot, het overkomt je. Net als het karakter van je kinderen. Je kon dan moeilijk als Aminta zeggen: 'Daar zit ik echt niet op te wachten!'

'Chiara, *per favore*!'

'Je zult me moeten zoeken, papa, over de hele wereld. Je hele leven zul je nog naar mij op zoek zijn, tussen de wolven en kolenbranders.' Tussen de sprookjes, kortom. Voor Chiara was Laura zoiets als de fee met het blauwe haar: *ersatz*-moeder, vriendin, leidraad. Maar Laura wilde helemaal geen moeder zijn, had ze gezegd, ze wilde beroemd worden. Laura had wel iets van de zigeunerin op het kitschschilderij dat in elke lijstenwinkel hangt. Ík had dat schilderij gemaakt, ik had de kitsch aan haar toegevoegd in mijn onvolwassen romantiek. De charme sleet. Een sprookje speelt zich altijd in het verleden af: er was eens...

'Pinocchio!' zou Chiara uitroepen, want ze kende het verhaal. Zelf koninginnetje had mijn dochter flink de pest aan anderen met die pretenties.

Laura kreeg toch een kind, liever gezegd: nog net op tijd nám ze er een. Haar carrière stelde haar teleur. Dit was geen jazz meer. En zoals een van de voormannen van de *jazz age* had gezegd: *There are no second chances in American life.*

Toen we nog in de mooie rooie over de bergweggetjes van de *** scheurden, had ik voor de grap een keer gevraagd: 'Wat denk je dat er in de krant zal staan, als we nu verongelukken? Een kop met "LAURA LAUWEREN VERONGELUKT" en daaronder heel klein: "broodschrijver Erik P. aan het stuur", of andersom?' Ze kon er niet om lachen. Nu zouden we alleen in het Italiaanse plaatselijke nieuws voorkomen. KILLER-STRADA OVER DE CISA-PAS MOET EINDELIJK WORDEN VERNIEUWD, en daaronder: 'twee bejaarde Nederlandse toeristen omgekomen'.

Omdat het met Laura toch niets worden zou, en ik drommels goed wist dat zij zich buiten het zomervakantieabonnement niets aan mij gelegen liet liggen, sprak ik hulptroepen aan.

Het repertoire van een schrijver is beperkt. Hij zit altijd thuis. Slechts wanneer ik een maand per jaar in Nederland moest zijn, voor gesprekken met de uitgever, promotie van een boek, kwam ik onder de mensen, op het net, de website van Sim City zullen we maar zeggen. Een paar optredens, niet meer. Heel soms een prijs – dan kon je zeker zijn je slag te slaan.

Een heel jong meisje, dat onderaan begonnen was bij de uitgeverij, en uit hoofde van die functie aanwezig was bij een groot feest dat ik gaf toen ik inderdaad een prijs gekregen had (van Laura een bits kaartje: 'Ben je in de boter gevallen?'), wist ik met mij mee te tronen toen alle feestgangers allang vertrokken waren en wij door de zaalwachters de deur uit werden gezet. Het was inmiddels licht buiten. Herinnering aan eindexamenfeesten. Ik hield haar fiets aan de bagagedrager tegen. Hoffelijke eis dat ík zou trappen en zij achterop. Dan kon je de weg bepalen. Ik deed het in de eerste plaats uit overwegingen van prestige. Want iedereen die weleens op de uitgeverij kwam, was verliefd op haar, en schrijvers van groter naam hadden vergeefs naar haar hand gedongen. *Interesse, zero!*

Zelda was lesbisch, of wilde dat zijn. Zoals de term 'martelmeisje' door haar is uitgevonden – neerbuigend kon ze met de schunnige taal van een bootwerker over begeerde vrouwen spreken – we waren het snel eens en keken met eenzelfde blik – zo vond ik voor haar het woord *jongensmeisje* meest toepasselijk. De meisjes van de fietsclub hebben mij nooit voor problemen gesteld.

Twee jaar lang (terwijl het geëmmer met Laura al zes jaar aan de gang was en nog steeds doorging) was Zelda onze beste vriendin. 'Onze', omdat ze minstens zoveel met Chiara optrok als met mij. Eindelijk had ik een écht intellectueel meisje, van écht goede familie. Dat wil zeggen dat ze communistisch was en van adel. Ze dacht dat de Jordaan het Quartier Latin was en leefde als een bolsjewiek in de tijd dat de revolutie nog niet gewonnen was. Terwijl Chiara van Laura, in een van de honderd kerken van Lucca, had geleerd wat ze op de godsdienstlessen van school oversloeg, leerde ze van Zelda wat 'arbeidende klassen' zijn, waar 'Hongersfeer' ligt ('verdoemd in Hongersfeer') (het antwoord is: ergens in Groningen, waar ze geboren was), waarom alles de schuld van het kapitaal is. Verdorie, eindelijk iemand met humor! Zelda kwam ook buiten het seizoen voor lange perioden naar Toscane. Ze had het altijd koud. Als je haar gloeiende huid aanraakte, kreeg je een schok; haar spieren trokken met krampschokjes door haar ledematen en haar kaken waren ferm op elkaar geklemd, alsof ze speed gebruikte. Onder hoogspanning. Zelda kwam altijd net onder de douche vandaan en trok dan een schoon gestreken overhemd van mij aan dat ze open liet hangen. Ze had ook nat haar als ze niet onder de douche vandaan kwam. Met Zelda was het of je een draaierig en onwennig dier in bed had, een meisjesdier. Een keer was ze bij haar woelingen uit haar bed op de entresol van haar stalinistenkamertje naar beneden gevallen, had een pols gebroken maar wilde dagenlang niet naar het ziekenhuis. Klagen was kinderachtig. Ze beet ook tijdens het vrijen, hard. Minstens zo hard als Chiara, die met haar melktandjes uit affectie ooit mijn oorlel had afgebeten. Het was goed vrijen met Zelda, erg intens, maar zonder enige verliefderigheid. Geen gepoezel, wat mij bij andere vrouwen vaak tegenstond. 'Staan we ervoor, dan moet-ie erdoor', was eerder haar motto. Overbodig te zeggen dat ze het werk van Reve uit haar hoofd kende.

Had Laura aan mijn dochter de buitenkant van een vrouwenlichaam laten zien, Zelda demonstreerde ook de binnenkant en de werking van het geslacht. Ik leerde met Chiara mee. Helemaal kun je het nooit begrijpen. Die mensen van vroeger, de generatie van mijn ouders, deden maar wat. Nooit eruit gehaald wat erin zat. Zelda had alles van drie oudere broers geleerd, ook haar stoerheid. Chiara had geen broer, alleen de preutsheid van Umberto. Met hem kon ze niet oefenen. Met Zelda ging het discours onophoudelijk voort. Er vielen geen stiltes, er waren geen dingen waar we niet over konden of wilden praten, zoals met Laura. Ze was één nooit opdrogende bron van *esprit*, *wit* en *acutezza*. Ze verveelde nooit. Ze las aan de lopende band, had alles al gelezen wat ik steeds links had laten liggen, vooral de moderne Russen. Zij bracht me in contact met Victor Sklovsky – later een voortdurende bron van verfrissing voor mij. Met Isaac Bashevis Singer. Met Brodsky en Szymborska – en ze las een gedicht voor over bietensoep. Met alle ongelukkige heldinnen uit de wereldliteratuur: van Zelda Fitzgerald en Gala en Mary Shelley, tot Hanny Michaelis en Fritzi Harmsen van Beek. We lazen elkaar veel voor.

Toen ik al, tot haar groot verdriet, met Aminta aan het scharrelen was – scherpere seks, van al het andere wat minder – gooide Zelda een boek dat ik al kende door mijn Amsterdamse brievenbus: *L'esperimento di Pott* van Pitigrilli, over de verhouding van een oudere rechter met een jonge filosofiestudente, die om haar studie te bekostigen een paardennummer in het circus deed. In een Nederlandse vertaling. Had ik maar acht geslagen op de Nederlandse titel, die boek en onze situatie goed weergaf: *Jaloezie!*

Ze hielp Chiara de boomhut verbeteren, en sliep daar eigenlijk liever dan bij mij in bed. Hasting struikelde een keer over haar toen hij in de nacht mijn slaapkamerraam wilde bereiken; adel herkent adel: ze voelden wel wat voor elkaar. Met Zelda vormden we weer een groot gezin, waarin ook goede vrienden welkom waren. Zij was tuk op de kleine dingen die van mensen een gezin maken, misschien omdat ze zelf in haar jeugd als een wild dier was losgelaten en die beschermende saamhorigheid nooit had gekend.

Zelda's karakter kan ik het best omschrijven als vol van *tendresses et rage*, de titel van een plaat met Jiddische liedjes die ze mij schonk. Met Zelda maakten we eindeloze expedities, hoog de bergen in van de Alpe Tre Potenze, om frambozen en bosbessen te plukken; naar het geboortehuis van Giorgio in de Valle Verzasca, waar de epische kinderroman *Levende bezems* begint (en met tranen in de ogen, nadat er veertig jongens verdronken waren op het Lago Maggiore, zongen we hun lijflied: *Of ik noordwaarts ga of zuid...*); naar de *Grotta del vento* in de ***. Alles wat we met Zelda deden werd een spannend avontuur. Een duur hotel werd een 'eenvoudige herberg'; een driesterrenmenu een sobere doch voedzame maaltijd.

De hele dag vertelde zij verhalen aan Chiara. Hand over hand nam zij mijn dochter van mij over. Zij werden zusjes. Daarom was Chiara ook zo dol op haar. Ik voorvoelde nog niet dat ik haar aan het kwijtraken was. Wel leek het soms dat ik in plaats van één twee jongedochters had die ik moest verzorgen. In twee jaar tijds hebben we niet één keer ruzie gekregen, en ook Chiara, al wat ouder, was tammer dan ooit. Maar twee jaar lang stak Zelda geen vinger uit in het huishouden. Waarschijnlijk dacht ze nog van vroeger: daar hebben we bedienden voor.

Geschrokken vroeg ik mij af of ik niet van al mijn vriendinnen de bediende was geweest, meer niet. Op goed moment zei ik er iets van. Of ze haar na een bergwandeling afgestroopte sokken, die al twee dagen onder de keukentafel lagen, niet zelf kon opruimen. Het was meteen over. Ze deed op slag of we haar nooit hadden gekend. Nooit heb ik haar meer gezien. In rook opgegaan, nooit meer een kaartje of berichtje. Ik begreep het weer niet: het waren toch ook twee jaar van háár leven geweest? Ze was toch evenzeer met Chiara als met mij bevriend geweest? We waren toch gelukkig?

Zoals ik vaker met vriendinnen meemaakte, had Zelda snel een andere vriend – plotseling was ze niet lesbisch meer ook –, maakte fluks twee kinderen en tegelijk carrière in het uitgeverswezen. Ik was er zelf debet aan. Ik had nog andere vriendinnen. Ik heb Zelda verraden in seksuele zin – ik dacht altijd dat bolsjewieken voor de vrije liefde waren. Dat had mij zo geboeid van die eerste revolutiejaren. Nu was zij zelf establishment aan het worden.

Een andere kwestie begon zichtbaar te worden als debet aan het gegeven dat niemand het bij ons lang uithield: behalve dat er geen toekomst in zat en ik niets te bieden had. Vriendinnen – dat had Laura goed gezien, en was ook de reden geweest dat Eefje was vertrokken – hadden niets te zoeken of te vinden in Toscane, behalve een tijdelijk vakantieparadijs. Precies volgens de boekjes. De grauwe werkelijkheid was anders. Op den duur werd Lucca behoorlijk saai: je leefde er afgesloten van de wereld, en die wereld was reactionair en exclusief. Een verstandig mens was allang vertrokken. Verstandige vriendinnen!

Als Gigi niet voortdurend bezig was geweest ons weg te pesten, hadden we het misschien veel eerder opgegeven. Ook voor mij moest het maar eens afgelopen zijn met die lekkende daken, die verstopte kachels, die smerige chianti en de vrieswinters. De rijkelui die op je neerkeken omdat je geen geld had en niet wereldberoemd was. En niet te vergeten de documenten, bureaucratie, de politieke wanorde, extra belasting op elke lucifer die je afstak en elke scheet die je ontsnappen liet.

23 december 1984 werd sneltrein 904 door een zoveelste bom opgeblazen: zestien doden en ruim tweehonderd gewonden. Zelfs politiek bewuste vriendinnen als Laura en Zelda

vonden de slachtpartijen een vorm van exotische folklore. Zo was het niet, zo dacht ik niet. Langzamerhand groeide in mij de wil om alles te doorgronden en begrijpen van deze corrupte republiek. Een grote weerzin groeide in mij tegen dit land van dubbelzinnigheden, rijkdom en armoede, oppervlakkige hartelijkheid en diep wantrouwen, mooi leven en misdaad.

Het centrum van het leven mijner vriendinnen bleef Amsterdam. Het grote, nooit uitgesproken dilemma: of ik bereid was mijn ballingschap op te geven en een leven in Nederland op te bouwen. Want geen van hen zag iets in de anachronistische gelukzaligheid waarin wij buiten de tijd leefden. Ik had mijn schrijfwerk – maar wat hadden zij? Alleen Chiara, steeds meer heks, was volledig op mijn hand. Zij wilde het liefst dat we ook water en elektriciteit afsloten, en leefden van de kruiden in de tuin en de groenten in de hortus. Er moesten kippen komen, geiten, een koe – waarom niet? – voor chocolademelk en parmezaan.

Vanaf Eefje hebben al mijn vrouwen van mij een 'normaal mens' willen maken, met verantwoordelijkheden. Iemand die naar het café gaat (het schrijverscafé op het Spui), die af en toe een stickie rookt of desnoods geabonneerd is op een snelle cokekoerier, de Roxy, het Vondelpark, vernissages en boekpresentaties aflopend, die een cameralens weet te boeien. Maar mijn normale ik, in al zijn abnormaliteiten, wilde alleen zijn, in dat huisje onder de sterren en de zon, samen met Chiara. Ze hebben mij allemaal weleens verteld dat er geen toekomst in zat, zeker als ik met mijn schrijven amper geld verdiende. En wat moest Chiara straks in dit vreemde vijandige land?

Ondertussen schoof ik als een stationsmeester of *flight coordinator* met de aankomst- en vertrektijden van vriendinnen, soms binnen één dag. Kwestie van lakens wassen en sporen uitwissen. Zelda was, misschien terecht, altijd jaloers geweest op Laura. Ik liep één grote liefde achter. Mijn ideaal was altijd de vorige vriendin – onhandige karakterconditie. Wat wilde ik nou eigenlijk? Een meisje van mijn eigen stand met wie ik praten kon en met wie ik me mijn verdere leven me niet vervelen zou, of een goeie *fuck*, volledige bevrediging in bed? Laten we zeggen – ook al is daarmee de vraag geenszins beantwoord – dat ik, zoals de opwinding het wil, steeds veeleisender ben geworden: in de eerste plaats gaat het mij om de schoonheid. Net als in het werk, het mijne of dat van anderen, geeft dan alleen het beste nog voldoening. En tegelijk wist ik dat er een discrepantie was en dat je kiezen moest: óf een heel goede verstandhouding (ook in sociale zin) en dan wat minder opwinding; óf het neusje van de zalm, en dan de incompatibiliteiten maar voor lief nemen. Met Laura waren die twee eisen bijna samengevallen. Zelda had mij meer van het eerste gegeven. Nu sloeg de slinger door naar de andere kant.

Ten tweede male had ik Zelda verraden met een andere vriendin – dat had voor haar waarschijnlijk de doorslag gegeven. Zelda van het toneel, nog een keer een Laura-vakantie van geluk, en ik stond alweer aan het station om een vers barmeisje af te halen. Aminta was een schoonheid van wereldklasse, een Cleopatra voor wie je een keizerrijk vergeven zou. Zij was ook de vleesgeworden geilheid. In lichaam, stijl en techniek kon ze gemakkelijk Laura de baas – toch bleef ze al onze zeven jaren samen jaloers op haar.

Voor mij speelde de kwestie van anciënniteit een rol. Omdat ik het zelf nooit met een vriendin had uitgemaakt, werden mijn eerdere liefdes nooit verworpen. Een nieuwe vriendin had het maar te slikken als iemand van vroeger contact maakte. Donatella ging altijd voor, dat had voor Eefje ook kunnen gelden, dat gold tot in de verre toekomst voor Laura en Zelda.

Een man draagt zijn verleden met zich mee; hij kan nooit meer volledig en totaal onschuldig zich aan een volgende verliefdheid overgeven, omdat die vrouwen van vroeger blijven bestaan. Ik vrees dat het bij vrouwen anders ligt. Die tellen 'fases' in hun leven, en verraden met elke nieuwe liefde hun verleden. Je kunt ook zeggen dat ze praktischer van aard zijn en flexibeler in hun verbintenissen. Daarom zijn mannen ook zo hels om een weggelopen vrouw; het gaat niet alleen om het seksuele verraad – de hele levensstijl van vroeger wordt in één keer overboord geworpen. Heeft het dan niets betekend? vragen wij ons af. Je voorstellingsvermogen schiet erbij tekort. Hebben zij, juist degenen die het leven doorgeven, dan geen vaste levenslijn, zijn vrouwen niet dezelfde meer die ze als kind, als meisje, als puber en bakvis zijn geweest? Ik vroeg mij af hoe het Chiara later zou vergaan, die voor mij tot nog toe strikt hetzelfde was gebleven: van pratende baby, peuter en kleuter, tot vroegwijs schoolmeisje.

Aminta rook meteen dat er net nog een andere vrouw in huis was geweest. Chiara probeerde me te redden: 'Ja, ik ben er toch.'

'Ga weg jij: je bent geen vrouw maar een kind.'

Chiara was diep beledigd. Het was geen goeie start. Met alle magische krachten die ze nog in zich had probeerde ze haar rivale te verdrijven, ziek of dood te krijgen. Maar Aminta had zich juist in mij vastgebeten, en ik was ondertussen ook tot de conclusie gekomen dat dit de laatste kans was op een zogeheten vaste en duurzame relatie. Zoiets waarvoor je een contract kunt laten opstellen. Misschien moest ik wel heel eenvoudig haar ten huwelijk vragen? Meer dan ooit was het de keuze tussen blijven of weggaan. Voorlopig hield ik het erop dat allebei ook mogelijk was: helft van het jaar hier en de andere helft, god helpe mij, in die stinkstad. Het kwam er dus op neer dat ik géén keuze maakte. Hasting had mij gewaarschuwd toen hij Aminta nieuwe gordijntjes voor de keuken zag naaien. Keukengordijntjes?

'Die vrouw heeft het op je voorzien – wat moet je dáár nou mee?'

'Ze is zo godvergeten mooi en zo goed in bed.'

Hij haalde zijn neus op voor haar, net als de buurman, die met lede ogen aanzag dat iemand eindelijk ons huisje opfriste, de hand van een vrouw. Aminta hield de hortus goed bij en vergat nooit de oleanders in de terracottavazen te besproeien. Aminta zwom het mooist; ze kon van de hoge duiken en heel lang onder water blijven. Aminta had het mooiste lichaam en de donkerste ziel – heel wat van haar eeuwige ongenoegen, dat alleen in bed onderbroken werd en omsloeg in zijn tegendeel, is op Chiara overgegaan, die al het boze van de wereld in zich aan het opzuigen was. We namen Aminta's stopwoorden over en lieten haar veel kersen en bramen eten, zodat haar schitterende roofdiergebit van bloed gekleurd leek. Maar een roofdier houd je met bosvruchten niet zoet.

Met Aminta brak het begin van het einde aan. Eerst deed ze haar best het Chiara naar de zin te maken. Het was een mythisch gevecht tussen die twee, met de allure van een tragedie, Aminta in de rol van Medea. Chiara speelde met overgave de vermoorde kinderen. En ik keek toe, als handelsonbekwame Jason. Van het begin af aan had er een melancholische doem gelegen over onze verhouding. Niet alleen omdat we elkaar altijd verkeerd begrepen. Er was verandering op komst, de middag brak aan.

We waren ook allemaal wat ouder geworden. Chiara zou binnenkort naar de middelbare school moeten, maar waar? Elk einde buigt zich naar het begin: hier had ik weer een vriendin die door haar studie heen gesleurd moest worden, het schrijven van de scriptie nog wat vertraagde om langer van Toscane te kunnen genieten, maar dan echt terug moest, een baan zoeken en een bestaan opbouwen.

Het duurde zeven jaren. Chiara had haar keuze al gemaakt en was er liever niet meer bij: dat gesteggel en gemopper van twee ongelijk gestemde zielen onder één dak. Een hel, die zij zelf had helpen inrichten, mijn jongedochter. Een godsdienstoorlog die nog wel honderd jaren duren kon. In tranen tegenover mij aan tafel zei Aminta dat ze voortaan alleen nog met vakantie kon komen. Ik had er zelf op aangedrongen dat ze eindelijk eens iets ging doen, haar eigen geld verdienen. De generatie nix – daaraan had ik een reuzehekel. Ik was het dilemma moe en wilde geen vakantie meer. Door Zelda was ik van mijn geloof in vrije liefde afgevallen; zij dacht meer in historische marktmechanismen.

Toen het toch uitging met Aminta, had ze 's anderendaags een nieuwe man getrouwd, met geld en een restauratie-DS. In *no time* heeft ze drie kinderen gemaakt en haar werk opgegeven: nu leidt ze het veilige leven van de huisvrouw dat haar altijd voor ogen heeft gestaan. Ze kookt aardappelen en groenten voor een verstandige en fatsoenlijke vent.

Zou ik mijn dochter, ons leven in symbiose, echt hebben ingeruild voor de illusie van duurzame cohabitatie met een vrouw? Verschillende vriendinnen die elkaar afwisselden, kon ze nog wel aan; een vaste verhouding zou een wig tussen ons drijven. Ach wat, hield ik mijzelf voor: ik heb nog niets besloten en ik blijf zitten waar ik zit. Het lijkt of mijn vriendinnen de gelukkige jaren die ook zij aldus hadden beleefd, volkomen uit hun geheugen en levensgeschiedenis hebben gesneden. Voor mij is de geschiedenis van mijn leven alles: het verleden, de plek, het huis, adieu en welkom, seizoenen van verschillende jaren (ondertussen al heel veel), mijn dochtertje dat altijd even oud gebleven is en mij via haar kleine handje moed inspreekt. Alleen al voor haar moest ik doorgaan.

Chiara huilde toen haar plompverloren werd meegedeeld dat ze *voorlopig* in Amsterdam naar de middelbare school zou gaan. Al mijn vriendinnen waren wel een keer, aan tafel in een restaurant, in huilen uitgebarsten. Woedend diende Chiara mij van repliek: 'Maar, papa, begrijp je nog steeds niet waarom die vrouwen allemaal bij je weglopen?' Bosaardbeitjes? *Intima Donna?*

'Jij kunt geen beslissingen nemen. Je weet eenvoudig niet te kiezen. Niet voor een van die heksen, nog niet eens voor je eigen dochter! Tabé.'

▶ Uit

Dove è Barilla?
Over de groene borden die naar de autostrada voerden (de
bretella, de A-11 en de A-12), wegen die wij niet nodig hadden
en waar we onderdoor reden, bijna zonder ons van hun bestaan bewust te zijn behalve als we weer eens terug naar Holland gingen, stond met spuitbusletters geschreven: *Dio c'è!*
Voordat Chiara ons heksenhuisje verliet en voorgoed de
grote wereld in trok, waren er nog andere gelegenheden
waarop wij ons uit huis waagden dan school en boodschappen,
vliegveld of treinstation, al was het om het intense plezier
weer thuis te kunnen komen. Als we de deur uitgingen (in de
eerste plaats om ergens anders te eten), zorgden we dat de
poes buiten was en de sprekende vogel binnen, de buitenlamp
aan, zodat we als het laat zou worden reeds van verre het wen-
kende lichtje op de heuvel zouden zien (de witte uil als loods,
traag voor de kegels van de koplampen uit wiekend) en dat we
er altijd weer in konden.
Dat was geen kwestie van de sleutel niet vergeten. Een keer
had de buurman, in de tijd dat wij even weg waren, een boom-
stam als barrière bij het begin van ons pad aangebracht; een
andere keer een zware ketting met een hangslot (van de Steel
Works van zijn broer) om de twee koperen handvaten aan de
vleugeldeur gehangen. We waren toen meteen op hoge poten
naar het buurhuis gegaan en hadden net zo lang aan de bel
gehangen, op de deur gebonst en aan het keukenraam ge-

klopt, tot er werd opengedaan. Gigi putte zich uit in verontschuldigingen, terwijl hij mij een tweede sleutel gaf. Chiara had ondertussen per ongeluk de televisie, die daar in de woonkeuken altijd aanstond op de zender van Mulino Bianco, op de grond getrokken: over het snoer gestruikeld. Er werd geen aandacht aan besteed; ze kreeg zelfs geen standje. Het was allemaal voor onze eigen veiligheid bedoeld. Het slot van de lange sleutel kon je gewoon met een (lange) loper open krijgen. We hadden al eerder gemerkt dat er in ons huis was gerommeld. Ik kocht een ander hangslot.

De kinderen zongen voortaan een nieuw liedje:

C'è una casetta piccola così,
con tante finestrelle colorate,
e una donnina piccola così,
con due occhi grandi per guardare,
e c'è un omino piccolo così,
che sta sempre tardi a lavorare,
e ha un capello piccolo così,
con dentro un sogno da realizzare,
e più ci pensa più non sa aspettare.

Maar het ging vooral om het refrein, waarbij Umberto ongetwijfeld aan de inbrekers dacht, maar Chiara aan de buurman:

...stando sempre attenta al lupo.
*Attenti al lupo. Attenti al lupo.**

De pogingen ons verblijf in het huis te verankeren waren op de lange termijn gericht. Net als Hasting had gedaan rond het huis waaruit hij uiteindelijk toch verdreven was, waren wij op initiatief van Chiara als een gek aan het planten gegaan. Kruiden, bloemen, planten en bomen, die er eerst niet waren geweest, moesten ons wortelen in de grond. *Terra nostra.* De haag van snelgroeiende laurierbomen uitbreiden, om ons verder aan het gezicht te onttrekken. Toen we net waren aangekomen, stond er alleen een overjarige kwetsenboom, later ontdekten we twee overwoekerde perenbomen – elke reeds voor de rijpheid rottende peer een kluwen van roofwespen – en wat onvruchtbare kersenbomen. Ik heb het niet over de verwilderde achterkant van de heuvel naar het westen met onherstelbaar uitgelopen wijnstokken. De wildernis aan braambossen en wildgroei van rozemarijn- en tijmstruiken was *in omaggio* – die zat er gratis bij, zoals de fototoestellen en horloges bij de wasmiddelen in de Esselunga.

Chiara had zich stukjes grond toegeëigend waarop ze basilicum had uitgezaaid en waarin ze irisbollen had geplant – blauwrode irissen stonden overal langs de greppels. Samen hadden we een grote terracottavaas gekocht en daarin een iel citroenboompje geplant. Elk voorjaar een nieuw. De boompjes sneuvelden omdat we de gevulde vaas niet meer naar binnen konden dragen. Zo verging het ook de bougainville, die tegen de gevel moest opkruipen maar dat niet deed, hoezeer wij hem 's winters ook inpakten met stro en rietmatten. We bleven het proberen. De oleanders deden het goed.

Met het oog op de toekomst: twee walnootbomen, die pas over tien jaar vrucht zouden dragen, met gladde, witte stam. Appelboompjes – die doen het overal; sterappeltjes voor de kerst. Een dure granaatappelboom die nog nooit was uitgelopen. Verwilderde olijfbomen hadden we al. We snoeiden en stekten, bemestten en begoten. Dochter naakt onder de tuinslang. We probeerden ten minste het ruime terras met gebroken terracottategels, waaronder de mieren opwelden als het eenmaal warm was, van onkruid vrij te houden. Met de hand geen doen. Een gifmiddel hielp, maar doodde ook de twee vierkant gesnoeide ligusters aan weerszijden van het terrastrappetje. Maaien met de zeis, hoewel Chiara liever het gras hoog hield, maar we moesten rekening houden met slangen en ons erf een bewoond aanzien geven. We zouden de buurman aantonen dat wij daar echt woonden. Op ons eigen land. Ook al had Giannini ons duidelijk gemaakt dat wij alleen, tijdelijk, het huis huurden en niet het land eromheen. Hij stroopte vrijelijk onze vruchten, nog voor ze rijp waren. Er was een heel grote vijgenboom, die wij van parasietranken hadden ontdaan. Met hetzelfde doel hielp ik de pachtboer Sandro op het land wanneer hij maar een extra hand gebruiken kon. Zijn zoon bleef op de trekker zitten. Dat was de vooruitgang van de vakbond. Onweer op komst en Sandro kwam met zijn strohoed in de hand vragen of ik die middag kon helpen het hooi binnen te brengen. Mijn aandeel in de *vendemmia* was vanzelfsprekend. Chiara hielp de vrouwen met het aandragen van koele wijn en in doeken gewikkelde *pecorino*. Meer konden we niet doen, zou Aminta zeggen: het door ons gefatsoeneerde landschap en de zelfgeplante vegetatie verleenden ons toch verblijfrecht? Nee, zelfs de pachtboer had met zijn vijftigjarig zwoegen geen recht van verblijf verdiend; hij mocht niet blijven wonen waar hij bedrijf en gezin had grootgebracht. Tegen mij had Sandro geklaagd dat volgens 'de commissie van de gemeenschap' de stallen 'zo ongeveer als een ziekenhuis' ingericht behoorden te zijn. Dus moesten de koeien weg. Het had geen zin meer te hooien.

En de oude, nog altijd glimlachende boer moest ook weg, helemaal terug naar een uithoek van de ***, in de *casolare* waar hij geboren was. Voordat ze met geweld uit huis moest worden gezet, is zijn vrouw gek geworden, in een *manicomio* (prachtig woord voor gekkenhuis) ondergebracht en binnen drie weken gestorven. De zoon, die elke zaterdagavond schoongeboend en met natgekamde haren bij de dichtstbijzijnde bar, de Tre Cancelli, een biertje had gedronken langs de provinciale weg, schijnt nu op kamers buiten de muren te wonen en werk te hebben gevonden bij de plantsoenendienst.

De onuithuwbare dochter... Ach, het zit in de familie, zeiden de mensen van Arsina en gingen weer door met waar ze mee bezig waren.

Volgens de wet mochten agrarische gebouwen geen andere bestemming krijgen. Ik heb gezien hoe al die boerderijen om ons heen, die niet aan de Brusselse regelgeving konden voldoen, verpieterden en verlaten werden door huisvee en boerenfamilies, om meteen te worden opgeknapt tot rustieke luxewoningen voor agriturismo en winkeliers van T-shirts en spijkerbroeken uit de stad. Het agrarische element was dan een weitje met een paard, of twintig wijnstokken voor de hobby. In ons huis werd tenminste nog geploegd, *boustrophedon*, als door het witte vel. Dat krijg je als de inkt in je pen opdroogt. Ook die mensen zochten de stilte van het platteland: de hele dag tractoren en 's winters kettingzagen. Ze droegen er nu zelf aan bij met rijdende motorgrasmaaiers en barbecues met kindermuziek uit gettoblasters. De honden en de cicaden hielden het nog een poosje vol in de nieuwe tijd. Je moest wel erg veel lef hebben om op je nieuw verworven land de heilige olijfboom om te zagen. (Prima hout voor kachel en haard.) Verzorgd en geoogst werden ze niet meer door de nieuwe bewoners. Die hadden ook niet meer de *Almanak* van Frate Indovino in de keuken hangen.

Vanaf de glooiende wijnakker en het grasland hielden we met thuis contact door middel van de sprekende vogel, die kilometers overbruggen kon. Een laatste blik achterom. Boven de plint van het keukenraam hadden we een snoer rode pepers te drogen gehangen; die moesten het boze oog afweren. Het boze oog van wie?

Uit eten!

Omdat Chiara thuis nauwelijks iets anders binnenkreeg dan merendine, moesten we het af en toe wel buiten de deur zoeken. In de loop der jaren hadden we een aantal restaurants verzameld voor verschillende gelegenheden. Alles waar de buurman ons mee naartoe had genomen was even slecht en onaantrekkelijk. Het nieuwste en duurste visrestaurant, volgens het modernste design ingericht door een vrouw uit Milaan, lag tussen de bioscoop en het geboortehuis van Puccini. Ik hield van alles, maar niet van Puccini. Wie helpt hotelmanagers en restaurateurs ooit van het idee af dat er muzak moet klinken, tot in de liften en toiletten van hun etablissement? En dan nog wel Puccini! Mocht je daarvan houden, een nog grotere belediging.

Tegenover het Teatro del Giglio, met zijn gerestaureerde empire-interieur, lag het Ristorante del Giglio, empire onder een renaissancegewelf. De zuster van Napoleon, die buiten op het grote plein zat, had een blijvende stempel op de stad gedrukt. Door de kleine dictator was de groothertogin van Parma ingeruild voor iemand uit zijn familie: het einde van het ingeslapen vorstendom en begin van een al even slaperige republiek. Grote spiegel boven een grote schouw waarin een vuurtje brandde. Bediening ouderwets maar onvoldoende; zoals vaak bleek het enige aantrekkelijke het rijdende karretje met de nagerechten: *zuppa inglese*! Een kruising tussen *trifle* en *tiramisù*. En dan veel lekkerder. Omdat Chiara graag met haar handen in het eten zat, was dit een van de lievelingsgerechten die ze zelf kon maken: ouwe cake, *potted cream*, jam, koekjes en vruchten door elkaar knijpen en daaroverheen alle staartjes van de drankflessen uitgieten. Ze at er vervolgens geen hap van: het was immers voor míjn verjaardag.

Nee, in de stad was ons lievelingsrestaurant Da Leone in de Via Calderia. Dat was het van meer mensen. Italianen aarzelen niet om in een lange rij op straat te wachten voor ze een tafeltje kunnen krijgen in hun lievelingsrestaurant. Omdat wij ons al voor openingstijd aandienden, acht uur, was er altijd plaats. Rijke burgers uit de stad, jonge verloofden en arbeiders van de vakbond zaten hier in grote harmonie zij aan zij; de tafels waren met eenvoudig bruin pakpapier bedekt; binnen tien seconden stonden wijn en water, brood en olie voor je op tafel, of je wou of niet. Maar wat wilde je dan? Je wilde toch eten? Dan beginnen we met deze heilige ingrediënten. Grof zout en peper vers van de molen. De grootste attractie was een reus van een ober die met donderende basstem de bestellingen naar de keuken galmde, en van wie wij lange tijd niet konden uitmaken of hij verkleed was. Met Kerstmis wisten we het, want toen was hij kerstman; met Befana daarna zigeunerin of heks, en meestal een soort zeerover of Hell's Angel. Toeristen werden door zijn overweldigende hartelijkheid afgeschrikt – bedrijfspolitiek.

Omdat het onderwerp eenmaal aangesneden is: er was een man in Lucca die een nog hardere stem had, een octaaf lager. In het stukje van de Via Roma tussen het einde van de Via Fillungo en de Piazza San Michele lag de mooiste vulpennenwinkel ter wereld. (Alles wat in Lucca bestaat is in zijn soort, ongeveer volgens de vormenleer van Plato, het mooiste van de wereld: van de kathedraal tot aan de pornobioscoop, die overigens ook in een voormalig kerkgebouw gevestigd was, en de duistere kolenbranderswinkel in de Via San Paolino.) Ik kocht er soms een potje inkt – daar hadden ze wel honderd verschillende merken van – één keer voor heel veel geld een Waterman die het nooit deed. Maar de stem van die man, ook als hij fluisterde! Chiara werd er letterlijk door omvergeblazen en maakte een koprol achterover. Doof was hij allerminst, want hij kon aan het krassen van een pen horen of die voor je hand geschikt was. Ik schreef op het oefenvel: *Gigi moet dood* (*10 x*).

Rondom de stad lagen, langs doodlopende weggetjes of boven op een heuveltop, talloze restaurants. Het slangennest de Vipore, in Pieve op de weg naar Vecoli, waarvoor de mensen vanuit Milaan en Florence kwamen om er te eten, gedreven door een boefachtig element van een zoon, terwijl in de keuken grootouders en oudtantes stonden te zwoegen voor de open vuren. Die mensen met die vreemde nummerplaten op hun *grosse cilindrate* kwamen ook zakendoen met de zoon, die zich onmiddellijk gedroeg als je beste vriend – vrienden van vrienden zijn ook onze vrienden: Hasting was er kind aan huis. In dit befaamde restaurant zag je de mensen nooit afrekenen. Zelfs wij kregen, met Hasting, altijd een paar flessen van de beste Brunello mee. In mindere mate was deze houding ook in andere goede restaurants gebruik: je kwam daar als vrienden, en de eigenaars leken hun zaak te runnen voor hun plezier. Of dekmantel, zoals later bleek toen de Guardia di Finanza een inval had gedaan en de zoon achter de tralies zat. Geen grote auto's meer van ver, *nuova gestione* met een gemoderniseerde keuken, geen lekker eten.

Iets verderop langs hetzelfde kronkelweggetje naar boven lag Il Lombardo: omdat je daar vanaf een smal terras hoog boven de stad over de weglopende olijfgaarden in het donker keek, 's zomers als kerstbomen verlicht door vuurvliegjes en gloeiwormen, gingen we daar vaak eten na aankomst van vers bezoek. Helaas werd Lombardo ook beroemd bij buitenlanders, werd de zaak overgedaan aan de dochter, die haar vriend in de keuken zette, en was het ook met dit etablissement gedaan.

Voor plechtige gelegenheden waar wij geen vreemden bij wilden, zoals de sterfdag van Erwin of de geboortedag van Chiara, gingen wij steevast naar Donati, ergens achter de villa waar Liszt of Chopin met Cosima of George Sand had overwinterd. Een tuin met grote pijnbomen op een grasveld, en binnen een reservoir met levende kreeften en andere vis voor de pan. (Wat men bijna overal ter wereld als kreeft – *aragosta* – krijgt voorgezet, is een ander beest, met grote scharen maar veel minder vlees: *astice*.) Er waren twee dingen die Chiara wel graag at, nee, eiste als we uitgingen: wilde eend en kreeft. Als het maar rood was. Ze at gevaarlijk, genoeglijk huiverend bij het idee dat de herkenbare dieren op haar bord zo-even nog geleefd hadden.

'En wie doet ons straks in de pan, papa?'

'Niemand: wij vormen het einde van de voedselketen.'

'Dat denk jíj!' Met dezelfde huivering at ze onze zelfgezochte porcini – er kon altijd een verkeerde tussen zitten. Ze koos haar eigen kreeften en droeg ze zelf naar de keuken, de scharen met een elastiek gesloten. Ik moest vertellen over de geheimzinnige legers van kreeften die in slagorde over de zeebodem enorme afstanden afleggen, niemand weet waarom. Worden ze aangevallen, dan stellen ze zich in een kring op naar Grieks legermodel. Voorop loopt de leider, die als hij moe is wordt vervangen door de tweede of derde man, en de rij wordt gesloten door een opduwer, die de zwakken en achterblijvers weer in het peloton moet krijgen. Met engelengeduld brak Chiara elk pootje van de wonderdieren af, kraakte het met de knijper en peuterde, dan zoog, het zoete vlees eruit. Geen sauzen, alleen wat stengels selderij en peen, gedoopt in olie met mosterd en peper. Het hoofdbrok uit de staart bewaarde ze voor het laatst. De rode pantsers van het schaaldier wilde ze meenemen voor haar heksenpannetje thuis. Ik trok er een bouillon van.

Een van de kinderen van Donati zat bij Chiara in de klas. De moeder was een aantrekkelijke dertiger die we elk jaar na de nachtmis mochten omhelzen. Haar bontjas hing open, ik sloeg mijn armen om haar heen in de stevige warmte daaronder. Diorissimo! Ze deed mij, misschien door de astrakanmof, denken aan Anna Karenina. Vader ontbrak op het appèl, en op een kwade dag voorgoed. Hij bleek al jarenlang verslaafd te zijn (nooit iets van gemerkt als hij de wijn hielp uitzoeken), werd afgerekend met een overdosis en is op een van de donkere bosweggetjes naar Fabbriche di Vàlico uit een rijdende auto gegooid. Restaurant gesloten, de weduwe met kinderen en achterlating van schulden terug naar het noorden.

Omdat we onze buik nu bijna vol hebben van de eigenlijk altijd eendere Italiaanse gaarkost (die eeuwige leugen van de Italiaanse streekkeuken!), gaan we nog één keer, buiten het seizoen, naar het Châlet, een houten gebouwtje, deels met palen op het water gebouwd, in Torre del Lago voor het landhuis van de eeuwige Puccini.

We hadden een roeibootje gehuurd om het rietmeer van Massaciùccoli te verkennen. Chiara was nog heel klein; ze droeg een zwemvest. Aan het eind van de middag, nadat we in de boot hadden gepicknickt en gezwommen onder het kroos – mijn ex en haar twee vriendinnen doken met de glanzende tieten van waternimfen weer door het oppervlak op –, gleed het oude bootje op eigen kracht toe op de wallenkant. Ik had Chiara's zwemvestje alvast losgeknoopt. Iemand stond op om het lijntje aan te leggen, een schommeling, en Chiara was met haar hoofd naar beneden overboord verdwenen in de modder. Ze bleef weg, terwijl wij elkaar verstijfd aankeken. Toen sprongen niet de ouders maar de twee vriendinnen overboord en viste Eva, degene met de mooiste borsten – gek dat je op zo'n moment nog daaraan denken kunt – de drenkeling aan een peuterbeentje omhoog. Ik dacht dat ze gestikt was – even blauw als op het moment dat ze geboren werd.

Als we derhalve in het Châlet gingen eten, was het niet om de kwaliteit van het voedsel maar omdat Chiara de plaats wilde terugzien waar ze, zoals ze volhield, een eerste keer gestorven was en weer was teruggekeerd uit de dood. Aan de binnenkant van het Châlet waren de muren beschilderd in fascistische stijl, met watervogels en eskaders watervliegtuigen in duikvlucht. We aten op het terras, dat uitkeek over het meer waarover het onweer kwam aandrijven. De zwanen zochten toevlucht onder de plankenvloer. Halverwege moesten we naar binnen verkassen; je hoorde de hagel op het zinken dak roffelen.

Het museum in de villa van Puccini blijkt gesloten omdat

de bewaarder er met de kas vandoor gegaan is: stichting ontbonden. De korte, boerse componist staat voorlopig nog wel op het grasveldje waar 's zomers de toeristen zich verdringen, met bronzen overjas en hoed. Maar opgepast: in de regentijd zakt hij elk jaar enkele centimeters dieper in het gras. Ordinaire componist, vervelende componist, vervelende opera's! Hier wordt, bij wijze van spreken, Walt Disney al aangekondigd, zeker in de soundtrack.

Het leek of alles in en rondom Lucca een laatste keer moest hebben. Nu was het Châlet te koop, het restaurant gesloten. We drukten onze neuzen plat tegen de vensters van het verleden.

Een hagelbui is zó voorbij. De stenen waren zo groot als knikkers. Chiara had er een schaaltje mee gevuld en in het diepvriesvak van de Opel gezet, voor toekomstig gebruik. De toekomsten van Chiara waren heel kort; 's anderendaags had ze haar belangstelling voor het aan elkaar geklonte hemelijs alweer verloren. De zon was achter de wolken aan gesneld en de velden dampten; kruiden en bomen geurden dat het een lust was, een wandelwoord.

De korte wandeling.

Wij hielden eigenlijk helemaal niet van bewegen en lichamelijke oefening. Mijn hele jeugd had ik geprobeerd de versnelde wandelpas van mijn vader door de duinen bij te houden. Chiara was nauwelijks een berg op te branden.

'Joggen is een soort belediging voor het proces van de evolutie. Wij zijn niet gebouwd om ons bovenmatig en onnodig in te spannen. Lichamelijke oefening is onnatuurlijk.' Aldus Nigella Lawson, moederheks tussen potten en pannen. Zolang het fornuis maar blijft branden. Luiheid en loomheid zijn karakteristieken van verfijning en beschaving, kenmerken van de weldenkende mens. Zodra de aap eenmaal rechtop kon lopen, wou hij niets liever dan weer gaan liggen. Het stomme en onnutte van een wandeling is dat je weer op dezelfde plaats terugkomt vanwaar je bent begonnen. Dat is tegelijk de enige bevrediging ervan: je komt weer thuis.

Gaan we de ene kant op of de andere, als dochter nergens heen wil? Om te bewijzen dat de aarde rond is, wat Chiara terecht niet geloven wou, gingen we aan de voorkant van ons huisje weg en kwamen er aan de achterzijde weer bij terug. Daarbij moest ik een beetje smokkelen, want ik hield het graag kort. In een rechte lijn van hier naar daar, het erf af tussen de uitgelopen wijnstokken en niet via het modderpad, over de greppel springen, langs de antieke grafstenen waaruit het water van de Oudheid sijpelde...

'Als je daarvan drinkt, vergeet je het verleden.' Chiara vulde het thermosflesje dat bij haar schooluitrusting hoorde.

'Bestaat iemand nog wel als je zijn verleden wegneemt?'

'Proberen?' We namen allebei een flinke teug en vervolgden een poosje zwijgend onze weg over het dichtgegroeide ezelpad onder langs de tweede heuvelberg in de schaduw van de dode vallei tot aan de vervallen watermolen, die wij het huis van de *drogati* noemden omdat er hakenkruisen op de muur gespoten waren en het teken van *white power*. In werkelijkheid waren het juist de *vu comprà* die daar soms sliepen, Somaliërs en Ethiopiërs die 's zomers op het strand en 's winters in de stad zonnebrillen, kralenkettingen en houten olifantjes verkochten.

'Ik heb geen verleden,' zei Chiara beslist.

'Hoezo niet?' Van mijn vader mocht ik nooit 'hoezo' zeggen.

'Waarom niet?' verbeterde mijn dochter mij. 'Omdat de dag van gisteren hetzelfde was als vandaag. Alle dagen zijn hetzelfde.'

'De tijd verstrijkt,' zei vader wijs en onwijs tegelijk. 'Morgen zijn we weer een dag dichter bij je verjaardag, en over zoveel dagen is het Kerstmis.'

'Dan heb ik toch gelijk, want elke Kerstmis is precies hetzelfde, net als mijn verjaardagen: niet leuk.'

'Maar je krijgt toch cadeaus, en elke keer weer *andere* cadeaus?' Nu liepen we door een drassig terrein waar weidechampignons groeiden, langs een betonnen geschutskoepel uit de oorlog waar de jagers in kakten, en daarna begon de klim tegen de derde heuvel op, die van Arsina. Chiara in een *singsong*-stem: 'Een cadeau is een cadeau is een cadeau is een cadeau... Een pakje met een strikje eromheen. Als je het openmaakt is het cadeau al weg. Een ding is een ding is een ding... Allemaal dingen, allemaal hetzelfde.'

Verbeten vervolgde ik mijn weg tot we in het gehucht neerstreken, tegenover het kerkje bij de altijd stromende dorpsbron. De koperen tuit was blauw uitgeslagen; het water smaakte naar metaal. Ik liet het over mijn nog gave polsen stroelen en bespatte mijn bezwete voorhoofd.

'Is er dan niets wat je leuk vindt?'

'Je zegt het zelf al, papa: *is er dan niets?*' Kinderen zijn nog niet aan Plato toe; ze leven in de wereld van de presocratici. Het was trouwens de titel van een van de 'liedjes van Laura'. Van hier keken we op de gelaagde heuvels terug, in *sfumatura*, tot we het dak van de villa konden aanwijzen. Dit was Toscane, waarvan de hemel een oceaan gelijkt. Het mooiste landschap van de wereld in mijn broekzak. Klein wisselgeld dat ik was gaan haten omdat je er niets voor kopen kon. Daarvoor had je de juiste papieren nodig, grote coupures waaraan het mij ontbrak. Ons geheime kasteel ging schuil onder de kruinen van de bomen. Ik had geen antwoord op haar vragen en heb geleerd dat je een vraag nooit met een wedervraag mag beantwoorden. Chiara vroeg altijd door. Waarom, waarom, waarom zijn de bananen krom? En wáárom valt de maan niet naar benêe? 'Ik denk punaises, maar ik weet niet of het waar is.' Was ik soms haar notaris?

'Als je iets niet kunt zien, ís het er dan nog wel?' Hoog tijd om terug te keren, ditmaal snel naar beneden over de weg, tot we vanuit een perenboomgaard de achterkant van ons huis aan het wc-raampje herkenden. 'De aarde is gelukkig klein,' zei Chiara. 'Ik was al bang dat we er tachtig dagen over zouden doen. Met één kleine veldfles voor de dorst.'

De grote wandeling.

Dezelfde als de kleine, maar dan iets langer en meer bedoeld voor actieve vakantiebezoekers die nog net geen bergen wilden beklimmen. Een heuvel verder en hoger, boven de klokkentoren van Cappella, nog mooiere getrapte vergezichten, van diepgroen via hardblauw naar grijs. Meer olijfbomen, wilde vruchten, fossielen en interessante mineraalgesteenten die uit een breuk in de bergwand puilden. De hardste verzameling van Chiara – hard in de zin van blijvende interesse en vrij van rot – waren haar wonderstenen.

De nachtwandeling.

Daar kwam je niet ver mee, met of zonder zaklamp. Een vriendin van een vriend van mij ging 's nachts even een luchtje scheppen, terwijl wij binnen bleven ouwehoeren onder het serieuze drinken. Dan vergeet je de tijd. Na een paar uur misten we haar pas. Amper enkele tientallen meters van het huis was ze in een kleine afgrond vol braamstruiken en ongedierte gestort. Van haar stem was niets meer over – zo lang had ze om hulp geroepen. Eén pump werd niet meer teruggevonden. Chiara, die nooit naar bed ging, had haar onfeilbaar de weg gewezen. De vrouw vertrok met de auto naar een fatsoenlijk hotel.

Mijn vriend en het kleine meisje stoeiden zó uitbundig in hun overwinning dat Chiara met haar kop tegen een rand van de kachel aan roetste. Het bloed spoot als een fontein. Er zat niets anders op dan dat wij met mijn auto heel voorzichtig naar het ziekenhuis koersten, daarbij een wieldop verliezend omdat we zo angstvallig rechts bleven houden langs de platanen. Met twee enorme kegels presenteerden we het bloedende kind bij de nachtelijke *pronto soccorso*. Ik was daar al bekend: de buikpijn van Chiara, een vals alarm van de buurman, een graat in mijn keel, een aanval van vertwijfeling die Aminta graag zag cureren... Toen had ik nog niet door dat ze een opname van mij als een *fatsoenlijke methode* beschouwde om van mij af te komen. Dit keer graag twaalf hechtingen, geen vragen. Een beetje vreemd keken ze wel: die vervloekte expats zijn tot alles in staat!

Het gebeurde in die tijd dat ik 's nachts in mijn grote bed plotseling overeind schrok. Zonder een vrouw in bed sliep ik eigenlijk nooit. Dat vond ik niet erg: ik luisterde via het immer open raam naar de nachtzwaluw en wachtte op de ochtendgroet van mijn uiltje in de dakgoot.

Het was niet omdat Chiara in de boomhut sliep en ik een veiligheidsrondje om het huis wilde maken met de staaflantaarn. Ik kon de boomhut makkelijk vanuit mijn slaapkamerraam in de gaten houden. Chiara en ik konden zelfs converseren, ik binnen en zij buiten: ze was altijd vlakbij. Nee, ik wist het zeker: geen verder uitstel – *nu* moest ik de buurman ombrengen! Ik had zijn oude *Tanfoglio* nog niet uitgeprobeerd: dan maar met gevaar voor eigen leven. In ieder geval zou ik Michelle en de kinderen een dienst bewijzen. De poppetjes die Chiara bespijkerde en daarna in brand stak, hadden hem alleen maar ziek gemaakt. Een keukenbrandje in de villa had ik nota bene zelf helpen blussen. Zelfs die domme Amerikaanse vlag die voor de doorgeslagen elektriciteitskast hing, was ongedeerd gebleven. Er moest bloed vloeien.

Ik kende het onveranderlijke ritme van het buurhuishouden. Om halftien werden Michelle en de kinderen naar bed gestuurd. Zij sliep in de afgelegen vleugel van de villa. Aan het verlichte keukenraam kon ik zien of Gigi nog wakker was en op de nieuwe televisie aan het speuren was naar een kanaal waarop iets meer van zijn gading werd uitgezonden. Ik kon toch niet slapen, al droeg ik na het jazzprogramma op RadioTre en het volkslied waarmee de zender sloot een aan mijn voeten ingeslapen Chiara naar haar meisjesbed boven en dekte haar toe. Ik had het idee dat de buurman en ik allebei zo lang mogelijk waakzaam en wakker probeerden te blijven. Hij kon vanuit het keukenraam het verlichte raam van mijn werkkamer zien – Chiara liet eigenlijk alleen de nachten voor mij over om te werken. Als ik de groene bureaulamp, waaronder Pitigrilli genesteld lag, uitknipte, wist ik zeker dat spoedig daarna ook het keukenlicht in de villa zou uitgaan. Dan lichtte korte tijd het badkamerraam op, en als dat uit was, kwam er nog even een zwak schijnsel door de halfopen gelaagde luiken van zijn slaapkamer. Lag ik in bed en knipte ik in de stille uurtjes het licht aan in mijn slaapkamer, waarvan het raam altijd wijd openstond, dan zag ik vaak dat ook het zachte licht vanachter zijn luiken weer ging branden. We hielden elkaar in de gaten.

Door het badkamerraam van de villa kon ik altijd naar binnen klimmen, maar een man in zijn slaap doodschieten, al was het met zijn eigen vuistvuurwapen, dat was mij te min. Hij moest wel weten wie hem naar het leven stond en ik zou hem graag nog even zien krimpen van angst. Ik zou een chirurgenhandschoen aandoen, en hem daarna zijn wapen eerlijk in de hand teruggeven. Maar wat zou ik dan tegen Umberto moeten zeggen, die in een kamer naast die van zijn vader sliep? Nee, ik moest hem naar buiten lokken: voor onraad kwam hij wel zijn bed uit. Gigi sliep licht.

Zonder mijn licht aan te doen en zonder staaflantaarn scharrelde ik vastbesloten over het verdomde knerpgrind onder zijn raam, liep om de hoek van de villa heen en morrelde aan de voordeur om hem uit zijn tent te lokken. De witplastic handschoen lichtte vreemd op in het donker. Geheel onverwachts – je schrikt juist als je anderen wilt laten schrikken – klapte het luik van zijn geheime jongenskamer op de begane grond open en stak de loop van het belachelijke jachtgeweertje naar buiten. Daarachter werd ik zijn witte slaapmuts gewaar. Giacomo Giannini sliep met een slaapmuts op! Ook die gewoonte heb ik overgenomen. *'Chi va là?'* Ik maakte mij bekend: 'Ik dacht dat ik iets hoorde hier...' Hij trok zijn wapen terug: 'Jij bent het maar. Ik hoorde ook iets. Gelukkig goed volk. Blij dat je zo waakzaam bent, dan kan ik weer gaan slapen. *Buona notte e sono.*' De luiken klapten dicht.

En voor de zoveelste keer droop ik verbolgen af. Zijn zelfverzekerdheid was groter dan de mijne, zoals we uit het schaakspel wisten. O, Balanda, bijna maar niet helemaal: ik zou nooit het toernooi winnen. Gediskwalificeerd. Wat nu? Hoe moest ik weer in slaap komen? Boek? Slaapmiddel? Zelfmoord?

Florence.

Zeventig kilometer over de A-11. Afslagen Capannori (die namen wij altijd om de autostrada op of af te komen – een tip van de buurman, want dat scheelde maar liefst negenhonderd lire aan tol), Altopascio, Chiesina Uzzanese (waar ik mijn rode DS gekocht had), Montecatini, Pistoia en Prato. Tussen die laatste twee plaatsen waren we een keer tot staan gekomen: alle groene olie weg – geen vering meer, geen stuurbekrachtiging, geen remmen. Ik belde bij een schoenenfabriek met mijn Citroën-garage in Lucca. Onmiddellijk kwamen de gebroeders Martellacci in een oude ribbelblikeend aangehobbeld om de wagen ter plekke te repareren. Italiaanse monteurs blijven de beste; ze zijn trots op de auto's uit hun stal. Moet je eens in Frankrijk met een oude Citroën een garage met het dubbele chevronteken binnenrijden! Daar kijken ze je weg – nog niet op de schroot? En zelfs bij de grootste autoslopers in het land van oorsprong is er geen onderdeeltje van DS of CX meer te vinden.

Ik hield niet van de hoofdstad van Toscane. Ach wat, die dubbelwandige koepel van Brunelleschi, de bronzen deuren van zijn concurrent Ghiberti! Alleen de naakte jongeling met hoed en laarzen van Donatello kon Chiara nog bekoren. Die kop van Michelangelo, een slaafje dat zijn hemmetje uittrekt, deed ons alleen maar denken aan een oude vriend, Tony Mascini – de eerste minnaar van Eefje, die dan ook dat hoofd, in tuincement verduizendvaardigd, in haar slaapkamer had staan. Het door Perseus afgeslagen hoofd van de Medusa van Cellini stemde Chiara tot nadenken. Zoals ook eerder in de Uffizzi de Caravaggio-kop van de Gorgonenzuster met slangen als haren. Een recent vlak bij het lelijke gebouw van Vasari ontplofte bom had dit portret vernietigd. In opdracht van de Poppenspeler had de maffia een nieuwe ontwrichtingstactiek bedacht: Italië te raken in zijn hart, de kunst.

Ik ging er eigenlijk alleen heen om de beroemde boekhandel in de Via Tornabuoni te bezoeken, Messagerie Seeber, of het Feltrinelli-filiaal in de Via dei Cerretani. Achter de dom was een winkel waar je kartonnen doosjes kon kopen, beplakt met Florentijns papier. Chiara spaarde deze doosjes; ze had er veel van nodig. De oude stad was vol rugzaktoeristen en junkies, bediend door infame pizzaketens. Waar veel toerisme is, worden eten en bediening slecht.

Dit keer hadden we een dubbele reden om naar de grote stad te gaan: ik wilde graag de net gerestaureerde schilderijen van Andrea del Sarto in Palazzo Pitti terugzien, en de Nederlandse Vereniging gaf een sinterklaasfeest, met diplomatiek ingevlogen haring en speculaas, waarmee ik dacht Chiara een plezier te doen.

Florence ligt altijd onder een smognevel en het is daar 's winters nog veel kouder dan in Lucca. De obers schijnen er geen last van te hebben, want die lopen in hun zwarte gilets op een wit overhemd ongedeerd over straat. Italiaanse huisartsen schrijven bij élk doktersbezoek, dus ook voor de lichtste verkoudheid of de kleinste voetblaar, antibiotica en slaapmiddelen voor, Tavor! Tegen de kou dronk ik *al banco* (staande voor de bar) een *china calda*, een bitter in een heel klein glaasje, warm gemaakt, met een flinke schep suiker en een citroenschilletje. Tegenwoordig overgenomen door Bols, net als *Cynar.* Chiara natuurlijk met de hand gemaakte *chottega* (géén *Ciobar* uit een zakje, wat ik u bidden mag: dat is gewoon bruin zetmeel), zo dik dat je hem lepelen moet, uit een witte kop. Perugina of Ferrero, *quand il faut le meillieur*: géén Van Houten!

Haring en speculaas: daarmee was de Nederlandse Vereniging wel getypeerd. Eens – om te proberen en niet asociaal te zijn – en dan nooit meer! De haring was bedorven, omdat de diplomatieke post door de vliegmaatschappij niet in de koeling was vervoerd. De kanselier had in de tuin van het consulaat een heel groot gat laten graven om zich heimelijk van de rauwe vis te ontdoen. Wat zijn dat toch een rare mensen, personeel van ambassades en consulaten, volkomen nietszeggend en saai, houteriger dan de Hollanders zelf, zonder ooit iets opgestoken te hebben van de vreemde culturen waarin ze worden gedetacheerd. Zo was het ook in Nederlandsch-Indië gesteld met de bestuurlijke en justitiële ambtenaren. En als je iets van ze nodig hebt, niet ingewikkelder dan een vers stempel voor je paspoort, treden ze je terughoudend en argwanend tegemoet, alsof je een gevluchte misdadiger bent. Het verbaasde me niet dat ze van de literaire cultuur in Nederland niets wisten. Het blonde, volslanke vrouwvolk ziet eruit en praat als KLM-stewardessen uit de jaren vijftig.

Toch hebben deze mensen nog manieren en enig uiterlijk fatsoen, vergeleken bij de patjepeeërs die voor het overige de ledenlijst van de Vereniging vullen. Zakenmensen, handelaren en vertegenwoordigers in double-breasted pakken of blazers met gouden knopen en een vulpen in de borstzak, snel geneigd hun visitekaartje te trekken, zonder enige dan de platste conversatie. Over vreemd Italiaans eten, rare Italiaanse gebruiken, de vermeende lichaamsgeur van Italiaanse vrouwen, maar vooral over geld, belastingen, auto's, golf en geld. Te veel drinken, te hard lachen, te joviaal, te veel ringen om de vingers, te dikke opgetuigde echtgenotes – van alles wel te veel, behalve smaak of stijl. *Elsevier* en *Telegraaf* – nog nooit een Italiaanse krant ingekeken, ze wisten werkelijk niet waarover het hier ging. Het beste wat ik van ze zeggen kan, is dat de Nederlandse Vereniging van de Franse Côte nog platter is: erger karikatuur van een volstrekt verouderd en reactionair Nederlanderschap zou zelfs de VPRO niet kunnen bedenken. Die mensen leven in rigoureus beveiligde en afgeschermde enclaves van plaats én tijd. IJdele hoop te denken dat BZ iets aan cultuuruitwisseling zou kunnen doen; het gaat alleen om zaken en onfrisse poen. En in de 'culturele' instituten te Florence en Rome? Gratis studentes neuken, met of zonder instemming. Houzee!

Een van de keren dat ik slaande ruzie met Chiara kreeg, ontstond naar aanleiding van zo'n verrukkelijke kop chocolade. We waren op weg naar het vliegveld van Pisa, waar het Ummetje nog eenmaal moest worden verzonden in een vliegtuig naar het noorden door de nacht – ijzig koud en eenzaam daarboven, tussen de sterren en de sneeuwtoppen van de Alpen: vandaar natuurlijk dat ze chocola had besteld toen ik even gauw sigaren wou kopen en een espresso drinken voor de zenuwen.

Een Italiaanse bar loop je in en weer uit. Wat je ook drinkt, maar meestal zal dat een espresso zijn, je slaat het in één slok achterover. Niemand blijft aan de bar hangen. Geen mens denkt erover te gaan zitten, als er al tafeltjes en stoelen zijn – vandaar die verwarring altijd onder toeristen: die komen juist om even uit te zitten met hun zweetvoeten, weten zij veel wat koffie is.

Maar de gloeiende, stroperig dikke chocola van Chiara was

niet een-twee-drie weg te werken, en we moesten gvd haar vliegtuig halen. Ze weigerde halsstarrig de helft te laten staan. Buiten kreeg ze een flinke draai om de oren. Toen wilde ze weer wel snel naar het vliegveld; haar eerdere traagheid was opzet om het tegendeel te bereiken. De vader ziet kinderliefde voor obstructie aan. Die oorpets doet nog steeds pijn.

Overige excursies.

In Pisa wilde Chiara het *Campo delle Meraviglie* zien, omdat ze geloofde dat Pinocchio daar op het wonderveldje (*Campo dei Miracoli*) de vijf goudstukken had begraven. Men maakte zich destijds nog zorgen hoe het verzakken van de klokkentoren tot staan kon worden gebracht. Ik meer hoe haar tegen te houden als ze zich aan de lage kant te ver over de balustrade boog om muntjes en vogelveertjes naar omlaag te gooien. Dat de aarde draaide kon Galileo op deze wijze onmogelijk hebben aangetoond; mij draaide het binnen de schedelpan. Bij maanlicht, als we 's nachts naar het vliegveld moesten, was het ommuurde veld, zonder toeristen, betoverend. Ook als de maan niet schijnt: kerk, toren, fluisterbaptisterium en kerkhof worden kunstmatig verlicht.

Nee, dan over de saaie Pesciatina, ss-435, naar Collodi! Voor Chiara konden we niet vaak genoeg naar het geboortedorp van Pinocchio. *Vita, morte e miracoli* – we wilden álles van Pinocchio weten, we wilden alles Pinocchio. Op het laatst was iedereen Pinocchio. De herberg daar heette vanzelfsprekend *il Gambero Rosso*, waar de twee rovers, op kosten van de marionet, alleen de oudste wijnen, het malste vlees en de fijnste taart konden verdragen; een joekel van een villa in een goed onderhouden tuin; het minuscule dorpje zelf met spelende kinderen op straat tussen het wasgoed; en dan het enige speelpark ter wereld dat mij niet met walging vervult. Een of twee simpele schommels, een wip, ligusterlabyrint. Maar waar het om gaat, is het *percorso*, dat via een reeks niet slecht uitgevallen bronzen beelden het verhaal van de pop die een jongen moet worden op de voet volgt. Hoogtepunt van het traject was voor Chiara het torentje, met raampjes van dik flessenglas waardoor je net niet naar binnen kon kijken, van het dode meisje met het blauwe haar. De *fata*, onbereikbare vriendin en moederfiguur.

Voor Chiara was dit parcours een *rite de passage*, ze kwam er gelouterd uit, en elke keer was ze een beetje méér geworden wat Umberto vond dat ze niet was: *un ragazzino per bene*. Dat hij met zijn kleuterpiemeltje daarbij dacht aan het ontbreken van hetzelfde geslachtsaanhangsel bij zijn speelkameraadje, ontging Chiara gelukkig. Zíj had de tekst wel goed begrepen. Van wild, ongetemd holenmens en meisjesdier, moest ze, dacht ze, een keurig meisje worden, gehoorzaam en niet altijd boos. Ook al zou ze nooit ofte nimmer de stoute voorafgaande avonturen van haar mythische speelgoedheld willen missen.

Neem bijvoorbeeld speelgoedland, het Land van Kokanje: als kind had het mij aldaar een hel van verschrikkingen geleken. Daar draait het in Carlo Collodi's Toscaanse *Odyssee* ook op uit: kinderen die alleen maar spelen en nooit leren, veranderen vanzelf in ezeltjes; de ezeltjes worden in het water geworpen om de huid te looien en daarna wordt die huid gebruikt als trommelvel voor tamboeren. Het dal van de Arno is het gebied van de onreine leerlooiers. Het stinkt er nog steeds geweldig.

Nooit had ik mij als kind op de kermis gewaagd, waar groepjes slome gabbers geduldig achter paartjes sloerige meiden aanliepen, tot ze hen in het donker konden 'grijpen'. Dat heb ik dan gemist, besef ik nu. Na één keer in een circus, waar ik onmiddellijk verliefd werd op het circusmeisje aan de trapeze, te paard en tussen tijgers, durfde ik daar nooit meer heen. Ooit zou ze misgrijpen en naar beneden vallen, van het steigerende paard worden gegooid, door een oude, valse Shere Khan besprongen.

Het zigeunerveldje achter de Borgo Giannotti werd twee keer per jaar ontruimd om plaats te maken voor circus of kermis. Terwijl uit de open woonwagens nog kleuters, wasgoed en auto-onderdelen puilden, kwamen twee spuitwagens van de brandweer en werden de kranen opengezet, onder gejoel en gekrijs van vrouwen en kinderen. De minderheid van mobiele zigeunermannen kwam traag in beweging om de verjaarde Mercedessen aan te koppelen en de caravans weg te slepen. Waarheen? Toevallig wist ik dat.

Ooit waren wij met de auto verdwaald boven op de Monte Pisano. De bosweggetjes werden zo smal dat keren niet meer mogelijk was, de avond zo snel donker dat Chiara vreesde voor ons leven – ze had eenzelfde neiging als Hasting om de kleinste tegenslag tot mythische proporties van noodlot en onheil te vergroten. Toen schemerde plotseling, tussen de dichte bomen, het warme schijnsel van een houtvuur op een open plek, die was afgezet met een rommelige cirkel van oude Mercedessen en woonwagens.

'Daar heb je de kolenbranders,' zei ik tegen mijn dochter.

'Nee, papa, nee! Rijd alsjeblieft door. Hier niet stoppen!'

Met Chiara heb ik geen evenement overgeslagen – we hebben het niet over voetbalwedstrijden of de processie van het Santo Volto op 6 september. Dario Togni, telg van de beroemdste circusfamilie in Italië: Chiara was op slag verliefd. Zijn optreden in pantervel, staande op een door de piste rondrazende neushoorn met een luipaard over zijn schouders gedrapeerd, gaf de doorslag: ze moest en zou hem spreken. Na de voorstelling, waarbij slechts enkele rijen in de tent onder de regen bezet waren, bleven we tussen de wagens rondhangen.

Circussen moeten zielig zijn, dat is de hele kick; de circusfamilie uitgeput en gebukt onder de schulden, de dieren doodziek met luizige pels en onder de slaapmiddelen; van de twee ingehuurde Argentijnen die op het koord over elkaar heen wilden klimmen, was er een naar beneden gevallen en in een ambulance afgevoerd. Aan het eind van de voorstelling bleek dat alle andere rollen, in verschillende kostuums, door een handvol broers en zusters waren vervuld. De oude vader, die in dwarsgestreept shirt met *canottiera* een beverige imitatie van Charles Trenet had gezongen, bedankte voor het aarzelend applaus, en noemde zijn kinderen nog een keer bij naam: Lydia, Dario, Emilia en Benito, diepe buigingen, te veel en te lang, tot Dario de held naar voren stapte, zijn arm om zijn vader sloeg en riep: '*La mamma!*'

Roffel op de trom, tot de drummer het niet meer uithield en opnieuw moest beginnen. Daar kwam een heel oud vrouwtje de piste in lopen, de clownsmond amper schoongeveegd. Ze wankelde op haar benen, eerder van drank dan ouderdom, twee fladderende papegaaien op de schouders, en blies kortademige kushandjes in het publiek. Opnieuw strekte de in pantervel geklede zoon de arm van een Romeinse (of fascistische) gladiator uit, stak zijn kin naar voren, en riep trots: '*Eccolà: mamma!*'

Onmiddellijk werden de spotlights gedoofd, om ons voor erger te behoeden. Chiara huilde; mijn ogen waren vochtig. De tent liep leeg. Druilregen. Op een van de wagens zagen wij het opschrift: *I fratellini.* Ik probeerde Chiara mee te trekken, maar zij rukte zich los, rende het trapje op en wierp zich tegen de deur, met haar vuisten tegen het hout bonkend. De deur ging open en in de verlichte opening verscheen een elegante man in regenjas met slappe borsalino en een zonnebril op. Uit zijn mondhoek bungelde een sigaret. Chiara deed een stap achteruit om hem beter in zich op te kunnen nemen en zei toen met vaste stem: '*Sei grande! Meravigloso! Dal mio cuore piccolo ti voglio tanto bene!*'

Geroutineerd trok hij een reeds voorgesigneerde foto uit zijn binnenzak en gaf haar plechtig een hand. In het zwakke licht van de autoplafonnière bekeken we de zwart-witprent.

Met viltstift stond daar zwierig op geschreven: *Benito Togni*.

Op de kleine kermis waren we sneller uitgekeken. Noga en suikerspinnen moest Chiara niet, hoogstens een vers gefrituurde *frate* – een soort oliebol met een gat in het midden. Eén attractie was de moeite waard. Niet meer dan twintig personen werden na betaling toegelaten in een donkere container, waarvan de deur vervolgens dichtging. Pikkedonker. Dan verscheen, op een klein podium in een schaars verlichte traliekooi, een meisje op leeftijd in bikini, dat wulpse bewegingen maakte. Langzaam groeiden er lange zwarte haren op haar benen, op haar armen, op haar borst, tot ook haar gezicht veranderd was in dat van een gorilla. Begrijpen hoe of ze dat deden, kon je het niet. De transformatie was totaal. Maar eenmaal een aap, begon het dier vreselijke kreten uit te stoten en aan de tralies te rukken. Met een vuurwerkeffect knapte de kooi open en sprong de mensaap in de menigte, die gillend door de inmiddels opengezette deuren een goed heenkomen zocht.

Op de kermis won ik met schieten gemakkelijk de hoofdprijs: een grote chemiedoos. Retorten, een bunsenbrander, reageerbuisjes, buretten en pipetten, een microscoop, een kikker en cicade op sterk water om te ontleden en enkele stoffen die met elkaar onschuldige reacties konden aangaan, zoals rookvorming met de stank van bedorven eieren en lichte ontploffingen. Een wetenschappelijke aanvulling van Chiara's alchemielaboratorium, die echter liever met eigen vuurtjes, blikjes, potjes en doosjes werkte. Ook met andere ingrediënten, meer uit het wild, smeriger, stinkender en bloederiger – even onschuldig, naar het zich liet aanzien. Ze was zich er nog niet van bewust dat de belangrijkste chemische krachten in haar hoofd werkzaam waren.

Het mooiste nummer was de steile wand. Een ouwe baas, voortdurend in de weer met Engelse sleutels, verse bougies en ouwe olieblikken, voerde de leiding. Hij had twee schoffies onder zich en een wild meisje in suède bikini met lange slierten aan haar behaatje en suède laarzen. Drie ouwe motorfietsen van het merk Moto Guzzi, verbouwd, opgevoerd en versleuteld. Ze hielden zich afzijdig van de overige kermisklanten. Kwam er een *pantera blu* van de politie langzaam het terrein op rijden, dan werd de voorstelling afgelast en de tent haastig gesloten. Nou ja, een recht vat van gekromde houten planken, dertig meter in doorsnee en vijftig hoog. Het publiek wordt via een buitentrappetje naar de bovenrand gebracht, waar het over een balustrade naar beneden kan kijken. Dat was al eng genoeg. Voordat het zover was, werd de goesting opgevoerd door het afwisselend laten loeien van de motorfietsen aan de grond, buiten de wand. Veel rook en de heerlijke geuren van benzinedamp en verbrande olie. Door handmatig van voor- op na-ontsteking, een handeltje aan het stuur, over te schakelen, lieten ze de helse machines keihard knallen. Dit was voor liefhebbers. Dit was voor ons.

Toen ik zestien was, had ik een blauwe maandag een Indian bezeten, die ik van mijn vader fluks moest terugbrengen om te verhinderen dat ik erop ging rijden. Wel scheurde ik over de bochtige Zeeweg, waar toen nog geen snelheidsbeperkingen golden (wel het allerkinderachtigste wat een regering de onderdanen kan opleggen: je legt aan paarden en vliegtuigen toch ook geen snelheidsbeperking op!), zonder helm (ook nog niet verplicht, gelukkig: ik heb een mooie jeugd gehad) op de BSA, de Norton en de Matchless van mijn broer, die dienstplichtig in Gilze-Rijen gelegerd was. Hij heeft nog steeds een antieke Harley-Davidson, 1250 cc. Zoveel cilinderinhoud hadden de eerste auto's van mijn vader amper. Mijn psychiater heeft een Liberator in de schuur. Laura had een Moto Guzzi bereden voor ze met het oog op de politieke gezondheid aan de racefiets ging (in badpak langs de Amstel). Zelda had míjn racefiets geërfd en was daarop al eens ernstig verongelukt. Chiara had nooit op meer dan een houten driewieler met rode wielen voortgeploegd, maar zij was eveneens gesteld op snelheid.

'Harder, papa, harder!' zei ze als ik aan het stuur van een van de DS'en zat. Maar in de auto ben ik nooit verongelukt, wel in de liefde, keer op keer.

Buiten de steile wand was een stellage waarop een van de motorfietsen stond, met draaiende wielen. Het bikinimeisje nam daarop stoer en wijdbeens plaats, terwijl ze aan een flesje bier lurkte. Vader verkocht. Dochter die dat ook wel wilde. Het motormeisje liet de toeren van de trillende machine onder haar slipje hoog gieren. Dit was het voorspel. Eenmaal op onze plaats zagen we hoe de voorstelling begon. De eerste jongen cirkelde op zijn motor omhoog, tot die horizontaal tegen de wand cirkelde, soms zo hoog dat we hem hadden kunnen aanraken. Daarna kwam de tweede jongen, en uiteindelijk, in een daverend geluid, de motorprinses op de derde. Maar zij reed tégen de twee jongens in. Ze passeerden elkaar rakelings. Als hoogtepunt ging het drietal staan, en lieten ze het stuur los, de armen hoog in de lucht. Het was ongelofelijk!

Gevaar is een ingrediënt van schoonheid, zoals snelheid dat is. Vrouwen die snel bewegen zijn onweerstaanbaar. In combinatie met hun luie, lome, languissante houdingen wanneer ze zich niet bewegen. Dat wist de ouwe baas, een soort Tinto Brass, die in zijn films altijd een bijrol vervult waarin hij zijn Oost-Europese modellen bepotelt. De futuristen wisten, in navolging van D'Annunzio, dat snelheid opwindend was, net als de Franse *Hussard*-schrijvers uit de jaren vijftig, die zich allemaal hebben doodgereden in een sportauto. Idem de *young American heroes*, op een motorfiets – bijna was het Bob Dylan gelukt.

Uit.

We sloegen nauwelijks een voorstelling van de openlucht-bioscoop achter de Torre delle Ore over. Die begon om tien uur 's avonds als de nachthemel nog licht was. Daarna, inmiddels middernacht, ijs met bosvruchten op het enige terras waar je kon zitten als burger van de stad, Café Pult. Aminta nam een *White Fanny*: een reuzenglas met ijs, waarover, bij beetjes, een hele fles champagne door de slinkse ober werd uitgeschonken. Zij had een *dark fanny* – vaak zijn de schaamlippen van meisjes, over het schaamhaar hebben we het niet want dat is inmiddels op mijn initiatief afgeschoren, donkerder dan hun overige huid. Voor de rest was Aminta blank. Ook Chiara wilde nooit bruin worden. Hun lichamen lichtten wit op in het zomerdonker. Hun tanden, als ze lachten, het oogwit rond de bruine irissen, haar slipje als ze haar benen over elkaar sloeg.

Hasting, die iedereen uit de kunstwereld kende, nam ons mee naar elk concert en elke opera, naar elk festival dat in Toscane wordt gegeven, in de baroktheaters, in de subtiel uitgelichte Franse tuinen van de grote villa's (een schitterende *Apollon Musagète* herinner ik mij van Strawinsky), in kloosters of tussen de olijfbomen (*Orlando Furioso*) in het overigens verlaten binnenland. Ik werd altijd op de zangeressen verliefd. Wat is een opera als je niet op de *prima donna* verliefd kunt worden? Chiara verdween na afloop in de kleedkamers om de zangers aan te spreken. Ze vereenzelvigde zich met Rosina uit de *Barbiere* van Rossini. Afgezien van de mij te officiële muziekdagen in mei van Florence weerklonk heel Toscane in de zomernachten van verliefde zangstemmen met spumante na.

Ik herinner mij de geur van elke afzonderlijke straat in Lucca. Bij ochtend, in de namiddag en 's nachts: belangrijke verschillen. Ik herinner mij de geuren en de bochten en de bomen en de bergen langs de lanen en wegen die straalsgewijze van de stad wegliepen, op verschillende tijdstippen, in alle seizoenen, met steeds andere vriendinnen in de auto, met Chiara, of uiteindelijk alleen. Ook voor mij alleen geurt Toscane nog, in de herinnering.

Ik herinner mij, maar hoor ze niet meer, de keiharde cicaden in de pijnbomen rondom het zwembadje van Mutigliano, vlak bij ons huis. Chiara had daar zwemles van instructrices met blond engelenhaar, en verzamelde pijnboompitten, waarvan haar handen zwart werden. Aminta dook en zwom de lengte van het bad onder water, tot ik dacht dat ze wel gestikt moest zijn; Laura (aan wie ik eerst had moeten uitleggen dat ze hier niet haar bovenstukje af kon laten) nam duik na duik, droogde op, smeerde zich in en nam een nieuwe duik, voor ze haar hoofd met het natte krulletjeshaar in mijn schoot legde. Glazen Campari op het tafeltje, een asbak en sigarettenpakje, de zonnebrandflesjes, het verfomfaaide boek van generlei kaliber dat ze wou lezen, zonnebrillen op en af: Ray-Ban, Dolce & Gabbana. De slechte vader, de mislukte minnaar, smeerde haar in waar ze niet bij kon en bleef onder zijn *ombrellone* met een boek waarin hij geen woord voorwaarts kwam.

Chiara sloot vriendschap met een mannelijke pornoster in pose op de zwembandrand, die een geweldige adelaar op zijn schouder getatoeëerd had. Zelda bracht extra snelheid met haar zwemvliezen, waarvoor de lengte van het bad eigenlijk te kort was. Ze deed radslagen onder de bomen, en kon een dubbele salto maken vanaf de duikplank. Zij droeg geen bikini maar een zwart racebadpak. Zelda had geen zonnebril nodig: zij was zo blank dat ze het licht van midderdag in haar ogen ving en teruggaf in plezier. Want we gingen altijd op het heetst van de dag, wanneer de andere Italianen aan tafel zaten en wij het zwembad bijna voor ons alleen hadden.

Ik ben sinds mijn vroege jeugd altijd gevallen voor zwembadmeisjes, hun lippen blauw van de sliertdrop: nog steeds zwom ik tussen hun benen door. Sims krijgen voor zwemmen extra punten voor lichamelijke vaardigheden. Bravo: stalen billen en een buik als een wasbord. Dat hadden mijn vriendinnen, alle punten. Het zijn de E-types onder de meisjes.

Soms mocht Umberto met ons mee: hij droeg een zwembrilletje en oordoppen en mocht niets eten voordat hij in het water ging. Italianen denken dat je onmiddellijk sterft als je na een sandwich of een ijsje in het water duikt.

Wij kregen vroeger één keer per zomer één wafelijsje, terwijl de tinkelbel van de trapfietsitaliaan in augustus bijna elke dag in onze straat klonk. Ik had aan Chiara voor twee dingen geen limiet gesteld: het aantal ijsjes dat ze kon verorberen en de boeken die ze wou kopen. De kinderboekenwinkels aan het Spui en langs de Rozengracht werden door haar geplunderd wanneer we in Amsterdam op vakantie waren.

Soms zwommen we in zee; dat wil zeggen dat we voor één dag twee ligbedden en een parasol huurden in Viareggio en onze glazen in het zand begroeven. Veel vaker zetten we de auto plotseling aan de kant, kleedden ons uit en doken in het riviertje of de poel die zich onverwacht aandiende. Naast Chiara kronkelde een waterslang mee. Laura zwom altijd zonder topje; Chiara en ik geheel naakt omdat we er niet op voorbereid waren. Na afloop zat Laura zonder slipje onder haar kleren in de auto. Terwijl de rest van haar huid al opgedroogd was, maakten mijn vingers haar daar weer nat.

De auto was deel van het gezin. Als we hem nodig weer eens op de staart moesten trappen, nadat we hem wekenlang vertroeteld hadden op het erf, vetgemest met schildpaddenwas, tectyl, rubberversoepeleraar en spuitolie, dan reden we met ramen open en een picknickmand achterin de bergen in. In navolging van Zelda en Aminta probeerde Chiara met haar blote hieletjes het dashboard te bereiken. O, die mooie voetjes van een kind! Ik kon ze wel opvreten. Ik nam ze eindeloos in mijn hand om te masseren. Dat deed ik ook bij de vriendinnen. Ik zoog de tenen in mijn mond, en likte het zweet en zout daartussen. Chiara moest giechelen, de anderen gingen ervan kronkelen en zuchten.

Chiara had een bandje gemaakt met 'De liedjes van Laura' ('My Baby's Got Hairy Legs') en eentje 'Huilen met Zelda' (smartlappen van Mordechai Gebirtig); Steve Lacy mocht ook soms ('Sleeping Song'), meestal als ze iets van me moest. Bijrijders in de auto denken áltijd dat zij vrijelijk de beschikking hebben over de autoradio.

Bergen, jazeker, die vreemde, onbekende streek ten *** van Lucca, met zijn steile passen, haarspeldbochten en smalle bruggetjes, was voor mij een miniatuur van de Hindu Kush. (Zo is in Zuid-Toscane, bij Arcidosso, een boeddhistenkolonie gevestigd waar Hasting soms naartoe ging als hij geen onderdak had en tot rust wilde komen, en dat *Little Tibet* wordt genoemd.) Het was alsof we terugreden in de tijd. Tussen de beboste heuvels kleine landjes met soms een eenzaam paard; grote houtmijten naast elk dikwandig uit natuursteen opgetrokken huis met kleine raampjes; minuscule akkertjes; braakland en wijde rivierbeddingen vol grote zwerfkeien als een morene; diepe kloven waarover soms een cementloos boogbruggetje uit keien opgetrokken was; enorme vergezichten over niemandsland; heuse rotspieken in grillige vingervormen, waarachter de winterse middagzon rood wegzakte.

In onze tijd heerste daar nog de armoede van de verslagen asmogendheid, en wapperde in elk dorp wel een rode vlag uit een morsig koffiehuis van de partij die het voor de landarbeiders had opgenomen. Zonder veel succes; de mensen waren tevreden met hun pecorino en wrange wijn, met de abrikozen, perziken en peren van hun kleine boomgaarden. Geen industrie, ook niet voor toeristen. De ogen van de enkele in vest en hoed geklede boer langs de weg, machete in de hand, volgden verbaasd onze schicht. Geweldige kerkhoven, zoals in het goddeloze dorp Tereglio, waar geen steen een kruisteken droeg en de koperen crucifix naast de kerk vervangen was door een beeld van Dante waar telkens de bliksem in sloeg. Ik wil geen namen noemen: wij beschouwden dit gebied, tot aan Piazza Serchio, waar de rivier ontspringt die niet dóór maar met een boog óm Lucca heen stroomt en bij het al even verlaten Migliarino in zee uitmondt, als onze geheime achtertuin.

In Valdottavo was de hele mannelijke bevolking besmet met het HIV-virus, omdat een van de dorpsschonen, die graag bij haar familie terugkwam om van haar roem te genieten, carrière had gemaakt als soubrette bij de nationale televisie. Nu wist iedereen daar hoe het er aan het adres van de RAI aan toeging, Viale Mazzini 14, en tegelijk wat de 'tevreden mannen' van het gehucht – van héél Italië, wat dat betreft – eigenlijk willen. Wat alle mannen van de wereld willen.

Een van de reisdoelen voor een picknick in de sneeuw was het heiligdom van de Madonna della Guardia, boven de duizend meter. Dat Bagni di Lucca langs de route lag, wisten meer mensen; voor mij was het kuuroord bedorven door het verblijf van de malle veelschrijver Couperus: *Aan de weg der vreugde* – tja! Geen vent, veel vorm. Een heel smal bruggetje, waarover maar één auto tegelijk kon, voerde naar de overkant van de rivier, via een tunneltje waardoor de DS slechts met centimeters speelruimte kon passeren. Zo reden we naar het tussen diepe kloven hooggelegen Barga.

'Hier begint...'

'Ja, papa, dat vertel je me elke keer. Maar dat theatertje komt nooit meer uit de steigers en jouw boeken verkopen toch niet.'

Rond kersttijd was het hele stadje, met de opgaande kronkelstraatjes naar de wit-Romaanse dom, één grote, levende kerststal. Op het terrein van de enige garage stond een twintigtal Morgans geparkeerd met Nederlandse nummerplaten. Een geheim dat je aan niemand vertelt, bestaat niet; een geheim dat wordt doorverteld, verliest alle kracht. Dan was er, hogerop, een flink stuwmeer waaruit nog de punt van een kerktoren omhoogstak: Vagli di Sotto. Er was een jaar dat het meer was leeggelopen, en wij op de bodem tussen de in de steek gelaten huizen van het spookdorp konden lopen. Terug over het diepe verlaten weggetje langs Fabbriche di Valico, een onwerkelijk streekcentrum voor een omgeving van niks. Er was nauwelijks een bar; niks dan ons gevoel voor avontuur en bezit. Met dit heel weinige waren wij tevreden. Venetië kun je je niet toe-eigenen – dat is publiek domein, zoals Florence, Siena, Pisa en zoals ook Lucca aan het worden was. Op den duur zouden al die steden hun derde dimensie kwijtraken en alleen nog als decorwand in het platte vlak bestaan. Dit gebied sloten wij daarom voor vreemde blikken weg in ons hart. Vroeg iemand ons: 'Waar is dan dat wonderland?' Dan zeiden wij: 'De Garfagnana? O, dat is niks, een achtergebleven uithoekje. Niet de moeite waard. Lijkt helemaal niet op Toscane.'

De gele weg van Lucca naar Camaiore. Daaraan was onze afslag naar Arsina gelegen. Die weg bereden we het vaakst: eerst langs Capella, waar beneden langs de weg een bar was om op zondag sigaren en een krant te kopen (*Il Sole 24 Ore*, met de beste kunstbijlage ter wereld, *la domenica*), tussen de paar fabrieken door in San Martino in Freddana, langs een notenbomenbos en de afslag naar Orbicciano (geheel ongevoelig merkte Laura op dat ze daar eens een geweldig feest had meegemaakt – ik wilde er nooit meer heen), het forellenrestaurant diep langs de rivier die het daar 's winters ontoegankelijk maakte en 's zomers deed wemelen van de muggen (Hasting had er een voorkeur voor), langzaam omhoog tot Montemagno, en daar in de diepte openbaarde zich in alle glorie het dal van de Romeinse stad Camaiore, scherpe haarspeldbochten naar beneden. Een intens groene weg, zowel op de kaart als in het echt. We kenden elke bocht, elk huis, elke berg, bijna elke boom langs deze wonderroute: *du côté de chez Sandra*! Dat was onze vriendin, die in de villa van haar Duitse *exil*-uitgeversvader woonde met haar vriend en de wolfshond Tachazoute. Het paar kwam uit Bentveld, de buurt die ik nog kende uit mijn jeugd als wandeldoel van mijn vader. De hond uit Marokko of Mauretanië. Sandra was een 'witte heks', wel met rood haar, die alle mogelijke therapieën en diëten bestudeerde om een gezondheid terug te krijgen die ze anderszins met drank en drugs aan het verwoesten was. Hij Lodewijk de Veertiende in de vermomming van een Haagse onderwereldkunstenaar. Wij waren daar altijd welkom, ze vormden ons vangnet. We kregen schuimige pompoensoep.

Bij Camaiore hoorde ook Pietrasanta, beeldhouwersdorp, met lelijke buiken van Botero op de pleinen – de Zuid-Amerikaan was hier zijn zegetocht begonnen, net als de Noord-Amerikaanse zwendelaar Harry Jackson, die minstens zo schatrijk geworden was met levensgrote en -echte kopieën van John Wayne. Er waren ook Duitsers en veel drugs. Ik had een foto van mezelf, genomen lang voordat Chiara geboren was, onder de luifel van Bar Chiara aan de Piazza Michelangelo. Die beeldhouwers kwamen hier hun marmer halen. De groeven kleuren 's nachts de toppen van de Apuaanse Alpen wit, alsof er altijd sneeuw op ligt. Warsteiner bier (*die Königin der Biere*) en Bitburger (*Bitte ein Bit*) wordt er geschonken. Jongere generaties in Italië drinken allang geen wijn meer – de Chianti Putto van de Colline Lucchese was ook niet te drinken. Schaaltjes olijven, chips en zoutjes, bladerdeegkoekjes met ansjovis gevuld en warme reepjes focaccia hoorden daarbij. Hier had ik *caffè affogato* ontdekt: een hoog glas met één bolletje ijs en een warme caffè doppio eroverheen. 's Avonds dronk ik op het terras rode martini met ijs of een Manhattan, twee, drie – je proeft daarin geen alcohol.

Achter de villa van Sandra lag een grote tuin, waarin enorme barbecues werden aangericht, voor vrienden en bekenden, Fransen, Engelsen en Hollandse familie, popzangers, ontwerpers, restaurateurs en uitgevers: een wonderlijk gezelschap dat elk jaar daar bij elkaar kwam en van wie iedereen wel in de kunst zijn sporen had verdiend of zulks ambieerde. Ze waren ook allemaal sportief, beklommen de Monte Patana, die met zijn overhangende top achter de tuin oprees, en doken daar dan weer vanaf met een glider. Een bezig en druk volkje in ons kalme, eenzame bestaan. Een hoge concentratie van talent, excentriciteit, gelukkig familieleven en substantiemisbruik. De Italiaanse *forza* – waar waren die uniformen toch bang voor? – had al eens een veldje met wiet omgeploegd in de kruidentuin. Hoe het met deze mensen afgelopen is, weergegeven in versnelde filmplaatjes, kan ik niet zeggen: zij blijven altijd hetzelfde en moeten ook zo blijven.

De rotspoel mag ik eigenlijk niet noemen: Sandra's grootste geheim. Je moest eerst worden ingewijd en geheimhouding zweren. Ergens op een heel smal weggetje omhoog naar een van de marmergroeven, langs de onzichtbaar in de diepte ruisende Fiume Serra, bij de zoveelste telegraafpaal, of liever iets verderop, parkeer je de auto. Je duikt het bos in van de kloof, over een nauwelijks zichtbaar pad, dat onbegaanbaar en gevaarlijk is wanneer het pas geregend heeft, en moet dan niet verdwalen. Een wandeling van wel een halfuur, over kloven, tussen grotachtige steenformaties door, langs en door de ruïnes van een watermolen, tussen zwiepende takken en stekelige bramen: daar sta je voor een klein wonderlandschap. Tussen de hoge kale rotsen ligt een diepe, doorzichtige poel, met ijskoud water, waarin een kleine maar krachtige waterval uitstroomt.

Dit was oorspronkelijk een plek van verkoeling voor de marmerhouwers uit de groeven, en later voor de beeldhouwers, die eigenlijk geen indringers duldden. Zoals bepaald ongebruikelijk langs de stranden van de Versilia, zwemt men daar naakt. Die Italiaanse helden hebben enorme geslachten, geen bloed- maar vleeslullen, donker van kleur. Zij kruipen als gekko's tegen de rechte wand omhoog, ruim honderd meter, en roetsen dan in de ingesleten steengoot van de waterval naar beneden. Ik zie Chiara, in haar groene badpakje, nog zitten op een grote rots, haar armen om de opgetrokken benen geklemd, gefascineerd door deze mythische saters uit een andere tijd. Ik zie Aminta vanaf een rotspunt een zweefduik maken, om glimmend van het koude water onder de waterval weer boven te komen, een nimf in natuurstaat. (Stalen billen en een buik als een wasbord! Een extra punt voor seksuele vaardigheden!) De saters doken en zwommen om haar heen als spelende dolfijnen. Misschien is onder zulke omstandigheden, of onder water, alles toegestaan. Zoals ik in mijn jeugd dacht in het zwembad. Het was, ook onder maanlicht, de emblematische prent van een achttiende-eeuwse plaats voor idylle. Zo had ze het later ook tegen mij gezegd: 'Het was alleen maar een idylle!'

Chiara en ik zullen daar nooit meer komen, als we de plek al kunnen terugvinden. Ooit stonden ook wij op dat prentje afgebeeld. Ik was oprecht jaloers op deze volmaakte lichamen, Etruskisch van vorm. Ik haatte Toscane, de schoonheid en de met recht zo arrogante Toscanezen. Daar kon ik niet aan tippen. Mijn bleke huid, het slappe lichaam van de omgekeerde topsporter, haatte ik het meest. Ik voelde mij daar niets en niemendal, overbodig. Hetzelfde nutteloze gevoel dat mij altijd bekroop bij mijn glanzende vriendinnen; zelfs in vergelijking met mijn eigen dochter, eerlijk gezegd. Het lichaam van de vader schaamt zich voor de nieuwe volmaaktheid van zijn kind. Dat is misschien een grotere schaamte dan die wordt afgelegd, al is dat tijdelijk, tussen gelieven.

'Als ik nog ietsje groter ben, trek ik nooit meer een badpak aan. Je zult me nog eens in die poel zien glijden, papa. Daarvoor ben jij te oud.'

Het was de vader die besliste, aan de stand van de zon en de opkruipende schaduwen, maar eigenlijk vanwege de onverdraaglijke aanblik van die supernatuurmensen, dat we beter naar huis konden gaan. Er was misschien nog tijd om onze kleine vlieger op te laten.

Laggiù c'è un prato piccolo così
con un gran rumore di cicale,
e un profumo dolce e piccolo così,
amore mio: è arrivata l'estate,
e noi due distesi qui, sotto le ali dell'aquilone
in mezzo a questo mare di cicale,
questo amore piccolo così
ma tanto grande che mi sembra di volare,
e più ci penso più non so aspettare.
*Attenti al lupo. Attenti al lupo.**

▶ Het gewicht van de wereld

'Papa, is het leven zwaar?'

Chiara liep anderhalve pas achter mij, sinds ze niet meer mijn hand wilde vasthouden. Ze sleepte. Ik had het idee voor twee te moeten lopen.

'Hoezo?'

'Waarom moeten we lopen, altijd ergens heen, van hier naar daar en weer terug?'

'Alles heeft zo zijn bedoeling.' Ik hoorde tegenwoordig de onzin die ik mijn dochter probeerde te verkopen luid galmen.

'Ik bedoel dat alles met elkaar samenhangt, en tussen de dingen verbindingslijnen lopen. Daar lopen we langs, nou goed?' Dan moest het maar heel erg. Chiara sleepte niet alleen, ze trok. Ik had haar altijd als een medestander gezien: wij samen tegen de wereld, maar binnen de gelederen kon ze vaak mijn rivale zijn. Tegenstander van werk en tijdsindeling, van goede bedoelingen vooral.

'Als jij iets bedoelt, geef ik het op. Ik bedoel nooit iets, ik bedoel niks.'

'Wat bedoel je daarmee?' vroeg ik achterdochtig. Soms maakte de automatische piloot ongewild brokken.

'Dát bedoel ik nou!'

'Wat?'

'Waarom moet overal een bedoeling achter zitten?'

Ik gaf het op. Nog net op tijd hield ik de woorden binnen. Meestal was het andersom, en liepen mijn woorden voor de gedachten uit. Woorden en zinnen maken gedachten aan. Eerst komt het voertuig en dan pas de inzittenden. Het was ruim drie kwartier lopen naar de dichtstbijzijnde garage, die van de gebroeders Martellacci, M. & D., achter de Borgo Giannotti. Mijn Citroëns werden oud; dit was de vierde die ik op zijn einde zag lopen. 'Als nieuw' gekocht, voortdurend verder opgeknapt, en na vijf jaar was het wel gedaan. Roest en zo'n vijftigduizend kilometer per jaar.

We liepen over een paadje langs de bedding van de Serchio op de hoge boogbrug aan, waarop ik in een eerder boek in het eerste hoofdstuk 'remmend tot stilstand' was gekomen. Op die zin had een inmiddels tot romanschrijver gepromoveerde criticus het boek afgemaakt: 'hoe kom je anders tot stilstand?' Nou, bijvoorbeeld door de auto uit te laten rijden als-ie 't niet meer doet; of door hem tegen een boom of vangrail aan te zetten. Wat ik had willen aangeven, zoals het spel tussen half-licht en duister in de rest van de passage uitwerkt, was het tijdsverloop, de opeenvolging van de handelingen, en hun causaliteit. Eerst rem je, dan schuif je nog wat door, en pas dan sta je stil. Als het nog half licht is, laat je de koplampen uit, tot je plotseling merkt dat je door het donker rijdt, en gauw knip je de verstralers aan. Ik was het zat, ik was het beu.

'Je had ook thuis kunnen blijven.'

'Ik vroeg alleen maar of de wereld zwaar is.'

'Leven. Je vroeg of het leven zwaar is. Het leven en de wereld zijn twee verschillende dingen.'

'Díngen? Die moet je kunnen aanraken. Kun jíj de wereld of het leven aanraken?'

Een aanloopje om tegen de weg omhoog te klimmen. Hijgend stond ik langs de stenen balustrade onder de reeds aangestoken straatverlichting te wachten tot Chiara mij zou volgen. Daar beneden begon het al aardig donker te worden, de kant van Bagni di Lucca op: het zwart van de nacht komt uit de bedding omhoog; zo niet Chiara.

'Moet je een hand?' Ik hoorde een plons en boog me over de railing heen. Dat zou ze me niet aandoen: natte kleren. Het was te ondiep, stelde ik mijzelf gerust. Maar de stroming! Als wij vroeger vanaf een brug een takje in het water hadden gegooid, moesten we snel naar de overkant van de weg rennen om het nog te zien verdwijnen. Ik zag niets. Plotseling stond ze achter me op de stoep. Niks natte kleren. Ik was woedend om mijn eigen voorbarige bezorgdheid. Altijd ongerust, zodra ik haar maar twee seconden uit het oog verloor. Pets, oorvijg, gloeiende hand van schaamte. Je mag geen vrouwen slaan; ik had mij alleen maar lachend verweerd, wanneer bijvoorbeeld Aminta mij met twee houten kleerhangers te lijf was gegaan. Maar kinderen... Je eigen kind... Voor de opvoeding... Van slaag word je groot, placht mijn vader te zeggen als hij een van ons weer over de knie legde, ook zonder dat we iets hadden gedaan. Het was zijn enige vorm van liefkozing. In de Heilige Boeken wordt vaders opgedragen hun kinderen te offeren. Het Opperwezen zelf had zijn zoon de slavendood laten sterven.

Chiara keek mij streng verwijtend aan. Ze liet geen traan. Ik verwoordde mijn excuses: 'Wil je je vader nóóit meer zo laten schrikken!?!'

Geen antwoord, de rest van de avond hield ze tegenover mij haar kaken stevig op elkaar. Op slag wenste ik de interessante discussie terug te kunnen halen: verschil tussen leven en wereld, begrippen die eigenlijk hetzelfde dekken. De aarde was zwaar, net als de grote steen die Chiara in het water had gegooid, waarna ze ongetwijfeld had gevraagd waarom die wel door het water maar niet door de aardkorst viel, ook niet een hele, héle grote? Later zou ze filosofie gaan studeren.

Het leven wás zwaar, in de betekenis van moeilijk; de wereld leek haar zwaar op de schoudertjes te drukken. Van veel kanten moet ik nu horen: 'Moet je zo'n kind, dat toch al een tobberige aanleg heeft, ook nog zoiets vaags als filosofie laten studeren?' Dat waren mensen die zelf liever niet nadachten: de domheid kent een zeker, onbezwaard geluk. Pas echt zwaar was de opvoeding, zeker als je kind bijna te zwaar werd om op je eigen schouders te dragen. Dat moest ik nu wel doen, omdat ze weigerde een stap verder te verzetten. Ik had niet gedacht dat ze al zo zwaar zou zijn. Wat stond daarover ook alweer in die vermaledijde boeken? Dat Christoffel met het kind het gewicht van de hele wereld kreeg te torsen. Dus toch! In Barga hadden wij vaak het middeleeuwse houten polychroombeeld van de heilige gezien. Hij hing ook aan de choke van het dashboard.

Nooit had ik kunnen denken dat het zo moeilijk zou zijn, de opvoeding. Waarom moest je je godverdomme tegenover je eigen kind altijd schuldig voelen? De boze blik van Chiara bezat vooral díe eigenschap: mij te laten voelen dat ik tekortschoot. Opgevoed worden – ik kon nog gelijk op met haar denken – was heus zo leuk niet als je niet groter wilde worden. Het was oké om dingen te veranderen, de wereld naar je hand te zetten, maar net zoals Chiara wilde je zelf niet veranderen, niet zíen dat je veranderde. Je dacht dat je in wezen altijd dezelfde bleef, nog vol van de herinnering aan het vroegste geluk. Maar medisch, biologisch, natuur- en schilderkundig gesproken zijn er oneindig meer verschillen dan overeenkomsten tussen het kind en de volwassene die zich daarvan heeft losgemaakt.

Kernachtig samengevat is het probleem, *Herr Doktor*, dat wij, vader en dochter, ons niet konden losmaken: niet van elkaar, niet van onze omgeving en niet van onze jeugd. Ik projecteerde mijn jeugd in die van Chiara, terwijl wij volkomen verschillend waren opgevoed en bovendien ieder onze eigen jeugd heel anders hadden beleefd. Ik wenste mijzelf háár jeugd toe, al zou ik die toch niet een-twee-drie hebben ingeruild voor de mijne. Zoals alle 'ouders van nu' had ik haar een jeugd willen geven die míjn ideaal was. Protest en tegenwer-

king: voor haar was mijn geheimzinnige en niet terugvorder-
bare jeugd ongetwijfeld veel begeerlijker. Ze wilde er meer
van weten dan ik wist. Opvoeding...

Gelukkig was het vanaf de brug niet ver meer naar de garage.
In de Viale Matteo Civitale kwam een stroom van autokop-
lampen ons vijandig tegemoet. De wijde deuropening van de
vertrouwde garage lichtte uitnodigend op. Van de twee gebroeders deed de oudste, een dommekracht die ik nooit heb
horen praten, het sleutelwerk en de magere jongste het praten
en de rekening. Hij moest het werk van zijn broer controleren
en vaak snel herstellen wat die aan nieuwe mankementen had
veroorzaakt. De stuurbekrachtiger lekte en daarom was de
groene-oliedruk niet op peil. Voor elke DS-rijder is de geur
van groene olie die van groot gevaar, op zijn minst onkosten.
Toch ruikt hij lekker, die LHM: je bent verslaafd aan het gevaar, en op onkosten kijk je net zomin voor je dierbare auto
als voor je kind. Maar hij liep op zijn laatste benen, dat moest
ik toegeven. Daarmee konden we niet meer in één sprong
heen en weer naar Amsterdam. Misschien enkele reis...
  Terwijl ik van Daniele voor de zoveelste keer het fameuze
verhaal moest aanhoren van François Lecot die in 1936 met
een van de eerste Tractions Avant 11-CV achter elkaar in zijn
eentje vierhonderdduizend kilometer op en neer heeft gereden tussen Parijs en Monte-Carlo, halverwege telkens een
paar uur slapend in zijn eigen hotel te Rochetaillée, zag ik hoe
Chiara druk met Mario stond te praten. Hij tilde met zijn
pink een zware Engelse sleutel van de werkbank, jongleerde er
wat mee of het ding een veertje woog, en gaf hem toen aan
mijn dochter, wier armen meteen doorzakten: hij viel net niet
op haar tenen. Chiara zette haar onderzoekingen onverdroten
voort.
  'Om niet helemaal gek te worden, koos hij elke keer een andere route, en mocht hij van de Automobile Club de France,

die de boel controleerde, ter afwisseling ook een keer een tocht langs de Europese hoofdsteden maken. Mijn vader, die deze zaak heeft opgericht, heeft Monsieur André nog gekend, want die wilde persoonlijk zijn filiaalhouders motiveren. Nee, niet in de fabriek aan de Quai de Javel, maar hier, op de plaats waar u nu staat. Ik bedoel maar: die wagen van u kan nog best eenmaal het klokje rond.'

Toen Chiara eenmaal weg was, hoefde ik me niet meer zoveel te verplaatsen en ben ik in de rooie blijven doorrijden tot de sloper. Mijn dochter heeft nog jarenlang tranen gelaten als ze een DS op de weg zag. Ik begreep dat ze het in Amsterdam niet makkelijk moest hebben.

Waar bestond dat opvoeden nou eigenlijk uit? Het leek er in het slechtste geval, waarin je bewust het hardst je best deed, nog het meest op dat je je gelijk wilde halen, koste wat kost. Mijn ouders hadden ons helemaal niet opgevoed, al beweerden ze later van wel. De kinderen werden aan hun lot overgelaten, en moesten alleen met gewassen handen op tijd aan tafel komen en 's avonds voor twaalf uur binnen zijn. 's Zaterdags schoenen poetsen. We kregen natuurlijk een heleboel vanzelf mee: er stonden overal boeken; maar er was bijvoorbeeld geen muziek in huis. Ook geen televisie – een groot geluk. Manieren en spreekgewoonten neem je min of meer vanzelf over. Mijn oudere broer en zuster, die in hun eigen kringetjes verkeerden (later *peer groups* genoemd), werden nog het meest door de buitenwereld aangetast. Bijna altijd in negatieve zin. Want onze gesloten familie voelde zich boven alles en iedereen verheven.

Echte plannen hadden mijn ouders niet met ons gehad, geen opvoedkundig programma. Het stond eigenlijk al bij voorbaat vast dat wij het minder goed zouden doen dan zij. Er waren alleen dingen die je níet mocht: níet iets anders dan medicijnen of rechten studeren, anders zocht je het zelf maar uit. Mijn vader was net als zijn vader de mening toegedaan dat kinderen zodra ze eenmaal meerderjarig zijn, thuis niets meer te zoeken hebben. Je moest je eigen toekomst opbouwen, met blote handen en zonder hulp. Hoe anders waren die verwende Italiaanse *vitelloni*, van wie onze buurman zo'n goed voorbeeld was. Die bleven altijd door hun ouders verzorgd worden, tot ze, zo halverwege de dertig, misschien gingen trouwen. En dan stond hun huisje al klaar, ingericht en al, niks van Ikea maar antiek, een Italiaanse keuken van formaat, alles betaald met het zwoegen van de ouders. Ik kon mijn ogen haast niet geloven toen ik in een Italiaanse krant las dat het Hof van Cassatie uiteindelijk een vijfendertigjarige vrijgezel, die afgestudeerd en alles was maar nog geen zin had aan de slag te gaan, in het gelijk stelde dat zijn ouders, arme landarbeiders in dit geval, verplicht waren hem te blijven onderhouden. Inclusief alle dure horloges en Alfa's die daarbij hoorden voor het prestige.

Wij waren in onze Italiaanse omgeving toch met een flinke Nederlandse achterstand begonnen. Nee, mijn ouders stelden hoogstens 'grenzen', zoals dat wordt genoemd. Sommigen van ons kinderen – de rangplaats in de rij speelt een grote rol in de ontwikkeling – schikten zich daar maar al te graag naar en werden zelf honkvast, met grenzen voor hun kinderen en een hekje om de tuin. Anderen probeerden, ik zou haast zeggen vanzelfsprekend, die grenzen te doorbreken: deden alles wat niet mocht, beantwoordden op geen enkele manier aan de verwachtingen en maakten zich zo spoedig mogelijk los van hun milieu; in mijn geval wel erg radicaal. Ik zou mijn jeugd nooit verstikkend noemen, maar van het begin af aan wilde ik weg uit de stad en het land waar ik was opgegroeid: de wereld moest open.

Chiara en ik vormden, zoals gezegd, ook een gesloten familie – eentje waarin nauwelijks gezag kon worden uitgeoefend omdat alleenstaande ouders eerder een span of ongelijk paar met hun kind vormen, vooral als er slechts één is. Dan deelt zo'n kind vanzelf te veel in de zorgen van de ouder. Een hele last, zoals Chiara duidelijk had aangegeven. Zij behoorde niet tot een *peer group*, omdat ze op school als buitenlandse ook een eenling was gebleven. Grenzen kende ze al helemaal niet, ook in letterlijke zin: ons erf ging zonder merkbare afbakening over in het Toscaanse landschap, zo weids, zo vaak bezongen. Wij gingen juist vaak over de landsgrenzen van Europa heen. (Om niet altijd te worden aangehouden, aan de kant gezet en uitgekleed, had ik pas na jaren geleerd om bij de grens géén sigaartje in mijn mond te kauwen, maar een pijp te roken; voor Chiara lag een appel klaar waarin ze precies op dat moment moest bijten. Voor douaniers kennelijk tekenen van onschuld.)

Ik probeerde hardnekkig mijn dochter flink te maken, bij wijze van spreken met het zeeverkennershandboek in de hand. Een goed boek voor de opvoeding. Chiara moest niet zeuren in een boot en het verschil tussen een val en een schoot weten. Ze moest, uit eigen beweging, de voorruit van de auto wassen als ik midden in de nacht benzine aan het tanken was. Later kon ze ook de olie controleren en de spanning van de banden. Ze kon een vuur aanmaken en aanhouden, en vond het fijn om buiten te slapen. Ze sleep haar eigen pijlen en maakte ingenieuze bamboeconstructies – een soort Vietcong-kooien – om Umberto in op te sluiten. Mijn vader had ook een geheim kastje met alle *trackers*-handboeken en *Het verkennen voor jongens* uit zijn jeugd. Misschien dat Chiara juist dáárom zo gefixeerd raakte op meisjesdingen, vroeg puberde en menstrueerde, tussen haar twaalfde en haar dertiende in één keer vrouw werd, met belangstelling voor lingerie en make-up. Ze was altijd het dappere kindje van vier gebleven, dat trouw haar arme vader steunde (wat vaak goede intenties bleven in de zin van Pinocchio) en hem op haar beurt geen moment uit het oog wilde verliezen. En plotseling was die vader er niet meer en zij geen kind.

De vroegste jeugd was nog het makkelijkst: ik kon de omslachtige en tijdrovende karweitjes van haar babytijd goed *handelen*, zoals Aminta zou hebben gezegd. De fles lauw opwarmen, papjes maken en eten geven, in bad doen voor de open haard of in de gootsteen met perzikshampoo die niet prikt. Eerst met de elleboog de temperatuur van het water controleren.

Als heel soms mijn moeder niet aanwezig was, toen wij nog klein waren, deed mijn vader ons hardhandig in bad: koud water en zodra we daarvan huilend onze mond opentrokken, stak hij er fluks de zeep in. Hij had geen geduld met kinderen die niet flink waren. Wat dat betreft, een andere vraag die ik ooit *Herr Doktor* wilde stellen: ik voel nog de roodgeverfde nagels van mijn moeder over mijn huid krassen, 'daar van onderen'. Ik zie haar nog met diezelfde elegante nagels elke ochtend een sinaasappel pellen, iets wat ik als bijzonder wreed ervoer. *Was kann das zu bedeuten haben?*

Van de andere kant was het ons ingeprent ons aandeel in het huishouden te doen: de boodschappen (wat mijn vader betreft liefst vóór openings- of ná sluitingstijd), aardappels schillen, tafel dekken en afruimen, de keuken aan kant brengen. Alleen mijn broer probeerde zich stelselmatig aan de afwas te onttrekken. Zijn kinderen zijn slechts met de grootste moeite en bedreigingen ertoe te brengen ook eens een keertje af te drogen. Op de grote kerstdiners met alle kinderen en kleinkinderen doet onze generatie, inmiddels van middelbare leeftijd, al het werk. De kleinkinderen hangen in de beste stoelen en laten zich alles voorzetten en nadragen. Het idee dat wij naar school gebracht zouden worden! Nog niet de eerste schooldag. Zij worden in luxe wagens gebracht en opgehaald, ook van en naar hun dans-, muziek- of sportlessen. Doe je best en doe je plicht waren destijds onuitgesproken motto's: die van de BB tijdens de atoomdreiging en van de Melkbrigade; bij de welpen werden ze als incantatie opgezegd:

217

'Djib, djib, djip.' (Afkorting voor Doe Je Best.)
'Wij Dob, dob, dob, dob, dop!'

Chiara kan niet ophouden mij uit te vragen over de voor haar onvoorstelbare omstandigheden van mijn naoorlogse jeugd. Ook ik vind het nu onvoorstelbaar dat ze vlak na de oorlog de kinderen opnieuw zo snel mogelijk in uniformpjes staken en aan een paramilitaire dril onderwierpen. Vraag ik míjn ouders naar hún jeugd, dan krijgen we alleen ontwijkende antwoorden. Er waren dienstertjes voor dag en nacht – tot begin jaren zestig hadden wij die ook – waarop de jongens, knaapjes nog, ongestraft hun *droit de seigneur* konden oefenen. Wij hadden een vaste naaister aan huis. Nu probeerde ik op de Russische poppennaaimachine van Chiara scheuren in haar pyjama's te herstellen.

Reiswieg en draagzak – geen problemen: ik nam haar overal met me mee. (Alleen zo'n akelige buggy heb ik altijd geweigerd.) Luiers verschonen? Met groot plezier. Het gaf mij een tintelend geluksgevoel dat ik een wezentje dat ik mede veroorzaakt had, mocht vasthouden, schoonwassen, bepoederen en aankleden. ('En, als we toch over dit onderwerp spreken: betekent het iets dat mijn moeder deze taak, volgens legende, want ze ontkende later alles, meestal aan mijn vader overliet? De zachte babyschijt van andere kinderen vind ook ik vies, maar mijn eigen afval...')

Ik voelde het echt zo: dat ik mijn eigen vlees en bloed hanteerde, een bijna sacraal gevoel dat ik geenszins heb als ik mezelf was. Ik haat mijn eigen lichaam, vol tekenen van verval, hard naar ontbinding onderweg. Nieuw leven! Is dat dezelfde stompzinnige illusie die ervoor zorgt dat iedereen heel jonge katjes leuk vindt? Ik houd anderszins helemaal niet van baby's, niet van kinderen en zeker niet van dieren – dat zijn allemaal geen mensen. Ik heb het altijd idioot en onterecht gevonden dat mensen en media meer ophef maken over de dood van een kind dan over die van een volwassen mens.

Zijn kinderen onschuldig? Ammehoela, zodra ze met elkaar in contact komen, is het oorlog; dat zie je op het speelplein van elke kleuterschool, dat heeft Chiara me ook uitgebreid verteld, voorzover ik het al niet wist uit eigen ervaring. Voor schuld zijn de condities nodig dat men volkomen zelfbeheersing heeft en verantwoording over zichzelf kan dragen. Beschaving wordt heel langzaam aangeleerd, net als goede smaak.

Luiers omdoen, het blote lichaam van een klein meisje onder de tuinslang: ik heb foto's van mijn dochtertje gemaakt die nu in beslag genomen zouden worden als ik ze liet zien. Het geslacht van meisjesbaby's heeft onverwacht grote en opvallende proporties. Je kijkt nooit meer op dezelfde manier naar een vrouwengeslacht wanneer je je babydochter in bad hebt gedaan en haar luiers hebt verschoond. En van een bepaald maar niet vastgesteld moment kijk je nooit meer naar het geslacht van je dochter, zoals zij als ze wat groter is onder geen beding toevallig zicht op het jouwe wil krijgen, ook al sta je in de vriesberm naast een kokende auto gewoon even te pissen op de *autostrada della Cisa*.

Dat komt zo: de luchtingangen voor de koeling zitten bij een DS aan de onderkant; met sneeuw en ijs op het wegdek koeken die dicht. Er is weliswaar een ritssluiting voor de radiator die je in zo'n geval open moet zetten, maar als die rits al in beweging is te krijgen, is het meestal al te laat.

Ik ken die schaamte niet: mijn ouders mogen rustig binnenkomen wanneer ik bij hen thuis in bad lig. Maar ik hoor nog de woorden van mijn moeder uit mijn jeugd: *niet binnenkomen*, bijna panisch uitgesproken, als ik de badkamer in wilde gaan waar zij bezig was, of de salon wanneer zij mijn kleine zusje de borst gaf. Ik gun die schaamte anderen graag. Zij moet er ook zijn, anders zou de liefde weinig waard zijn: een vrouw legt haar schaamte voor je af. En dat is eigenlijk het grootste goed ervan. Nu houd ik, *Doktor Kirchner*, van schaamteloze vrouwen en u kent mijn perverse voorkeur voor gladgeschoren meisjes. Houdt een en ander met elkaar verband? Betekent dat iets?

Natuurlijk niet. Niets heeft betekenis, zoals Chiara al heel vroeg doorhad, behalve wat je zelf ergens aan meegeeft of in legt. Tegenover haar vader heeft Chiara nog steeds weinig schaamte: wij kunnen gelukkig alle 'meisjesdingen', ook op medisch gebied, heel openhartig met elkaar bespreken. Waarop ik niet weinig trots ben. Iets heb ik toch bereikt.

Heb ik het goed gedaan, die opvoeding? Natuurlijk niet, ben ik de eerste om toe te geven. Je kúnt het nooit goed doen, nooit helemaal. Waaruit, ten tweeden male, bestaat opvoeden dan? Ik weet het niet: veel praten, met tot gevolg een vroegrijpe verbaliteit bij het kind; uitleggen, argumenteren, eindeloos onderhandelen. Daar kon ik zelf nog van leren. Het was één lange agoristische dialoog (ze hield bijna nooit haar mond, en wilde graag het laatste woord), die altoos uitmondde in aporie: we weten het allebei niet. Daar moet je dan wel het laatste restje gezag voor inleveren. Opvoedkundig geen goede zaak.

Na de babybesognes bleek onverwacht die opvoeding, waarmee ik heel in het algemeen de relatie tussen vader en kind bedoel, een zaak van vierentwintiguurseconomie. Je had geen tijd meer voor jezelf over, behalve in die paar uren dat ze onrustig sliep. Dan moest je zelf ook bijslapen. Toen een vriend van mij uit Nederland, niet lang nadat Eefje was vertrokken, voor het eerst op bezoek kwam, sprak hij na één week zijn ontsteltenis uit: hoe krijg je ooit nog één letter op papier? Hoe houd je dat, fysiek gesproken, vol? Rennen en draven, altijd aanwezig zijn en nooit alleen, die eeuwige wisseling van woorden tussen jullie twee: ik word er gék van, zei hij letterlijk. Hoe kun je nog een cent verdienen?

Ik had geen antwoord. Ik weet het nog steeds niet. Chiara is groot geworden. Het gaat vanzelf, al loop je steeds op je laatste benen, op je tandvlees op den duur. Ik had het ervoor over. Het had niet anders gekúnd. Ik deed de dingen die gedaan moesten worden en propte nog wat zinnen in de nacht. Ik schrijf zeker niet sneller, nu ik zonder Chiara ben. Van een vrouw of een vriendin heb ik altijd het idee gehad dat ze me tijd en energie ontroofde. Zelden voegden ze iets toe; meestal namen ze veel van mij af, of mee als ze weggingen: geld, concentratie, opvoeding (jawel, *vide* Norman Douglas' advies aan zijn zoon, of de bekentenissen van Scott Fitzgerald in zijn nadagen), niet in de laatste plaats goede smaak (de tragiek van Swann). Met elke verhouding geef je die weg, of keldert hij als je je wilt aanpassen. Bij Chiara heb ik dat gevoel nooit gehad: zij gaf mij extra energie, die ik nu ontberen moet.

Wat Chiara heeft meegekregen, was toevallig. Ook dat ging vanzelf. Gesprekken, boeken, muziek en opera: ze heeft er behoorlijk veel van opgepikt. Dat ging niet programmatisch maar doordat ze mijn leven deelde. Ik zat in Toscane, dus zij ook. De olijfbomen en cipressen, de cicaden en de focaccia waren daar nu eenmaal, gratis of voor twaalfhonderd lire. Dat had ik voor mezelf zo uitgekiend vanuit de gedachte: alleen de beste omgeving en de mooiste indrukken kunnen je idealiter predisponeren. Ik, die uit het boerse, onhoffelijke Holland kwam. Voor haar was dat het vanzelfsprekende begin. Pas later is ze eerst goed geschrokken, van een wereld met andere gebruiken en omstandigheden. Ze heeft, mijn schuld, de verkeerde herinneringen meegekregen. Een gouden jeugd is een slechte start voor een leven met de smaak van lood.

En wat telt de opvoeding vergeleken bij de erfelijke elementen die ik ongewild in haar geplant heb? De melancholi-

sche karaktergesteldheid, die zich bij haar veel eerder voor-
deed dan bij mij. Het eeuwige heimwee. De neiging tot eenzaamheid, met hunkering naar blijvend gezelschap – door boze tongen wel verlatingsangst genoemd. De saturnische neiging tot *grübeln* en filosofie. Daar hebben anderen geen last
van, *lucky them*. Wat mijzelf betreft: ik heb de wereld waaruit
ik voortkom achter mij gelaten; door anderen, die steeds
hoopvol mijn lot wilden delen, bén ik altijd verlaten. Alleen
Chiara is niet uit eigen wil bij mij weggegaan.

We hebben ons – ik denk dat ik voor twee mag spreken –
samen een tijdje thuis gevoeld. En helaas zullen we altijd blijven verlangen naar wat we nu missen.

'Als ik straks later groot ben, ga ik ook focaccia maken. En
pruimentaart.'

'Die mensen zijn allemaal dood.' Ook dat is het doel van de
opvoeding: het met de vader innig verbonden kind moet zich
van hem losmaken. Zodra Pinocchio een *ragazzo per bene* is
geworden, heeft hij de oude timmerman die hij zijn vader
noemde niet meer nodig. Maar terugkijkend op de nu leven-
loze pop van het verleden, verzucht zij droef: *'Com'ero buffo,
quand'ero un burattino!'*

▶ Ambarabaccicicoco

Je denkt dat je alleen speelt, maar als er andere personages in het spel zijn, en de vrije wil en de chaosgenerator zijn ingeschakeld, dan heb je het niet alleen voor het zeggen. Het is of er op de achtergrond toch een grote poppenspeler aan de touwtjes trekt. De Grieken noemden dat het Lot, en hadden er ontzag voor. In het 'gewone leven' tracht men de wisselvalligheden van het lot zoveel mogelijk uit te bannen of weg te moffelen. Alleen de mensen wie iets *overkomt*, krijgen ermee te maken, en hun wordt aangeraden naar de psychiater te gaan en zich als een zieke te laten behandelen, tot het *over* is: de gevolgen van de aardbeving; de intense rouw om het verlies van een kind.

In de verhalende romankunst is het nog eenvoudiger: je kunt er donder op zeggen dat datgene wat je het minst verwachtte gebeurt. Het minst waarschijnlijke komt het dichtst bij de waarheid. Gelieven opgelet: dat geldt ook voor mensen! Ik heb het vroeger al gehad over de zwarte blik van de schrijver, die onwillekeurig door de schone schijn heen leert kijken. Heus geen pretje. Je kunt jaloers worden op de naïveteit van je personages. Al zijn de verrassingen waarvoor die argeloze zielen zich geplaatst zien meestal onaangenaam. Met doorkruiste verwachtingen op papier en theatervloer heeft het publiek geen moeite.

Sims kunnen doodgaan. Dan verandert het personage met een schel muziekje in een geraamte dat vanzelf overgaat in een urn as, onder de tekstballon: *Met leedwezen geven wij kennis van het heengaan van* ***. *Zijn herinnering zal altijd levend blijven*. De urn kan vervolgens door een medebewoner of huisvriend op de schouw worden gezet (twee minpunten voor huiselijke gezelligheid), of in de prullenbak gekieperd. Ook kun je in de tuin een grafsteen plaatsen–dan gaat het 's nachts spoken in huis, met als gevolg slaap- en energietekort en mindere prestaties op het werk. Een Sim kan onverwacht doodgaan als hij geëlektrocuteerd wordt bij het verwisselen van een lamp, of als hij te lang in een zwembad blijft waar vergeten is een trappetje bij aan te leggen. (Dat trappetje kun je ook weghalen, door het te verkopen nadát de Sim te water is gegaan–dan is het moord. Het zwembadje dat Giannini na tien jaar zeuren van zijn vrouw had laten aanleggen was daarvoor te ondiep.)

Sims gaan dood als ze ernstig vervuilen, geen geld meer hebben om te eten, hun jachtwapen schoonmaken, besluiteloos voor de auto blijven staan die hen van het werk heeft thuisgebracht. Ze kunnen kinderen krijgen als ze te vaak zoenen (dan wordt het huishouden helemaal onbestuurbaar), maar ze kunnen die kinderen, of een huwelijksaanzoek, ook weigeren (al heeft een alleenstaande Sim het bepaald moeilijker, ook met zijn carrière; de regels lijken een beetje op de 'normen en waarden' van het zoveelste ethisch reveil). Rijke Sims hebben oneindig veel voordelen, want geldwoeker wordt afgeschermd door fatsoen; ze winnen vaker de loterij, worden tot wethouder gekozen, kunnen het met de politie op een akkoordje gooien etc. Om politiek correct te lijken doet ook een enkele neger en een Aziatisch type mee.

Misschien beseft u nog niet hoezeer wij door het spel zijn opgeslokt, maar de meesten van ons dragen toch in al hun onschuld inmiddels een sim-kaart met zich mee in hun zaktelefoontje: *geprogrammeerd!* Een heel levensprogramma op een minichip. Daar kijkt u niet van op, maar mijn ouders wel. Dat is nog eens wat anders dan een stoomschip of het spoor. Rossini, 'de kleine Mozart', die net als Wolfje veel moest reizen in ongemakkelijke koetsen over deels niet-bestaande wegen, vond het idee alleen al van de trein belachelijk en gevaarlijk.

Voor je een spelsessie van de Sims® beëindigt, wordt er gevraagd of je het spel wilt opslaan. Zijn er minder gewenste dingen gebeurd, zoals een huwelijk, het afbranden van de woning of het overlijden van een kind dat te dicht in de buurt van de open haard is gekomen, dan klik je gewoon op nee, en ga je de volgende keer verder waar je de vorige keer gebleven was. Alsof er niets gebeurd is. Zoiets als naar bed gaan, en voor je in slaap valt kunnen beslissen of de afgelopen dag van je leven mag meetellen, of dat die liever niet heeft plaatsgevonden. Pc's hebben tegenwoordig een programma waarmee je 'de toestand van de computer' in de tijd kunt terugzetten. Stel de hele boel is in de knoei gekomen en vastgelopen, dan kun je met dat programma vierentwintig uur terug – vóór je de fouten hebt gemaakt – en alles doet het weer als toen. Wel tijd en datum opnieuw instellen. Een heel onwerkelijke ervaring, die je nauwelijks durft geloven. Het begin van de tijdmachine.

Maar als je van die mogelijkheid gebruikmaakt, speel je voorwaardelijk en is het geen menens. In leven en opvoeding kun je ook niets overdoen. Je kunt niet oefenen. Elke keuze die je willekeurig of onwillekeurig maakt, bepaalt de verdere richting en dus het einddoel. Alleen dat er geen einddoel is. Dus maakt het niet uit welke keuzes je maakt. Het blijft allemaal hetzelfde. Voor jezelf; van kinderen weet je het niet. Die kun je onzichtbare wonden aandoen, trauma's meegeven waardoor ze voorgoed vertekend zijn, en natuurlijk geef je hun sowieso een gedeelte van je genen mee, waarvan pas later in je leven zal blijken dat die niet allemaal even lekker hebben uitgepakt, kinderen en genen. Dat genetisch materiaal waarover tegenwoordig zoveel wordt gepraat, de 'gnomon', is een ingebouwde bom die vroeg of laat ontploffen zal. Net als de Etna, het menselijk ras, de hele natuur van moedertje aarde en het zonnestelsel. Exploderen of imploderen, het resultaat blijft hetzelfde. Vanuit het niets op weg naar het niets, of, met de variant van Plotinus, vrij vertaald: alleen op weg naar de eenzaamheid.

Ik bedoel maar (was Chiara er nog maar om me te corrigeren; mensen en schrijvers zouden niet zoveel moeten 'bedoelen'): als we op een gegeven moment konden stoppen met het spel vanuit een metapositie, en ons afvragen of we de gebeurtenissen zó willen opslaan als ze gebeurd zijn, of ze liever vergeten, dan had alles ook heel anders kunnen lopen.

What if...

Ik had fijn dood kunnen gaan bij het verwisselen van een gloeilamp – grote kans, want Italiaanse gloeilampen gaan gemiddeld één maand mee, en dan spreek ik niet eens over de toestand van onze uitwendig op de muren aangebrachte bedrading, of van het elektriciteitskastje waarvan de zekeringen vervangen waren door dik koperdraad.

De buurman had zichzelf door de kop kunnen schieten, al of niet bij het schoonmaken van zijn jachtgeweertje. Zijn hart had het al veel eerder kunnen begeven, bijvoorbeeld doordat hij met zijn vrouw in één bed had geslapen en Michelle elke nacht (met behulp van de fameuze Italiaanse *iniezioni ricostituenti*) minstens vijf keer gemeenschap van hem eiste. Zij had van hem kunnen scheiden, maar dan was ze de kinderen kwijtgeraakt (bij een huwelijk tussen een buitenlandse vrouw en een Italiaanse man worden de kinderen altijd aan de man toegewezen, zoals menig blondje uit het Noorden heeft moeten leren, nadat de goede seks van de *latin lover* was omgeslagen in onverschilligheid en slaag) en haar hoop op een gedeelte van de erfenis. Gigi had mij wél uit de casa colonica gekregen, en was gelukkig in zijn bed gestorven nadat hij inderdaad het boerenhuis voor luxebewoning geschikt had gemaakt, ten dienste van zijn vrouw, die toch liever een deurtje verderop woonde.

Een van de redenen, namelijk, dat Giacomo Giannini mij eruit wilde hebben, was dat Michelle het huis voor zichzelf opeiste, of voor de vakanties van haar familie. Nadat al zijn rijke en beroemde vrienden hem waren voorgegaan – het werd chiquer en vooral comfortabeler gevonden om in een voorbeeldig opgeknapte casa colonica te wonen, dan in die koude en tochtige prachtvilla's, vooral 's winters – had Gigi eindelijk ingezien dat mijn huis iets waard was. Zowel door buitenlanders als door de Italianen zelf worden exorbitante huurprijzen, per dag, per week of per uur (zodat de Italiaanse echtgenoot de ruimte heeft voor minnares of ondergeschikte) gevraagd voor zo'n agriturismowoning met één televiesiezender, een kapotte koelkast, wat oude meubeltjes met rieten doorzakzitting, een sofa waar je nog geen kat op zou laten slapen (omdat er al te veel katten op geslapen hebben, geboren en gestorven zijn), een fornuis dat ontploft zodra je de oven aanzet, een beschimmelde douche waar alleen bruin water uit komt, altijd verstopte riolen, een prentje van de scheve toren met gondel en vulkaan aan de muur, en wat aardewerkservies waarvan bij elke afwas meer stukjes af springen. Aan avondlicht om bij te lezen is meestal niet gedacht. De mensen huren dan ook geen huizen om daarin te lezen. Dat doen ze in de trein. En de teloorgang van het fraaie Europese spoorwegennet is voor het boek een slechte zaak. Veel grote schrijvers zijn begonnen met te schrijven voor de stationskiosk. Gestoffeerd en gemeubileerd – lakens en bewassing, exclusief vijfvoudig vermenigvuldigde elektrarekening, in die rustieke, landelijk gelegen huurwoningen.

De buurman wilde ook mij in een dergelijke tariefklasse krijgen. Zo zat dat namelijk.

Of: Gigi had zich aan zijn afspraken kunnen houden: mijn huis een nieuw dak; de villa en het landgoed opgeknapt van het geld van de erfenis van zijn eindelijk gestorven vader; een nieuwe pachtboer in contract genomen en de wijngaard hersteld; zelfs het wilde bos in de schaduwvallei aan de achterkant door een terzake bekwame houtvester op orde gebracht; evenals de braamstruiken rond mijn erf, die je met een goede draadtolmachine in een paar dagen kon hebben opgeschoond; een paar vrachtwagens grind op het modderpad naar mijn huis; voor mijn part een met afstandsbediening te openen hek, nieuwe ramen en luiken; een nieuw *pavimento* (met de oude plavuizen, maar zonder mieren); een beetje keuken en een veilige trap; een boiler van meer dan twintig liter, zodat je ook je haren kon wassen met warm water; een redelijke huur voor een resident (géén vakantieganger)... en we waren de beste vrienden gebleven en hadden nog jaren kunnen schaken, hij heel oud en ik toch nog vrij jong gestorven, later een marmeren plaquette in de muur van de casa colonica.

Hier heeft van *** tot *** de schrijver *** gewoond. Hij is in harmonie met het Toscaanse landschap van geluk gestorven in de ondergaande zon.

Dergelijke plaquettes zijn in Italië heel gewoon voor plaatselijke apothekers, bisschoppen, violisten en Garibaldisten, zwarthemden en slachtoffers van onweder of maffia. Net als in het oude Rome kun je de geschiedenis van de stenen aflezen, ook op het platteland van de Griekse Anthologie.

Hier heeft Tityrus met zijn dubbelfluit Aminta bemind. / Zij was hem in dubbele zin gezind.

Of: mijn homonieme verloofde zou mij nooit, op afstand per fax, de bons hebben gegeven en integendeel mij hebben weten over te halen om voorgoed naar Nederland te komen en met haar in één huis (dat van haar moeder in Oud-Zuid, vlak bij de anderen van de schrijversbent) te gaan wonen, haar zwanger te maken (zoals ik de eerste keer dat ik met haar naar bed ging beloofd had), één, twee, drie keer, en te zorgen voor het gezin, mijn vrijheidsdrang en ergernissen over Nederland en huisgezin verdringend, Chiara te verraden, over verraad aan mijn schrijverschap hebben we het niet eens, want ik zou op voorhand weten dat ik dan eindelijk van die ellendige dwang verlost zou zijn, mij op mijn oude dag verzorgd wetend met pantoffels, misschien zelfs Aow of een arbeidsongeschiktheidspensioen, en natuurlijk het fantastische inkomen van Aminta zelf, die intussen europarlementariër geworden zou zijn, zodat we ook nog eens in Brussel en Straatsburg kwamen, steden die mij zeer dierbaar zijn en waar je beter kunt eten dan zij koken kan.

Of: Zelda en ik zouden nooit uit elkaar zijn gegaan (wat Chiara zeer behaagd zou hebben) en samen heen en weer hebben gekoerst tussen Amsterdam en Lucca; zij, die zelf carrière maakte in de uitgeverij en mij bleef aansporen door te schrijven; misschien één kind voor de tevredenheid, en dan haar eigen uitgevershuis beginnen, met medeneming van alle auteurs die al verliefd op haar waren toen ze nog achter de telefoon van de receptie zat, waarin ze mijn belangen zou behartigen zoals nog nooit een uitgever naar behoren heeft gedaan. Of ik beroemd zou worden, deed er dan niet toe, want we leefden van haar geld, erfden de adellijke villa van de grootvader te Wassenaar; zij zou in mij blijven geloven, ik zou alleen hoogst zelden ontrouw zijn en niet meer onder haar lesbische duiven schieten, voor de gymnasiasten onder u een tautologie. En na een tijdje van dat pad van geluk zou het mij niet meer uitmaken of ik die uitdragerswinkel in Arsina kon blijven uitbaten, want we konden toch de hotels nemen die we wilden.

Of: ik zou echt beroemd worden, en van de verkoop genoeg verdienen om onafhankelijk te zijn van bedelarij bij staat en andere weldoeners, die ik allemaal achteraf lik op stuk kon geven; Mulisch en Nooteboom zouden mijn hielen likken na toekenning van de Nobelprijs (zoals vadertje Brouwers na de AKO-prijs); ik zou eerst de casa colonica kopen (miljoenen of miljarden maakten niet meer uit, in oude lire of euro), voorbeeldig opknappen, en dan de villa, voor de grap, omdat ik altijd wel in restauraties ben geïnteresseerd; en daar een onderzoeksinstituut van maken voor de bestudering van het werk van mijn geleerde vrienden (niet bovenstaande), die daar altijd terecht zouden kunnen om te sterven en hun bibliotheken onder te brengen, ondertussen een stroom van studentes aantrekkend (vrouwelijke kandidaten hebben wettelijk de voorkeur) zodat ik nooit om een gelegenheidsvriendinnetje verlegen zat (roem = macht = sex-appeal – dat weet een kind); ik zou de macht hebben om eindelijk de hoofdredacteur van *de Kwaliteitskrant* zover te krijgen dat hij die hele kippenren van de kunstredactie zou uitmesten om een fatsoenlijke bijlage te maken, met scribenten terzake bekwaam en niet louter door dilettanten volgeschreven, zodat diezelfde geleerde vrienden weer een abonnement op *de Krant* konden nemen en mijn vrijdagavonden niet meer verziekt werden; mijn dochter zou trots op mij kunnen zijn en voor haar toekomst niets te vrezen hebben, gezien de royalty's uit alle talen die na mijn dood nog binnen zouden stromen; ik zou zelfs, ter nagedachtenis aan de inmiddels overleden buurman, zijn automuseum, op kleine schaal, weer doen herleven, aangevuld met mijn eigen Citroëns. Misschien zou ik zelfs oud willen worden om met mijn kleinkinderen te spelen, die op hun beurt beroemd zouden worden als cineast, virtuoos op de trekharmonica of anarchist.

Of: Laura en ik zouden ons niet van elkaar kunnen losmaken en in strijd samen verderleven. We zouden allebei onze idealen moeten opgeven. Zij zou niet te beroerd zijn in een nachtclub saxofoon te spelen en te zingen (daar maakt kwaliteit in muzikale zin immers niet uit), eventueel tot op de string ontkleed en met mijn groene tennisklep op het hoofd (een Italiaanse rechtbank heeft zojuist in hoger beroep beslist, heus ik vertel geen onzin, dat een naakte man die op een openbaar plein was aangehouden wegens 'schending van de openbare eer', moest worden vrijgesproken wegens '*non-occurrenza del fatto*', omdat hij niet naakt was maar zijn schoenen nog aanhad – dus zij kon haar tennisschoenen aanhouden), ik zou een tijdje van haar aldus verkregen inkomsten leven; langzamerhand mij inwerkend tot haar manager; een jaartje of wat op een cruiseschip naar de Caraïben of in de reizende spiegeltent van *Pump, Duck & Circumstances*; wat louche drugshandel *on the side*; zij zou mettertijd (gevoed door whisky en coke) meer voelen voor het echte *pole and table*-dansen – geen grotere kick voor een meisje dat bewonderd wil worden; en ik zou, al vroeg een oude, vieze man, toch nog een ander ideaal weten te verwezenlijken als regisseur van pornofilms met verhaal en sprekende modellen. In de trant van Tinto Brass of Alex van Warmerdam. Daar hoefde Laura niet in op te treden, maar ze kon wel advies geven, ongetwijfeld als de beste. Natuurlijk zouden we dan de casa colonica allang hebben opgegeven, en werken in München, Praag en Regensburg; uiteindelijk misschien zelfs in Parijs, Nice en Biarritz. Het leven uit een koffer in hotels heeft mij altijd aangetrokken. Grand Hotel Bretagne, de Villa Serbiona of het Ritz. Niemand die klaagt, hotelpersoneel is heel wat discreter dan de literaire kritiek.

Of: Chiara had bij mij kunnen blijven; na de *elementare* de *scuola media* kunnen doorlopen en daarna het *ginnasio classico* of *artistico*. Ik had Giannini op afstand weten te houden en de status-quo kunnen bewaren, voor ons beiden (vader en dochter) zorgend zoals ik altijd al had gedaan; geen zelfmoord plegen, maar boek na boek (er komt geen einde aan) schrijvend, zodat zij aan de universiteit van Pisa kon studeren, waar de filosofiefaculteit heel wat beter is dan in Amsterdam, dankzij de grote Giorgio Colli (presocratici en Nietzsche); zij zou zwanger worden (doet er niet toe van wie – tegen mij konden die vrijers toch nooit op) en in Lucca een kind baren (betere bodemverankering dan het planten van irissen en notenbomen); misschien zouden we, met het geld van de jonge vader (in informatica of eerlijke metselaar) die dit prijsdier had weten winnen, een andere casa colonica betrekken, inrichten en bewonen, zodat we ons eerste eigen huis konden vergeten; eindelijk een echt gezin rondom de haard; en in dank zou mijn dochter haar vroeg demente vader ('tieten kont' zingend en andere verschijnselen van het Tourette-syndroom vertonend) blijven verzorgen, de lekkerste gerechten voor hem kokend, niks van Mulino Bianco of Barilla, hem 's ochtends helpen uit bed te komen en zijn schoenen aan te trekken, zodat hij in de schaduw van een oude olijf- of johannesbroodboom onder zijn panama kon soezen met een uitgedoofde toscano in de mond, zonder nog te hoeven schrijven en zonder verder iemand tot last te zijn. Het leven kan heel mooi zijn, als het anders is.

MAAR!

Maar: de buurman leefde nog; zijn vrouw was met de kinderen voorlopig naar Frankrijk afgereisd. Verlating is aanstekelijk: loopt de ene vrouw weg, dan beginnen haar kennissen en vriendinnen ook te denken aan de voordelen van scheiding. (Wat er van hen geworden is, weet ik niet. Ze zijn eenvoudig uit het gezicht verdwenen. Ik heb gehoord dat Umberto een snorretje heeft laten staan.) En in mijn leven roerde zich niets meer sinds Chiara in Amsterdam naar het gymnasium ging (niet artistiek en nauwelijks klassiek) en Aminta mij de bons had gegeven. Iedereen had het veld geruimd, en de twee tegenstanders zaten in hun respectieve posities geblokkeerd en loerden op een kans elkaar schaakmat te geven. Hadden we ieder nog één pion gehad, dan was er in het eindspel een mogelijk röntgenschaak uitgerold, maar door het slopen, lokken en jagen schoven we nu nog slechts als twee koningen in eeuwige patstelling over het bord, zonder dat iemand de eerste wilde zijn om remise aan te bieden.

Het schrijven stagneerde. Of liever, ik bleef wel boek na boek uitbrengen, maar dat veranderde niets aan mijn positie en leverde geen winst op. Ook mijn liefdesleven. Het was gedaan, realiseerde ik mij plotseling: de laatste keer van mijn leven dat ik met een vrouw had geslapen, was al voorbij – een vreselijk besef. Ik wist niet eens meer, omdát ik het niet beseft had, wanneer dat was geweest; wel met wie, Aminta. Daarna was de belangstelling weggevallen, want beter was nergens te vinden.

Wel bevreemdde het mij dat iederéén mij in de steek had gelaten. Geen vriend of vriendin die nog op bezoek kwam sinds Chiara weg was; alsof met haar al mijn geluk mij had verlaten. Nu wist ik wel dat alleenstaande vaders voor vrouwen extra aantrekkelijk zijn, misschien ook als minder gevaarlijk worden gezien, maar dan zou ik achteraf heel vals het tegendeel kunnen beweren: vrouwen met kinderen zijn bij de man minder in trek. Dat was gebleken toen Laura met haar zoontje op bezoek kwam. Het aura van de *hardbody* was ze kwijt. Menselijker misschien, maar ik was niet op zoek naar de medemens. Ik ben trouwens nooit op zoek geweest: zij had zich aan mij voorgedaan, zoals de madonna aan enkele uitverkorenen verschijnt. Altijd maagd, begreep ook de Markies, daar zat iets in. Het wilde niet zeggen dat een vrouw geen zang & dans beoefend had, of zich niet bekwaamd had in het liefdesspel, maar louter dat ze nog niet aan zo'n luierkoter vastzat. En om heel plat te zeggen wat iedereen wel weet en denkt: 'vanonder en daartussen' is het daarna ook niet meer hetzelfde. Er schijnen spieroefeningen voor te bestaan, die onzichtbaar kunnen worden uitgevoerd, bijvoorbeeld als de moeder in de rij staat voor de kassa van Dirk van den Broek, maar ik vrees dat westerse feministen dat bepaald beneden hun stand zouden vinden. Je hebt ze maar voor lief te nemen zoals ze zijn. Ruim bemeten, drankorgels of lekbakken. 'Mooi is niet mooi, maar lief is mooi.' Een lieve vriendin had ik nog nooit gehad. Daar zou ik ook doodsbang voor zijn. Dokter?

Ik was mijn status van eerzame, verlaten vader kwijt en was alleen nog maar een vrijgezel op leeftijd, die nooit aan de vrouw had kunnen komen. Niet meer welkom bij andere paren, want gevaarlijk uit op buit; met een scheef oog bekeken door de moeders van Chiara's vriendinnen: misschien is hij wel homo-, pedo- of autofiel. In het buitenland beschouwden ze mijn praatjes over schrijverij en oeuvrebouw als grootspraak (zoals Engelse expats die steevast beweerden op Eton te hebben gezeten door de mand vielen zodra ze een echte Etoniaan als Hasting tegenkwamen); of anders moest ik een mislukking zijn – iets wat ik zelf nooit onder ogen zou kunnen zien. Dat geloofde ik ook niet: het enige behagen dat geleerde of genie uit eigen werk weet te putten, is dat hij ondanks miskenning toch gelijk heeft.

Daar zat ik en wat moest ik nu? Wachten tot Chiara met vakantie zou komen, zich toch een oude of nieuwe liefde zou aandienen, mijn werk een onverhoopte doorbraak zou beleven, waardoor ik eindelijk de huur op tijd kon betalen? Zoals ik in de gouden jaren elke minuut met Chiara innig had beleefd, zoals ik mij aan elke liefde met huid en haar had overgegeven (dat was precies, wist ik pas later te reconstrueren, wat die meisjes níet wilden), zo gaf ik mij nu over aan het gemis, het keer op keer verlaten zijn, een eenzaamheid die ik soms wel gewenst maar nooit gekend had. Tijd te over. Waarvoor? Een nieuwe start, een tweede leven, de ongebreidelde mogelijkheden van de toekomst. *Ma va!* Het was nu alles verleden, zoals nu eenmaal de aard van mijn karakter en derhalve ook van mijn beroep was. Amsterdam riep mij niet, vriendinnen noch publiek. Heel soms mijn dochter, kort over de telefoon: 'Mijn beltegoed is op!'

Het huisje, dat niet lang bewoonbaar meer zou zijn zonder groot onderhoud, was leeg zonder de uitgelaten danspasjes en de periodieke maltentigheid van het andere geslacht. Hadden door deze ruïne over de gebarsten tegels ooit blote kinderhieltjes gestampt, rode hakken gekrast, de tennisschoenen van Zelda gepiept, de blanke marmervoeten van Aminta (die de grond nooit raakten) gezweefd? Hadden de vrouwen van mijn leven, Hasting incluis, onder mijn lekkende dak geslapen?

Ik heb het uit een Italiaanse film, maar het is een goed advies: om het neerdwarrelende stof, de schorpioenen en de *cacca* van relmuizen en ratten onder zo'n oud dak op te vangen, kan men het beste grote witte lakens spannen tussen de balken. Dat ziet er ook nog uit als binnenhuisarchitectuurontwerp: de stof vormt neerhangende bogen, zoals de opbollende gordijnen voor hoge open ramen, of de pneumatische zonneweringen, van onder met lood verzwaard, in de deuropeningen van Italiaanse godsgebouwen.

Roken mijn kussens onder de slopen die ik voor hen gestreken had nog naar de zoete adem van kinderdromen en liefdeszuchten? Eén witte oerschoen – waar was de andere? – van Eefje had ik over en bewaard. Niets hadden mijn geliefden achtergelaten, behalve een restje shampoo van de Hema; nog niet een slipje of hemmetje. De waslijn toonde voortaan mijn echec. Burlington-sokken, zwarte Armani-onderbroeken en overhemden van Ashley & Blake. Nooit meer een fijne was op de hand voor zijde en lingerie, of een mohairtruitje in de diepvries. Een paar bandjes, met kusmondjes versierd, had Laura achtergelaten van haar eigen muziek. Zelda een paar boeken van Sklovsky en Pitigrilli's *Jaloezie*, kabouterpijpjes van kastanjes en eikels voor de kleine. Van Aminta had ik helemaal niets te bewaren, behalve de herinnering aan een ultieme fotosessie, waarvan zij afdrukken én negatieven later had opgeëist en voor haar nieuwe vriend verwoest. Nog een restje parfum in mijn flesje Eau d'Issy, het enige cadeau dat ik ooit had gekregen, maar of zij de vrouwelijke variant nog steeds gebruikte, wist ik niet. Het zal wel niet; ook alle lingerie zal in één keer zijn weggegooid. Zij heeft een verstandig en fatsoenlijk man getrouwd.

Zelfs wist ik niet meer op welke wijze Chiara voorgoed vertrokken was, terwijl dat vertrek toch als een valbijl onze levens heeft gespleten. Heeft Eefje haar opgehaald? Is mijn dochter een laatste keer opgestegen van het Pisaanse vliegveld Galileo Galilei? Heb ik haar op een tijdrit naar Amsterdam (ik kon de 1435 kilometer nu in twaalf uur rijden) daar onbesnut afgeleverd en achtergelaten – die keer dat in de mooie rooie was ingebroken, het zal níet in Amsterdam, en de Pasta-beer gestolen, die altijd op de achterbank te waken zat? Had ze nou wel of niet leren zwemmen in dat vervloekte zwembadje van Mutigliano? Het was een vertrek zonder afscheid geweest, om het mooi te zeggen. Maar zonder woorden deed het evenveel pijn.

Nu ik alle tijd van de wereld had, wist ik niets meer te doen. Ik trommelde met mijn vingers op het bureaublad. Nu had ik alle mogelijkheden om ongestraft in actie te komen tegen de buurman, maar ik beidde mijn tijd. Ik hoorde wanneer zijn auto het pad af reed en weer terugkwam. Wanneer ik 's nachts zijn raam in de gaten hield, was daar bijna altijd licht aan. Hij waakte en hield mij in de gaten. Om het hem moeilijker te maken, maar eigenlijk voor de troost, was ik in Chiara's bedje gaan slapen, op het hoofdkussen met Beertje Paddington, onder het kruisbeeld dat zij bij onweer altijd van de muur had gehaald en in de hand gehouden, de sliert verdroogde knoflookbollen, en het hoorntje van rood koraal dat ik haar op haar twaalfde verjaardag had gegeven. Er hing ook een bidplaatje van een onbekende heilige, waaronder geschreven stond: *Non temere. Io sono sempre con te.*

'Als ik straks-later groot ben...' Ik probeerde in te vullen wát ze allemaal had willen doen of worden: een *ragazzo per bene* worden, met Laura trouwen, anarchist worden in de marmergroeven van Carrara, bassaxofoon spelen zoals Jimmy Halperin, in bikini tegen de steile wand op rijden, naakt in de rotspoel duiken, zonder aansluiting op elektriciteits- en waterleiding leven, geen ondergoed meer dragen, in een bakfiets wonen, tieten zoals 'Minta krijgen, voor haar vader paddestoelensoep met kikkerpootjes, rildérrie en korstjes koken, in ons bamboebos een vlot bouwen, nooit achter een computer gaan zitten, mijn stervende DS in haar slaapkamer bewaren, boeven als de buurman vangen met de *Occhi di gatto*, een baby in Barga baren, ontdekkingsreiziger worden in een bootje met een boom als mast, soms ook scheepsjongen (nadat ze de piratenfilm van Polanksi had gezien)...

Toen mijn zusje klein was, had ze elke verjaardag haar vader gesmeekt: 'Als ik later zestien ben, ga jij met me dansen?' Zestien is ze geworden, en hoe, maar gedanst werd er niet. Mijn vader kon helemaal niet dansen; dat was volgens mij het voornaamste bezwaar van mijn moeder tegen hem. Die had als meisje gedroomd over balboekjes en waltzende officieren in gala. Daarom had ík adelborst willen worden, met opstaande rode kraag en zo'n geil zwaardje aan mijn zij. H is ons Hansje met een sjerp opzij. De leeg gebleven balboekjes zijn onvervulde meisjesdromen van vrouwen met permanent, artrose in de gewrichten en oorlogsvermisten.

Chiara was nu groot. Ze was niet meegegaan met het circus of weggelopen naar de zigeuners, niet had ze stiekem aangemonsterd op een schip om kruiden uit de Oost of thee uit China te halen. Ze werd blootgesteld aan popmuziek en disco's, skinheads en merkkleding, krakers en kistjes, bierflesscherven in de Korsakow, gevechten met de politie en wat nog meer gewoon was in de grote stad, alles waarvoor ik haar had willen behoeden. Ze was, zo hoorde ik, verrijkte shag gaan roken. Terwijl de burgemeester als juryvoorzitter een boek van mij probeerde te bekronen, liet zij zich aan het hek van zijn ambtswoning vastketenen. Tegen wil en dank werd ik meegezogen, van een afstand, in die turbulente wereld: ze nam me immers overal en altijd met zich mee?

Vroeger had ze weleens een kattebelletje (nóóit een tekening, op mijn verzoek) achtergelaten, tussen mijn papieren, of in de auto, onder mijn hoofdkussen: *'Papa, ti voglio bene'* of 'Denk aan mij' of 'Niet treurig zijn' of 'Jij mag niet slapen als ik slaap' of 'Volhouden, doorwerken!', gesigneerd met de vleermuis. Nu kreeg ik brieven van haar, in antwoord op de mijne, die het formaat van kleine boekjes hadden, vol *pictures and conversations.* Met de computer had je geen zetter meer nodig. Ik schreef haar: *Inniggeliefde dochter,* ratatapan: geen nieuws. Wat ik omschreef en te benoemen had, kende ze reeds. Ik buitelde in circusbochten en speelde de clown om ver weg een glimlach te ontlokken. Korte verhaaltjes, raadsels en opdrachten die allemaal op ons verleden betrekking hadden. Verleden? De beurt aan haar:

Buitengeliefde vader!

Je dochter schrijft je een kort briefje, terwijl haar nagellak aan het drogen is. Ze gaat zodirect onder de douche en heeft zojuist het hele huis aan kant gebracht. (Wel goed op jezelf blijven letten wat opruimen en schoonmaken betreft! Je bent al echt een vieze oude man.) Nu staat ze op het punt haar nieuwe vriendje (alle fietsen – het zijn er drie – vertonen kuren en worden omstebeurt gestolen) op te halen die in de Melkweg aan de afwas staat. Hetgeen je dochter wil vertellen – lieve Vader – is dat ze ondanks alles een nieuw geluk beleeft dat nooit meer (ook al gaat alles over waar ik bang voor ben) uit haar hart zal kunnen verdwijnen.

Je Toscaanse dochter heeft het moeilijk, omdat ze haar vader – en het land dat bij hem hoort – zo mist. [Wel ietsje te plichtmatig.]

Maar ze geniet van de liefde, en de jeugd die ze nooit heeft gekend. [Hallo, hebben we het over dezelfde tijd?]

Je vragen zijn moeilijk te beantwoorden (ze betreffen een meisje van 13 tot 18, en niet een kind dat acht jaar oud is!). Wat ik altijd van jouw vriendinnen (en de mijne!) wilde weten was:

–om de hoeveel dagen moet je je 'lijn' scheren zodat het lang mooi blijft en je geen uitslag krijgt? (N.B.: zie boven, ik had toen welgeteld pas drie kleine haartjes waar ik in eerste instantie, zeg maar tot Laura's liedje 'Lady-Shave', geweldig van geschrokken ben.)

238

–wat staat mij en wat niet; in verband met huid- en haarkleur, en wat is modieus in tijdloze zin?

–wanneer moet je je van een minnaar ontdoen, als niet alles naar wens is (want dat is het nooit!) (was ook niet zo met jou, pardon).

–werken 'ontharingscrèmes'?

Al deze vragen betreffen uiterlijk en seks–kortom waar het leven om draait, aangezien dat alles behelst wat er maar voor zorgen kan dat je je prettig voelt. Jij echter hebt mij in dergelijke zaken–via je vriendinnen misschien–al degelijk wegwijs kunnen maken. Sexy meisjes dragen–bijvoorbeeld–nooit en te nimmer panty's, maar altijd kousen, of anders niets. Een spijkerbroek moet perfect strak om je kont zitten; je moet kunnen 'liplezen', anders lijkt het of je een luier draagt met kak etc. De hoog opgetrokken string moet daar dan aan de achterkant bovenuit kijken. Blote navel de rigueur–ik kan het ook niet helpen. (Net als Laura heb ik er nu een piercing in.) (Waarom had 'Minta wel altijd de meest glossy lipstick op, maar nooit gelakte nagels?) Geen afgebladderde nagellak (weet ik nog van je moeder); al helemaal niet op je tenen. Voeten elke avond inoliën en goed verzorgen (ook al denken de meeste girlies dat daar niet op wordt gelet) (O, weet je nog, Daddy'O, de baritonsax in 'Boys & Girls' van Prince?) Roken is slecht voor je huid, maar ik doe het toch, al staat het niet bepaald erg sjiek, vooral niet op straat. Drinken idem, maar dronken meisjes zijn wel leuker. Deze laatste opmerkingen zijn eerder de antwoorden zonder vraag die ik ooit van jou heb gekregen.

Maar de vragen betreffen alles wat het worden–of zijn–van een zeer kritisch meisjesmeisje betreft...

Wat kan je zeggen?–zou Aminta zeggen...

Vandaag mijn Isabella Adjani-laarsjes naar Eddie Super gebracht. Wel eventjes bleek weggetrokken rond de neus toen hij zei wat het kosten ging, Giuda Ballerino! Hij wees mij erop dat dergelijke schoenen er niet op gemaakt zijn om elke dag gedragen te worden. Schoenen, papa, daar moet ik goed op letten, heb jij me toch

geleerd? Dus ik de stad in en ben zodoende in het fijn bezit van to-
renhoge pumps (turquoise) en naaldhaklaarsjes van kant. So that
takes care of that.

Het geld is op – dat jij failliet gaat zeg je al zolang ik leef – maar
meisje is weer blij en gaat spoedig in bed liggen (stik, vriendje
Melkweg), met de twee nieuwe Dylan Dogs *(waarvoor dank) en*
oude pluis. Zij wenst haar vader alle liefs vanuit de grote boze stad.
Voor mijn verjaardag wil ik een flos, geen taart.

Ondersteboven als altijd nog steeds je Pipistrello

Ik liep naar buiten om te kijken of daar echt een boomhut was
geweest. Hij was er nog. Ik denk dat ze met *ragazzo per bene*
eigenlijk altijd bedoeld had dat ze een echt meisje wilde worden, *mon enfant sauvage.* Had ik al jaren zitten suffen, jaren die
ongemerkt voorbij waren gegaan omdat ze niets meer betekenden? Of ging mijn tijd heel erg traag – dat wil zeggen dat
ik aan het doodgaan was – en die van mijn dochter heel snel?
Zat haar hoofd echt vol met peen en kool, zoals mijn vader
dat zou hebben genoemd? De ergste klap was dat er iemand
anders was van wie ze hield. Had ik wellicht nooit van iemand
anders kunnen houden?

Ik dacht aan onze kerstboom, met één Panettone en één
Pandoro in het lichtpaarse karton van Bauli aan de voet, aan
Chez Gaston Qui Fume Une Pipe van Ko de Boswachter, de
Liebestraum van Victor Borge en het goedkope overhemd van
Wim Kan. Aan *Cul-de-sac* en *The Fearless Vampire Killers* van
Polanski. *Teresa Venerdi* van De Sica, een enkele Totò, en Jer-
ry Lewis in *The Bell-Boy.* Aan Edward Gorey (*Mr. Earbrass*
Writes a Novel). Aan alles waarom we samen zo gelachen had-
den. Later had Chiara met Roman Polanksi willen trouwen.
Ik zei: 'Daar ben je al bijna te laat mee.' Dat begreep ze des-
tijds niet.

Nu vond ze het onbegrijpelijk dat haar moeder onherkenbaar veranderd was, dat haar ouwe *povero babbo* dagelijks me-

dicijnpillen moest uittellen en niet meer tegen de berg op kon. Dat een auto die eerst nog reed, fluitend en gierend door de bochten, een volgend moment stil kon staan. Ze had ontkend dat Koffie Pitigrilli dood was en begraven moest worden; en haar gelijk gehaald toen het kadaver de volgende dag uit het ondiepe graf verdwenen was.

Ik sliep in Chiara's bedje: zo hoefde ik in mijn eigen kamer geen licht te maken. Voor het grote barokbed dat ik steeds achter me aan had gesleept over de bergen en waarvoor een matras speciaal op maat was gemaakt, had ik geen emplooi meer. Mooie tijden dat ik daar met twee, één keertje drie, meisjes in geslapen had. En 's ochtends had Chiara er altijd bij gekund.

Van het raam voor mijn werktafel beneden had ik de blinden dichtgespijkerd, sinds er een ruit was gesneuveld door een verdwaald schot van de jacht op de relmuizen. Het was menens. Nu kon híj niet meer zien of ik nog beneden aan het werk was; en ik had geen uitzicht op zijn keukenraam. Ja, zo ging de tijd een stuk sneller.

Sinds wanneer kwam Gigi 's avonds heel laat thuis, terwijl hij vroeger nooit na tienen naar boven was gegaan? Dat hoorde ik aan de banden op het grind. Net als in de hoorspelen van Paul Vlaanderen kon je dan de boeven horen aankomen. Overdag lag hij volgens mij meestal in bed. Een enkele keer arriveerde in de middag voor een kort bezoek de ouderwetse Jaguar met de bevriende Duitse primarius, hoe heette hij ook weer. De boer (Sandro) kwam niet meer om het gras te maaien van zijn tuin. Waarschijnlijk vond Gigi dat het geluid van de trekker hem stoorde in zijn rust. Zoals hij tegen anderen zou vertellen, had hij heel wat in te halen nu zijn vrouw en kinderen een poosje weg waren. De manke metselaar (Corrado Calabrese), voor wie altijd een achterstallig klusje liggen bleef, liet het afweten.

Ik zág Giannini helemaal niet meer! En vreemd genoeg

verhoogde dit de verlammende angst die ik alle dagen van die jaren achter mijn schrijftafel had gevoeld voor de *mogelijkheid* dat de buurman langs zou komen. Een soort paniek die alleen werd weggenomen wanneer hij zich feitelijk en onmiskenbaar aandiende. Ik probeerde hem zo lang mogelijk te negeren, ook al liep hij over ons terras; ik hoorde zijn stem niet als hij mij riep. Maar als er hard geklopt werd, of hij met een *'Permesso – non c'è nessuno?'* gewoon door de openstaande deuren binnen kwam lopen, moest ik wel reageren. Zijn altijd eendere begroeting: *'Che mi racconti di bello?'*

Waarop ik: 'Ben aan het werk.' Waarop hij altijd met hetzelfde argument kwam, alle schrijvers welbekend: 'Je werkt veel te hard. Je moet er even uit. Dan doe je nieuwe inspiratie op.' Waarop ik in het verleden meestal knarsetandend nog net had kunnen uitbrengen: 'Wit of zwart?', en het gereedstaande bord op ons speciale schaaktafeltje al of niet honderdtachtig graden draaide. Vanzelfsprekend zat Giannini altijd in mijn beste stoel. Kent u die gasten die als ze je kamer binnenkomen, even rondkijken en dan onveranderlijk en zonder iets te vragen neerploffen in jóuw eigen stoel?

De *mogelijkheid* dat hij zich aandiende was bijna een alledaagse zekerheid. Die redenatie gaf mij geen vrede of berusting. Hij kón er immers altijd nog van afzien. De dreiging was des te slopender omdat Giannini, die hoopte dat ik bij eerste bespeuring van zijn aanwezigheid mijn huis uit zou rennen om hem een voorstel te doen hoe de tijd samen te doden, maar die ongetwijfeld mijn (en Chiara's) afwerende uitstraling moest voelen, heel langzaam te werk ging: eerst wat rommelen aan een luik van zijn eigen huis; dan wat heen en weer lopen door de grindbak, een motorzaag of bromfiets een paar keer achter elkaar starten; tot hij plotseling op mijn erf aan het scharrelen was, om mijn huis heen liep; een autoportier van mijn DS opendeed en dichtsloeg; de hoofdkraan van de waterleiding even uitdraaide (dat kon ik aan de wasmachine horen) en weer aanzette; met veel lawaai meubelstukken en oud ijzerwaar in de *stalla* verplaatste – een door ons betwiste ruimte, waarvan ik volgens hem gebruik mocht maken, maar die ik inbegrepen bij de huurprijs achtte en waar hij dus niets meer te zoeken had; uiteindelijk wat op zijn leren hakken draalde op mijn terras, een ligstoel verschoof of wat hamerde tegen het roestige onderstel van de buitentafel...

En dan plotseling stond hij achter je in de kamer, triomfantelijk een oud pannendeksel omhooghoudend, dat ik vast nog wel gebruiken kon; of met een vastberaden voorstel om naar Viareggio te rijden, waar je goede pijptabak kon kopen; of met een vermaning dat ik mijn erf beter moest verzorgen; of met een belofte dat hij spoedig een tuinman mijn pad en erf zou laten verzorgen...

Ik hoorde of zag de man niet meer, terwijl ik nu meer dan ooit gespitst was op zijn bewegingen. Vast een beginnende vorm van paranoia, dat ik mij af en toe snel omdraaide om te kijken of hij niet zwijgend of misprijzend achter me stond. Mijn broer, die stemmen imiteert en van mijn toestand op de hoogte was, belde mij op met de stem van de buurman: 'Giacomo...' en daarna een veelbetekenende stilte, want van alles wat betekenis kon hebben, hadden de stiltes van de buurman nog de meeste.

En in mijn dromen... Nachtmerries voortaan, waarin geen vrouwen wegliepen of vliegtuigen met barbies neerstortten, maar waarin Gigi mij meenam op een urenlange autorit langs autosloperijen, supermarkten (van het niveau van de Aldi, beslist geen Esselunga's), legerdumps, failliete meubelgroothandels met afbraakprijzen, goedkope verzekeringsadviseurs ('Ik ben al verzekerd, tegen schipbreuk en lawines, kernaanvallen, vliegende schotels en tapijten – behalve tegen vervelende kerels zoals jij!' had ik de Kapitein moeten nazeggen), gesloten of opgeheven restaurants, kruidenwinkels en apothekers die boeken over de lever hadden geschreven, makelaars van vakantiewoningen à raison van één miljoen (lire) per week, textielfabrieken waar goedkope kostuums direct aan de klant werden verkocht, en geheime werkplaatsen waar vijfenveertig Chinezen imitatietassen van Gucci en Prada aan het naaien waren in een ruimte van zes bij zes met een plafond van één meter tachtig, ijzerwarenwinkels waar ze plastic bergschoenen verkochten, alle winkels die kachelpijpen in voorraad hadden (maar nooit in onze maat), *gommiste* die geheel versleten banden weer konden vulkaniseren, ziekenhuizen waar de koffie gratis was en krantenkiosken met tweedehands pornobladen, wijnproeverijen en kaasboerderijen (zonder ooit iets te kopen na het proeven), kleuterscholen waar de juffies 'interessant' waren, en sinds de jaren vijftig verwaarloosde tenten aan het strand waar zelfs de oudste ober, die een voortand miste, zich de naam van Chet Baker niet meer kon herinneren... Het liefst wilde hij me porren om naar Lugano op en neer te rijden, zodat ik wat van zijn geld de grens kon overbrengen.

De laatste keer dat ik de buurman in levenden lijve had gezien, was het tot een scène gekomen zoals wij altijd hadden weten te vermijden. Inderdaad had hij mij toen toegevoegd dat hij me nooit meer wilde zien. Dat waren de laatste woorden die ik me van hem herinnerde. Gigi was volkomen over zijn toeren geweest. De man is nu volkomen doorgedraaid, had ik gedacht, hier heeft hij morgen spijt van. Hij is nu heel erg ziek, zoveel is duidelijk, dacht ik, de ziekte heeft zijn geest nu aangetast, dacht ik, niet beseffend dat ik misschien zelf niet helemaal lekker meer was. Dacht ik.

Nog één keer had ik een geleerde vriend op bezoek gekregen, iemand die, zoals alle geleerde vrienden, niet tegen kinderen kan en daarom vanuit Zuid-Frankrijk was aangesneld zodra hij wist dat Chiara 'voorlopig' was vertrokken. Mijn oude uitgever, een vriend van deze vriend, placht goedsmoeds te zeggen: 'Ik? Ik houd heel veel van kinderen. Mits goed doorbakken.' Die uitgever bezat het uiterlijk en de geest van

Repelsteeltje, regelrecht uit de gebroeders Grimm. Giannini leek eerder op de onuitstaanbare, over het paard getilde, uitgeteerde lange bonenstaak van Andersen. Roger op Henry Beyle, of nee, laten we zeggen op de Rossini van de door hem uitgevonden steak: een fikse entrecote, met paté ingesmeerd, schaafsel van de witte truffel erover in een saus van madera. Daar deed ik mijn vriend Roger wel recht mee. Zelf had ik altijd op de jonge Schiller willen lijken, op wie mijn moeder verliefd was geweest. Zij had mijn knapenhaar dan ook in *Schillerlöckchen* laten afhangen. Die kon je bij de banketbakker kopen, gevuld met room. Zijn werken kende ze uit het hoofd, de mijne niet. Zelfs mijn vriendinnen en mijn dochter hadden mijn werk altijd vermeden, toch een leuk spiegelpaleis, met vertekende figuren.

Giannini had onmiddellijk gespot dat ik bezoek had. Zijn vrouw was net met de kinderen, voorlopig, naar Frankrijk afgereisd. Omdat de vuren van de keukens in villa en casa colonica inmiddels waren afgekoeld, besloten we gedrieën te gaan eten in de stad. Formele plichtplegingen, tijdens het eten nooit te veel praten, pas bij de *digestivi* kwamen we los. Het was inmiddels tot Gigi doorgedrongen dat mijn gast buitenlands correspondent in Rome was geweest. Daar hoef je geen Italiaans voor te kennen: de krantenkoppen kun je altijd wel zo'n beetje ontcijferen en daarnaast krijg je een beter inzicht in de nationale politiek via buitenlandse bladen als de *The Herald Tribune*. Het eten, omdat ík voor de gelegenheid het restaurant had uitgezocht, was kennelijk niet goed gevallen bij de buurman. Hij zocht mot.

Had, informeerde hij nog met beleefdheid en belangstelling, de vroegere correspondent wel enig inzicht kunnen krijgen in de bepaald getroubleerde politieke toestand van *la bella Italia* gedurende het recente verleden? Mijn vriend antwoordde dat hij voor zijn Nederlandse Perscombinatie destijds de affaire-Moro had gevolgd. Ik schoof al ongemakkelijk in mijn stoel, die aan mijn broek bleef plakken. Gigi stond aanstonds in de stijgbeugels.

'Ha zó! Daar hebben we een kernzaak. Smerige Brigatisten, rooie terreur!'

Roger antwoordde kalm, nietsvermoedend: 'Destijds wisten we minder dan nu. Ik had zo mijn twijfels. De Renault 4 waarin Moro op 9 mei 1978 gevonden werd, zou halfweg de hoofdkwartieren van de PCI en de DC gevonden zijn, een symbolische geste van de BR, heette het toen. Moro had immers een historisch compromis voor ogen gestaan tussen beide aartsvijanden. Als correspondent woonde ik toen in het centrum van Rome. De Via Caetani ligt helemaal niet halverwege de Via delle Botteghe Oscure en de Piazza del Gesù, waar de respectievelijke partijbureaus gevestigd waren. Ik heb dat nagelopen. Heel Rome – heel Italië wat dat betreft – verkeerde toen in staat van beleg. Ook de Via Caetani. Via mijn perskaart kreeg ik toegang. Ik herhaal dat ik mijn twijfels had. Moro moet vlak bij die vindplaats vermoord zijn. Toch hadden de *forze del ordine* die wijk huis voor huis uitgekamd en niets gevonden. Het was bepaald merkwaardig dat een verbeten legermacht de *covo* van de Brigatisti niet eerder gevonden heeft.'

'Wat wilt u daarmee suggereren?'

'Ik heb nooit iets gesuggereerd, slechts mijn verslag gedaan. Pas later is de kwestie van de verdwenen dagboeken van Moro aan het licht gekomen. Vlak ná zijn dood vond men plotseling wel de plaats waar hij gevangen was gehouden. Zijn gevangenisdagboeken werden eerst niet gevonden, toen weer wel, daarna zijn ze onmiddellijk verdwenen. En toen de journalist Pecorelli in zijn schandaalblad daaruit ging publiceren, werd ook hij fluks vermoord.'

Giannini was witheet. Hij negeerde mij. Zijn woede richtte zich vooreerst op mijn vriend: '*Tutto balle!* De eeuwige complottheorie. De waarheid is dat het rooie tuig, dat ons hele land terroriseerde, een staatsman heeft vermoord. Wat had er in die zogenaamde dagboeken dan kunnen staan, behalve de langzame teloorgang van een grote geest die om bevrijding smeekt?'

'We weten het niet, en daarom heb ik daarover destijds niets bericht. Nu is het duidelijk dat de affaire plotseling een internationale kwestie was geworden, omdat Moro niet alleen sprak over de corruptie binnen zijn eigen partij. De geheime diensten van de halve wereld waren ermee gemoeid: binnen de NAVO was een ondergronds netwerk van oud-fascisten en CIA-infiltranten opgezet om koste wat kost de opkomst van de communisten te onderdrukken en een staatsgreep te plegen wanneer het politieke monsterverbond dat Moro voor ogen stond via democratische weg een feit zou worden. De regering had alle mogelijkheid tot onderhandelen, maar ze hebben hun man eenvoudig laten vallen. De conclusie, achteraf gezien, moet zijn dat niet de BR, maar de geheime diensten het nodig achtten Moro uit de weg te ruimen.'

'Wij zijn beschaafde mensen. Dit is een beschaafd land. Wat u vertelt is laster, staatsgevaarlijk, ongewenst. Ik heb mijn eigen bronnen, generaal Martini, il principe Borghese en Almirante. Schrijven wij onze eigen geschiedenis of moeten we dat aan buitenlanders van de Vijfde Colonne overlaten? U bent een *fellow traveller.*'

'Hoho,' probeerde mijn oude vriend de spanning weg te lachen. Ik vond dat ik het uit beleefdheid voor hem opnemen moest: 'Maar, Gigi, in alle redelijkheid: we weten ondertussen toch allemaal hoe het zit met die *stragi di stato*? Die kinderen van de BR waren jonge heethoofden, idealisten die in hun argeloze verblinding *gebruikt* zijn door de geheime diensten. Je weet toch wat de *strategia della tensione* feitelijk betekende? Nog steeds, wat dat betreft.'

Nog nooit had ik de buurman echt kwaad gezien. Het schuimde rond zijn mond. Zijn oogleden hingen zwaar over de mij nu ongezond geel voorkomende pupillen. Hij was volkomen over zijn toeren. Stond op, de tafel bijna omgooiend, en schreeuwde spuwend in mijn aangezicht: 'Ik wist het wel! *Communista, communista!* Dus jij bent er ook zo een. Vuile verrader! En alle dertig miljoen doden van Stalin vergoelijk jij? Die hebben jullie op je geweten. Veertig miljoen! Ik wil je nóóit meer zien. Het is nu uit en afgelopen, begrepen? Met dergelijke schoften wil ik níets te maken hebben. Zulk uitschot duld ik niet op mijn land, niet in de stad, nog niet in de hele republiek! Verdwijn! Uít mijn gezicht! Ik heb een adder aan mijn borst gekoesterd. Morgen heb je een *avviso di garanzia* te verwachten, want reken maar dat ik een *bella denuncia* ga doen. Jullie gezelschap is onverdraaglijk! Dat komt hier zomaar ongevraagd in ons land wonen, om vervolgens als dank louter kwaad te spreken en onze tradities belachelijk te maken. Álle schrijvers zijn hetzelfde, net als die armetierige Welshman van je, hoe heet hij ook alweer, nee niet Hasting, Parks! Tim Parks! *Maledizione e vergogna! Vergogna! Vergogna!* Ik ben hier weg en waag het niet mij ooit nog onder ogen te komen!'

Het hele restaurant had meegenoten. Wij bleven verbluft achter met de rekening. Het eten was door de witte spraakballetjes van Giannini toch niet lekker meer. Zijn facie een totaal door haat, wrok en ressentiment verwrongen masker. Een mannelijke Medusa. Met zijn steeds meer uitgeteerde, nu ietwat gekromde figuur, beschaduwde oogkassen, de ooit aristocratische haakneus die nu buiten proporties uit het ingevallen ouwemannengelaat stak, zijn handen met de dunne vingers en lange nagels klauwend door de lucht, was Gigi iemand om voor terug te deinzen, beter nog: niet naar te kijken en te mijden. Zo iemand moest wel ongeluk brengen.

Ongemakkelijk begeleidde ik mijn vriend naar Hotel Napoleon; in mijn huis durfde hij niet te slapen. Onderweg vertelde hij me een pikant detail, dat hij tegenover Giannini wij-

selijk verzwegen had. In Parijs had Roger destijds een uitge-
weken Russische violist leren kennen, zekere Igor Markevich,
die later een beroemd dirigent in Italië is geworden. Ten tijde
van de zaak-Moro woonde de Rus in een appartement in Palazzo Caetani, precies waar de Renault 4 was gevonden. Maar
nooit was de dirigent door de politie ondervraagd, of was zijn
huis doorzocht. Zo'n man stond boven alle verdenking. Kort
geleden waren de twee elkaar weer tegengekomen in Avignon,
ten tijde van een muziekfestival. Natuurlijk kwamen ze over
vroeger te spreken. Voor het eerst durfde Markevich aan iemand te vertellen dat hij indertijd door de DC-senator Giovanni Pellegrino namens DC, regering en paus was gevraagd
met de BR te onderhandelen, die zich praktisch in hetzelfde
gebouw schuilhielden. De Brigatisten zouden hem vertrouwen omdat Markevich vroeger in Parijs lid van de Partij was
geweest, ook al had hij zijn kaart verscheurd in 1956. De on-
derhandelingen hadden tot niets geleid–*omdat* de regering er
niets anders dan een afleidingsmanoeuvre in zag teneinde
de publieke opinie gerust te stellen. De politie en de diensten
wisten dus allang waar zich de *covo* bevond. De BR wilden
maar al te graag van het probleem af en waren tot alles bereid
aan de onderhandelingstafel–ze hadden grote sympathie voor
de DC-leider in gevangenschap gekregen. Maar Moro moest
dood. Diezelfde Pellegrino was later voorzitter van de parle-
mentaire *Commissione Stragi*, en wist juist daarom deze gang
van zaken verborgen te houden.

Details? Voor mij was dit groot nieuws. Roger haalde zijn
schouders op: 'Ik ben nu met pensioen en interesseer mij meer
voor de oude geschiedenis. Eerlijk gezegd heb ik het evenmin
erg op communisten begrepen. Die Markevich heb ik nooit
echt vertrouwd. Misschien deed hij alleen maar dik. Voor mij
hangt er te veel gebakken lucht over dit land.'

'Maar begrijp je dan niet het belang van deze kwestie? Van
de kwalijke rol die de Amerikanen hier sinds de oorlog spelen?'

'Vergeet niet dat ik al heel wat ouder ben dan jij. Ik heb de oorlog meegemaakt. De Amerikanen hebben ons bevrijd. Geen kwaad woord over...'

Ik liet het erbij zitten, want straks zou ik met hem ook nog ruzie krijgen. En ondertussen moest ík wel naar huis, op het landgoed van Giannini, bij wie ik het nu helemaal verbruid had.

Met angst en beven wachtte ik de aankondiging van zijn komst af. Ik zou excuses aanbieden: een vreemdeling is te gast in het land waarin hij wordt geduld; dan moet hij zich maar beter niet met binnenlandse politiek bemoeien. Maar er kwam niets. Ik kreeg de kans niet. Dit was geen diplomatieke of koude oorlog meer, maar zenuwterreur met lachgas en mosterd.

'Hoe moet ik me tegenover de buurman teweerstellen?' vroeg ik mijn dochter aan de telefoon.

'Hem nooit aankijken, papa, want dan ben jij meteen verkocht.'

'Maar jij wist hem juist klein te krijgen met die boze blik van je?'

'Ik zou niet weten wat je bedoelt. Ik heb hier geen bereik... Ik was toen nog zó klein en on...'

Mijn Chiara klonk heel ver weg. Ik was wel heel ver heen, nu ik er echt alleen voor stond. Ik werd volkomen gebiologeerd door de buurman. Het was ongezond. Hij was heel ongezond. En ik voelde mij ook niet lekker meer.

In tegenstelling tot de moeder, die alles had meegenomen (op die ene afgetrapte witte pump na), had Chiara *alle* spulletjes van haar jeugd en meisjesleven achtergelaten. Afgeschud, zoals een slang zijn oude huid. Alleen haar pluizendekentje had ze bij zich gehouden. Nu was ze helemaal iemand anders, geen kind maar ook geen vrouw. Haar haar was niet meer blond maar ravenzwart. En ik maar ronddwalen door ons verleden, in haar meisjeskamer. Daar hing het vlindernet, daar

stond de grote wasmiddeldoos met playmobiels; onder de op-
klapbare zitting van haar kinderbankje lagen de barbies gepropt met al hun kleren en parafernalia; twee grote model-
poppen (zoals mijn moeder zich als kind altijd vergeefs gewenst had) met lang haar dat nooit uit de klit gekamd kon
worden ('Dood poppenhaar groeit nooit meer aan!') zaten
deftig verstild voor de spiegel van de commode ('*due civette sul
commo*') die was beplakt met de fluorescerende sterretjes van
de nachthemel; zwemvliezen (iets had Zelda toch achtergelaten), duikbrilletje en badmutsen (in Italië terecht verplicht)
plus snorkel; een hele serie modelauto's (die de vader eigenlijk
voor zichzelf had gekocht); alle tweeëndertig canonieke Bob
Evers-boeken (idem), plus de echte kinderboeken; aan de
muur een halfvergane speculaaspop van de Nederlandse Vereniging in Florence; een bak met krijtjes en kapotte kleurpot-
loden; de chemiedoos, interessante stenen en halfedelstenen,
ontelbare blikjes en potjes en doosjes (met Florentijns papier
beplakt), waarin ik vieze en rottende dingen aantrof als ik ze
openmaakte. Daarom sloot ik ze weer gauw, weggooien zou ik
niets.

Vanaf zeker moment had Chiara de houten Pinocchio's,
waarvan ze vele maten uit dezelfde mal bezat, opgestookt (een
haard is werkelijk onmisbaar als je sporen wilt uitwissen), en
moest ik haar Pipistrello noemen. Ze tekende het merkje van
de Bacardi-rum als lijfstempel. Eén dode vleermuis – overdag
kon je ze levend en slapend zó van de balken uit de houtschuur plukken – had ze in een Botticelli-schoenendoos gevlijd
tussen paars crêpepapier. Van het lijfje was niets over dan het
geraamte van een muis; de vleugels waren dun en doorzichtig
geworden als de albasten vensters in de Dom van Barga. Ik
had haar ooit, voor later, een dubbelboek cadeau gedaan, dat
was uitgegeven in Lucca (Maria Pacini Fazzi editore, 1989) en
dat ze onmogelijk had kunnen lezen: *Abraxas* (heksenrecep-
ten), van Augusto Calderara, en *Abratassa* (heksenprocessen)

samengesteld door Estelle Galasso Calderara & Carla Sodini. 'Drie eeuwen hekserij in een vrije republiek.' Bij gebrek aan beter begon ik daar nu zelf in te lezen.

Op alfabetische volgorde werden zaken behandeld als vleermuisharten, afgeknipte haren en nagels van anderen, slangentongen; wat je ermee kunt doen en waar je ze kunt vinden. Hoe je een *fattura* moet werpen en wat een *iettatore* is: iemand die de gave of handicap van het boze oog bezit. Van alles had Chiara wat. Flesjes met belladonna (van Aminta), met rozenwater, met aloë vera (van Laura), met zout, gedroogde cactussen en paddestoelen en kruiden; ik trof de mooie stenen en mineralen aan die we boven Capella hadden gevonden, en primitieve medaillons met plukjes haar (van de barbies afgeknipt, bij mijn kappertje meegenomen). Met ontzag dacht ik aan de kilo's afgeknipt mensenhaar die nu nog steeds in Auschwitz-Birkenau worden bewaard – daar moest een ontzaglijke magie van uitgaan.

Zo iemand die een boze betovering uitoefent, moest wel een verdorven wezen zijn. Uit zijn blik zouden de kwalijke invloeden komen, gevoed door ijverzucht en afgunst, die een verandering teweeg kunnen brengen in de geest en het lichaam van het slachtoffer. Had ik niet ooit bij de oude Plinius gelezen dat mensen die de capaciteit bezaten met slechte invloed hun naasten, maar ook vee en de hele oogst te schaden, zeer gevreesd werden? Om wie het land en het gewas daarop vanzelf verschrompelde en verwilderde? Het waren meest eenzame, magere, zwijgzame en bleke types, licht gebogen, met afgezakte oogleden.

Alexandre Dumas had het portret getekend van iemand met het boze oog in *Le surnaturel et les dieux d'après les maladies mentales.* Zo wou ik het ook liever zien: het was een geestelijke aandoening. Geen wonder dat mensen met een grote boog om iemand heen liepen bij wie het in de kop was misgegaan.

'Gewoonlijk bleek en mager, met een kromme neus en grote ogen als die van een pad; vandaar dat ze die graag bedekken met een zonnebril. Zoals bekend heeft de pad het boze oog: met één blik kan hij een nachtegaaltje doden.' Giannini droeg altijd een zonnebril, ook als de zon niet scheen. De meeste Italianen, trouwens.

Cornelius Agrippa had geschreven dat het boze oog een kracht is die wordt uitgestraald door de geest van de verwenser, en via de ogen van de verwenste persoon binnendringt tot in zijn hart. Dat was gewoon het negatief van de platoonse liefdestheorie. Als liefde een kracht heeft, stelde ik mijzelf gerust, dan heeft de haat die ook – maar daarom hoef je nog niet meteen het slachtoffer te zijn van haat of liefde. Hoewel... Van liefde was ik vaak, zo niet altijd, het slachtoffer geweest, waarom dan niet van haat?

Frederick Rolfe, baron Corvo, had – ik vond dat dwaas – aan witte magie gedaan. Het meest gebruikt om iemand verliefd op jou te laten worden. Als witte magie bestond, dan zeker de zwarte, in een wereld waar het boze sowieso de overhand had. Meer mensen droegen wel dan niet een zonnebril tegenwoordig, alle boefjes van Amsterdam bijvoorbeeld, en slechte vrouwen in bikini die zich uitkleedden voor geld en een man te gronde richtten. Chiara had al als klein kleutertje een rode zonnebril gedragen, met witte slangen op de poten. Mijn moeder ook, bedacht ik nu met schrik: een rode zonnebril met witte salamanders op de poten, die in een asbak (dat zij rookte, vond ik al zo wuft) was gesmolten en door de verzekering was vergoed. Mijn moeder was zo kwaad geweest dat ze van dat verzekeringsgeld nooit dezelfde zonnebril uit Capri kon terugkopen. Wat had ze dan verwacht?

Er was een belangrijke Arabische traditie van het boze oog: dat had altijd met jaloezie en naijver te maken. Vooral baby's en zwangere vrouwen waren er het slachtoffer van. Toen ik geboren werd, heeft mijn vier jaar oudere zuster een jaar lang niet meer willen spreken. Nog steeds ben ik bevreesd voor haar blik.

Ach wat, ik was nu zelf onder de invloed van een kwade 'worp'. Allemaal bijgeloof – wacht eens even, toch niet helemaal: ook het echte geloof hield zich met uitdrijving van demonen bezig. Uit de papieren voor de zeer onterechte heiligverklaring van paus Pius XII, Pacelli zullen we maar zeggen, was nog onlangs gebleken dat Zijne Heiligheid op afstand had getracht Hitler te bezweren en te betoveren. Je ziet hem bezig vanuit het Vaticaan: dat witte keppeltje en die intellectuelenbril, en dan wriemelende vingerbewegingen maken in de richting van Berchtesgaden. De rijkskanselier zat zeker net toevallig in de bunker onder de Rijkskanselarij. Nu zouden we zeggen: hij had geen bereik. Maar ondertussen gezellig bij alle nazibonzen op bezoek, geen woord over de joden, de laatste encycliek van zijn voorganger (over het rassenvraagstuk) snel verduisterd, en naderhand druk paspoorten schrijven om diezelfde bonzen naar Argentinië te sluizen. Heilig?

Abracadabra – ik hield het verder voor gezien. Wie ergens in gelooft, ja, die krijgt ook wat terug. Zo is het al met medicijnen of placebo's: geloof in genezing is het halve werk. Die toverspreuk, waarvan het aftelrijmpje *ambarabaccicicoco* ongetwijfeld een Italiaanse variant was, verdoezelde niets anders dan het begin van het abc. Dát was pas echte magie: het Griekse alfabet, dat zo stabiel was gebleken omdat er in de eerste plaats mee geteld werd: de eerste, de tweede, de derde – rangtelwoorden, waardoor de letters op hun plaats bleven staan. Een alfabet met losse letters, zeg maar wanneer je de afspeelmodus van je cd-speler op *shuffle* zet, daar heb je niets aan. Bovendien werd door deze vinding een brug geslagen tussen de wereld van de vormen en die van symbolen – elkaars tegendelen. Mijn dochter kon beter antieke filosofie gaan studeren dan kruiden in een potje roeren. Daar had ze hoogstens de maag van de buurman mee bedorven en zijn bloed mee vervuild. De gewone opwinding van ergernis die zij altijd bij hem teweeg had gebracht, moest al genoeg geweest zijn om zijn cholesterol gevaarlijk te doen oplopen.

Intussen was ik, door welk oog dan ook, behept geraakt met een overweldigend gevoel van mislukking en verlies. De kwade machten rukten op. Dat die allemaal in mijn eigen kop ontstonden, daarvan had ik toen nog geen flauw idee. De motor draait op erotiek, altijd en eeuwig wist Dante, en anders op verongelijkte boosheid. Dat wist Dante ook. Wie altijd pech denkt te hebben, schuift de schuld liever op de sterren af dan op zijn eigen onvermogen. Een gelukkig man schrijft geen boeken.

Eén ding echter was mij duidelijk geworden na dit spelevaren in de doosjes (alstublieft: *no pun intended*) van mijn dochtertje: áls iemand het boze oog had, was het niet mijn Chiara geweest, met haar indringende en vaak voortijdig droeve blik van stil verwijt, een oogopslag van schoonheid die naar liefde hunkert, maar juist de buurman, onze beste vriend, fatsoenlijk en verstandig als de nieuwe man van 'Minta. Gigi voldeed precies aan de historische beschrijvingen. Het was door de kracht van mijn dochtertje geweest, één bal uitbarstende levensenergie, dat zij, anders dan ik, de negatieve uitstraling – laten we het zo maar noemen – van de buurman had weerstáán. Ik niet. Ik was al te gevoelig voor de liefde, en dus ook voor de haat, van anderen. Ik was meteen een speelbal in hun handen, mijn affecten een klavier dat zij naar hartenlust konden bespelen, willekeurig welk register opentrekkend. Eén glimlach van de mooie postjuffrouw... Eén stomme verkeersmanoeuvre van een vrouw of een verachtelijke *Pisano*...

Van de Toscaanse idylle was weinig over. Misschien kon ik niet in mijn eentje van oppervlakkig renteniersgeluk genieten. Ik was ook geenszins rentenier; mijn geldzorgen werden alleen maar groter. Was ik nog in Italië komen wonen omdat het leven daar goedkoper leek, nu was een mand met boodschappen of een tank benzine nauwelijks nog op te brengen. Ik was gekomen met het openbaar kunstbezit van dit hele wonderland al in mijn hoofd, en heb het eindeloos vaak teruggezien. Nu interesseerde me dat niet meer; verzadigd als ik was, zág ik er niets meer van, zoals de boer zijn velden niet als landschap ziet en de buurman de bijzondere bouwstijl van zijn villa alleen nog in de complimentjes van Amerikanen kon waarderen. Alsof ik, die altijd van de mooiste vrouw gehouden had – de buitenkant –, haar nu ze dood was moest opensnijden om de rottende binnenkant, doodsoorzaak van mijn liefde, te ontdekken.

Ik, die mij vroeger nooit met politiek had bemoeid, was blind geworden voor het landschap en de stedenbouw. Via krant en radio ging ik mij interesseren voor de motor waarop de Italiaanse marionetteneconomie draaide; wat achter al die oogverblindende schoonheid, die toeristen alleen onder het beste licht zien, verborgen ging. Je kon wel zeggen dat ik *in de ban* was geraakt van een zoektocht waaraan intussen elke vreemdeling meedeed die in Italië terecht was gekomen. Behoudens enkele journalisten en een handvol onomkoopbare rechters was de bevolking zelf tamelijk onverschillig gebleven. Het was een moeilijk te volgen spoor, omdat er telkens nieuw zand overheen ging en er eindeloos valse aanwijzingen werden uitgezet. Pas later en van buitenaf heb ik er enig zicht op gekregen.

Door in Italië te wonen, nog wel in het mooie hart ervan, Toscane, was ik het intens gaan haten. Omdat ik het toch niet doorgronden of mij toe-eigenen kon? Of omdat ik eindelijk, zonder vreemde vriendinnen en mijn dochter, een echte Italiaan begon te worden? Die maken echt geen uitstapjes naar een andere *regione* of kunstrijke stad. Ik kon het land alleen nog in het kwaadste daglicht zien. Hoe meer inzicht ik in de gang van zaken kreeg, hoe donkerder mijn blik. Ik speel geen balletje-balletje en trek ook geen eindeloze reeks Russische poppetjes uit elkaar, maar ik raakte eerst goed in de put toen ik aldus besefte dat de enige die het boze oog bezat, bijna beroepsmatig, ikzelf was! Een huiveringwekkende gewaarwording, met de zekerheid van een krankzinnige die weet dat alleen híj gelijk heeft. De nachten van Mr Hyde, de kleren van Edgar Allan Poe. Niet voor niets waren al die vrouwen bij mij weggelopen...

Ik heb er jarenlang weinig van gemerkt, te midden van de weelde waarin ik verkeerde. Maar langzamerhand begon mij iets te dagen van de wereld in het groot. Het was geen politiek bewustzijn maar het steeds waarschijnlijker vermoeden dat alles wat ons voorgeschoteld wordt een andere achtergrond heeft. Kon je nog van de hoog-Renaissance houden als je wist dat die het uiterlijk vertoon was van een wrede en barbaarse machtspolitiek?

Ik was er niet meer toe in staat – misschien had ik nu te veel moois gezien, ook aan het andere geslacht, en leed ik aan een vorm van het Stendhal-syndroom. Werd duizelig en stortte in. Ik weet dit alles aan de buurman. Mijn woede over de wereld –het woeden van de Italiaanse wereld– nam ik in de eerste en de laatste plaats hém kwalijk.

Zo kwam ik na wie weet hoe lang toch in beweging. Hij was zelfs niet gekomen om de laatste huur te halen. (Die had ik altijd netjes in een open enveloppe gedaan; de buurman, uiterst onbeschoft, placht die enveloppe in mijn bijzijn en ook dat van anderen meteen open te maken, aan zijn vingers te likken en de bankbiljetten te tellen – was zo iemand een *gentiluomo*?) Ik ging de huur niet brengen – daarvoor voelde ik mij toch te goed. Hadden wij niet een vriendschapsovereenkomst?

Het was een zonnige winterdag waarop de wolken oppressief laag boven het land hingen. Buiten de deur rook ik de geuren van de kamperfoelie en de lange lindelaan. Daarin had Chiara leren lopen. De kleuren van de felgele mimosa en de oranje cacchivruchten verblindden mijn ogen. Sneeuw knerpte onder mijn voeten, en bij elke stap drukte ik het kruidige gras met blauwe korenbloemen en gele dotters plat. Drie sneeuwpoppen stonden dreigend op het grasveld voor het hek: Michelle met de kinderen. Bij de buren in de tuin snoof ik de wilde tijm en rozemarijn in de zinderende hitte. De wereld leek uitgestorven, het was het uur tussen hond en wolf. De velden waren vers gehooid, de druiventrossen hingen zwaar als borsten van een jonge moeder in de olijfgaarde. De wind trok aan en alle bomen en planten wachtten bladstil het vervolg af. Kerkklokken in de verte uit de stad en dichterbij van Arsina en Capella werden overstemd door oorverdovende cicaden in de pijnbomen. Ik zag de cipressen vallen bij de poort. Ik hoorde de scharnieren knarsen. Rook van de brandende greppels sloeg op mijn keel. Voor het eerst zag ik de Grote Beer, de Melkweg en de Zuiderster tezamen aan de hemel staan.

Ik had zijn vuistvuurwapen meegenomen. Eerst het magazijn leeggemaakt en toen een verse kogel van het merk Winchester met een terugtrekken van het loopomhulsel ingeladen. Van de dunne anti-aidshandschoenen, die volgens de wet verplicht in de auto moeten worden meegevoerd voor eerste hulp bij ongelukken, en die ik gebruikte voor de afwas en het sleutelen aan mijn auto, had ik een paar aangetrokken. Wat ik precies te zeggen had en wat ik daar kwam doen, daarvan was ik mij niet bewust. Ik kwam binnen door het badkamerraam.

Gigi zat in de keuken op zijn rotanbankje bij een zwakke spaarlamp, een kruik tegen zijn buik gedrukt. Van de keukentafel waren door mijn binnenkomst en het dichtslaan van de tussendeur tientallen wikkels van Kinder *Latte* op de grond gewaaid. Daarmee had hij zich de laatste tijd in leven gehouden, daarmee was hij zichzelf aan het doodeten. Ik trok voor de zekerheid het telefoonsnoer uit de muur. Giannini was volkomen weerloos en keek mij hulpeloos aan. Zijn diep beschaduwde ogen, net als die van Chiara vol verwijt, leken te vragen waarom ik niet eerder was gekomen om hem uit zijn lijden te verlossen.

Wat volgde, ging vanzelf. Ik had er niet over nagedacht. Ik denk dat ik op dat moment niet meer kón denken. Ik gaf hem zijn geladen wapen terug. Hij zwaaide er onhandig mee in mijn richting. Iemand moest het doen: er móest iets gezegd worden. Hij had de blik van een gewonde haas in doodsnood. Oké, laat de bijl maar vallen. Geheel zonder een dergelijke intentie te hebben kwam het vonnis uit mijn mond gerold: 'Ik kom de huur opzeggen, Giacomo. Ik moet hier weg.'

Aanstonds stortte hij ineen, in zijn kramp per ongeluk de trekker overhalend. De kogel trof het televisiebeeld van de Mulino Bianco, kortsluiting en het licht ging uit. Ik wist een keukenkaars te vinden, te ontsteken en zag in het LaTour-licht dat zijn lippen paars waren geworden. Rochelend wist Gigi nog vol vreze uit te brengen: 'Kettelbach?'

Er kon niet langer meer worden gewacht. Ik sneed de uiteinden van de kapotgetrokken draden bloot en draaide vanzelf – niet vanzelfsprekend – het nummer van het ziekenhuis. Na enig tegensputteren – er waren geen ambulances vrij: kon ik daar zelf dan niet wegkomen met de gewonde man? – beloofde Kettelbach een wagen te sturen, desnoods zijn eigen (*See them zipping along! That must be Tony at the wheel!*). Ik strekte het verkrampte lichaam op de bank. Maakte een van de honderd stropdassen los en knoopte zijn Ralph Lauren-shirt open.

En toen, vreemd genoeg zonder de minste weerzin, drukte ik mijn lippen op de zijne – ik kuste mijn aartsvijand – en blies mijn adem in zijn longen. Mond op mond.

▶ *Huis*

Ik loop nog even snel het huis door om inventaris op te maken van achtergebleven spullen. De kamer van Chiara heb ik al gedaan. Vergeten: de hoelahoep. En een van de dingen waar ik het meeste angst voor heb: haar speeldoosje. Maak je het deksel open van dit juwelenkistje, dan springt voor een spiegel een danseresje in tutu te voorschijn dat wervelt op het metalen melodietje van *La caccia* (capriccio nummer 9 van Paganini), van snel steeds langzamer totdat de veer ontspannen is. Chiara bleef uren wakker in haar bed om het mechaniek op te draaien. Sluit ik het deksel, dan heb ik het gevoel haar diepste dromen en verlangens voor de toekomst weg te bergen.

Evenzo het schitterende uitzicht uit haar raam, dat nauwelijks geopend of gesloten kon worden zonder vermolmd houtwerk, arm in verf en stopverf, voorgoed onklaar te maken. Luiken dichtgespijkerd. Het kinderbedje waarin ik misschien wel meer geslapen had dan zij, met koorts, angstdromen en in eenzaamheid. Ze was er nu te groot voor: die meisjes willen vanaf de puberteit een twijfelaar, met bijslaapruimte voor meestal waardeloze gasten.

Haar kinderboeken op de richel langs de muren. Voorzover ze geen onherstelbare waterschade hadden opgelopen, in verhuisdozen gepakt.

De overspelige *master bedroom*, met uitzicht op de zijkant van de villa: het gigantische barokbed en de nachtkastjes met marmerblad, hetzelfde veilingnummer als de barok-toilettafel met grote spiegel waar zich de mooiste vrouwen naar hadden toegebogen, in stadia van ontkleding – van naakte kont tot een verstandig nachtgewaad of een pyjamabroek van mij – om hun ogen op te maken of af te schminken. Boven het bed heeft een naakttekening gehangen van Lucian Freud die ik van Hasting had gekregen en op mijn beurt ten geschenke heb gedaan aan Laura. Weg! Ook hier boeken op de richel langs alle muren – zie boven. Mijn slaapkamerraam ging makkelijker open en dicht. Luiken toe.

De overloop: twee enorme Jugendstil-kasten die van de buurman zijn. De kleren en het linnengoed in plastic vuilnisbakzakken gepropt, in de container langs de weg. Ik ben vertrokken in de kleren en de schoenen die ik aanhad. Strijkplank en strijkijzer: veel plezier ermee!

Een roestige Candy-wasmachine in het badkamertje, waar verder niets van waarde is, behalve het wc-raampje waardoor ik de vossen heb gezien en de kostbare tandenborstel van Aminta, die zij al op de eerste dag van haar verblijf naast de mijne in het waterglas heeft gezet. Boiler uitgeschakeld.

De logeerkamer waarin Laura zich soms had teruggetrokken: een slecht bed met oude matras, verder niets. Het houtwerk was van binnen door mijn stiefje rood geverfd, die al haar spullen destijds meegenomen had. Een nare kamer.

Dit huis is te klein om er een geheugentheater van te maken. Als ik van elk voorwerp de geschiedenis zou vertellen, kon ik dit boek beter opnieuw beginnen. Op die matras is in elk geval goed geneukt. Al voor mijn tijd. Ook is erop gebloed, gezweet en gemarteld. Laten liggen.

'Het geheugen van de levende persoonlijkheid kan alleen worden opgevat als een vermogen om vroegere ervaringen en indrukken te ordenen en reconstrueren in dienst van huidige behoeften, angsten en belangen. Net zoals er niet zoiets bestaat als onpersoonlijke waarneming en onpersoonlijke beleving, bestaat er ook geen onpersoonlijk geheugen.' (Schachtel)

Altijd de fijnste gasten: kropen ze niet bij mij in bed, dan kwam ik hen wel opzoeken in die gastenkamer.

Hardstenen trap naar beneden. Ten behoeve van mijn moeder had ik een dik koord in de muur aangebracht, zodat zij haar onzekere schreden met de hand kon helpen. Mijn ouders zijn in twintig jaar één keer op bezoek geweest. Zie boven bij 'kindermenu'.

De eetkeuken, beter de *soggiorno*. Het hele huis, maar vooral beneden, ruikt naar houtvuur en roet. Vaak hebben we in dichte rook gezeten, wanneer het buiten mistte of de pijp weer eens verstopt was. De grote open haard, met haardijzers en poken; een pan om kastanjes in te roosteren (alles zelf gekocht in de Borgo Giannotti); een rooster om worstjes, ander vlees of vis *alle brace* te bereiden; een heksenpan met deksel waarin het water voor Chiara's badje werd verwarmd. De rieten houtmand. Het armzalige keukenblokje, scheef aanrecht van marmer, hardstenen wasbak, koperen kraantje met alleen koud water, sterk vervuild fornuis op butagas. Aminta had gordijntjes gemaakt voor de ruimten daaronder.

De zware boerentafel die door de buurman en mij werd betwist: meskerven en naden tussen de planken waaruit witte wormpjes omhoogkwamen. Het tafelblad met pruimen, perziken en noten overdekt, bosjes versgeplukte kruiden, basilicum, het 'bordje Hasting': twee penen, een knoflookbol, een ui en twijgje rozemarijn. Ongeopende post, rekeningen, een asbak van de koffiebranderij Bei & Nannini uit de Borgo Giannotti, soms verse *porcini* of een komvol geplukte bramen en frambozen. Enkele opengebarsten vijgen, een aangebroken fles witte wijn.

Een boerenkast zoals ik altijd al wilde hebben, met de drankflessen achter glas. Het mooiste meubel in de keuken was een lichtgroen geverfde *credenza*: een hoge grote kist met een enorm deksel en een bakkersklepje om het verse brood te laten ademen. Hoe vaak had Chiara of ik die deksel niet half opengetild om te kijken of er, tussen de risottopakken en de spaghetti, het zout en de suiker, de kruiden en vanillestokjes, meel, crackers en olijfolie, niet wat lekkers te vinden was: nutella of pindakaas, merendine en koekzakken van Mulino Bianco, *Prätzli* en andere zoutjes, blikjes tonijn, ansjovis en ganzenpaté, potjes olijven, gedroogde tomaten *sott'olio*, brokken pecorino of parmezaan.

De Opel-koelkast met het voetpedaal. Alles, inclusief etenswaren waarin de larven van wurmen werden uitgebroed, achtergelaten.

Nog één kamer en we zijn klaar: mijn studeerkamer. Een schrijftafel, ooit wit geverfd, die Eefje met afbijt blank had gekregen en geschuurd. De kostbare certosino-kachel van terracotta, die Kettelbach geloof ik geroofd heeft. De gigantische sofa van rood pluche (wat daarop allemaal gebeurd is!) en twee bijbehorende Bommel-fauteuils, met franjes aan de onderkant. Leeslamp, bureaulamp, oude pick-up en zeer krachtige versterker. Vijf boekenkasten – de boeken in verhuisdozen geprapt die ik nog op het laatst – waartoe? – in de *stalla* heb gestapeld, wel een stuk of veertig, waaronder twee met langspeelplaten van de labels Impulse, Atlantic, Verve en Blue Note. Van wat er aan de muren had gehangen weet ik alleen nog het schilderijtje met de theezakjes (van Aminta) en een poster voor een optreden van mij in 042 te Nijmegen, waarop Laura met de hand een afspraak had bedongen. Achtergelaten, weg.

Buiten de deur: twee heuphoge terracottavazen (en die kosten wat) met doodgevroren citroen- en sinaasappelboompjes. Op het roestige onderstel het marmerblad dat ik had laten zagen en slijpen, waaraan we allemaal gegeten hadden: vroeg in veelbelovende morgens ontbijt, en zomernachten met spumante, kaarslicht en muggen. Lopen we verder om het huis heen: de krakkemikkige carport waaronder de mooie rooie (mijn laatste DS-5) langzaam stierf – ik ben in een groene CX voor het laatst teruggereden.

De houtschuur: ondertussen kurkdroog hout voor een halve winter, het kinderfietsje van Chiara, veel onderdelen voor Citroën DS – een heel interieur, twee lagers, vier winterbanden, een waterpomp, een radiator en een Solex-carbureteur; tientallen wijnflessen in een flessenboom, de kurkbottelmachine, een nog volle mandfles met zestig liter witte wijn. Vleermuizen aan de balken en de landbouwgereedschappen: twee zeisen, kapmessen, een hark, een schop, een kruiwagen met lekke band, snoeischaren, opgerolde tuinslang en vijftienliterflessen butagas. Ongeveer alles wat je nodig hebt voor een leven op het platteland (cementemmers, troffels, oneindig veel ander gereedschap). Het is van mij, ik kan er nooit meer bij.

De vruchtbomen langs ons erf. Bomen kun je niet meenemen. Ze houden je ook niet tegen.

Ik heb een takje laurier (voor toekomstige roem), een takje mirte (voor *late flowering love* – John Betjeman), en een olijftakje (u weet wel) meegenomen.

Bijna dagelijks bezoek ik mijn huis. Dwaal door de kamers, trek een verregend boek van de plank, pook het haardvuur nog eens op, ruik Zelda in mijn bed, roep Chiara binnen voor het avondeten. Altijd als ik wakker word, is het omdat ik Chiara heb geroepen en geen antwoord krijg. De bladzijden van mijn boeken zijn niet meer van elkaar te trekken. Ik word wakker van angst omdat ik Chiara overal gezocht heb en nergens gevonden.

'Het geheugen is niet meer dan een voorwaarde van verdwijnende betekenis. Door middel van het geheugen presenteert de beleving zich om de wijding van de herinnering te ontvangen. De herinnering is namelijk de idealiteit, maar vergt als zodanig veel meer inspanning en doet een veel groter beroep op de verantwoordelijkheid dan het onverschillige geheugen. Daarom is het een kunst zich te herinneren.' (Kierkegaard in zijn inleiding op de *Stadia van de levensweg*.)

Pas jaren later durfde ik er echt langs te rijden: niets veranderd. Alles nog meer in verval. De boekendozen zullen door de ratten zijn aangevreten – mijn basiskennis. Het dak gedeeltelijk ingestort; hele stukken van de muur rondom het landgoed omgevallen. De villa overwoekerd door klimop, met dichtgetimmerde luiken. Wij konden wel janken – ik had mijn teruggevonden jongedochter bij me in de auto –, maar dit is mij liever dan wanneer ik verse *villette* in aanbouw had aangetroffen op ons landgoed. Toch weet ik zeker dat dit morgen zal gebeuren.

'Men kan geboren worden met een in aanleg fenomenaal geheugen, maar men wordt niet geboren met een hang om te herinneren; die komt er pas bij veranderingen en scheidingen in het leven – scheiding van mensen, plaatsen, gebeurtenissen en situaties, vooral wanneer ze van groot belang zijn geweest, als men ze intens heeft gehaat of liefgehad. Het zijn dus de breuken, de grote breuken in het leven, die we trachten te overbruggen, te verzoenen of te integreren door middel van de herinnering, en daarbovenuit, door mythe en door kunst. Nostalgie en breuk zijn het grootst als we bij het opgroeien de plaats van onze kindertijd verlaten of verliezen, als we emigranten of ballingen worden, als de plaats van het leven waarin we zijn grootgebracht onherkenbaar wordt veranderd of verwoest. Uiteindelijk zijn we allemaal ballingen uit het verleden.' (Oliver Sachs in *Het landschap van zijn dromen*; zie ook Ulrich Neisser, *Memory Observed*.)

Morgen gebeurt het. Het was nog pas gisteren.

In plaats van thuis te komen moet ik een terugtrekkende beweging maken: deur dicht, erf af, modderpad, oprijlaan tussen de linden. Voor de nachtuil is het dag geworden. Via della Billona ('Addio Nino!'), provinciale weg, over de brug de Borgo Giannotti in – mooiste straat van de wereld – om Lucca heen (de muren en de torens reeds vanuit vogelvluchtperspectief), dan de bretella, de A-12, en zo naar de grote wegen der oneindigheid.

Verantwoording

Blz. 19

Er was een heel lief huisje
zonder plafond, zonder keuken;
je kon er niet naar binnen
want er was geen vloer.
Je kon daar niet naar bed gaan
want op dat huis was geen dak;
je kon er niet naar de wc
omdat daar geen wc-pot in was.
Maar het was werkelijk heel erg mooi:
Gekkenstraat, nummer nul.

Sergio Endrigo 'La casa' (Copyright © 2001 italianissima.net)

Blz. 75

Ambarabaccicicoco
Twee kievitten bedrijven op de commode
de liefde met de dochter van de dokter;
de dokter werd ziek van woede:
ambarabaccicicoco.

Blz. 130

DE AUTOSTRADA DELLA CISA

Ongeveer tien jaar, niet eerder
dat mijn vader opnieuw in mij sterft
(lomp werd hij naar beneden geschoven
en een mistbank scheidt ons voor immer.)

Vandaag, op een kilometer voor de pas,
zwaait een Schikgodin met wilde haardos
van de berm van een helling met een lap,
om een dag te doven die al voorbij is, en adieu.

Weet je, zei gisteren iemand tegen me toen hij wegging,
weet je dat het hier niet bij blijft,
af en toe geloof je aan een ander leven,
dat op je wacht tussen de zeeën;

en je zult van de andere kant van de pas
de zomer zien terugkomen.

Vittorio Sereni, 'Autostrada della Cisa', da *Poesie – Stella
variabile*, a cura di Dante Isella con la collaborazione di
Clelia Martignoni, Einaudi Tascabili, Torino, 2002

Blz. 151

Maar het zuchten van Laura klinkt daarentegen altijd hetzelfde;
of ze nu vrijt of wanneer ze de trap op loopt.
(Wat heeft ze mij voor de gek gehouden,
met dat zuchten en steunen,
wat heeft ze mij voor de gek gehouden.)

Alberto Radius

Blz. 172

Er bestaat een huis zó zó klein,
met een heleboel gekleurde ramen,
en een vrouwtje zó zó klein,
met twee grote kijkers,
en daar is een mannetje zó zó klein,
dat altijd laat van zijn werk terugkomt,
en hij draagt een hoed, zó zó klein,
met daarin een droom die hij wil doen uitkomen,
en hoe meer hij daaraan denkt, des te minder kan hij wachten.
Pas op voor de boze wolf, pas op voor de boze wolf.

Blz. 207

Daar is ook een weitje zó zó klein
met een groot rumoer van cicaden,
en een zoet parfum zó zó klein
liefje: de zomer is aangebroken
en wij twee liggen hier uitgestrekt onder de vleugels
    van onze vlieger
midden in deze zee van cicaden
deze liefde die zó zó klein is
maar evengoed zo groot dat ik denk te kunnen vliegen
en hoe meer ik eraan denk, hoe minder ik kan wachten.
Pas op voor de boze wolf, pas op voor de boze wolf.